Cura definitiva

O poder da compaixão

Lama Zopa Rinpoche

Cura definitiva

O poder da compaixão

Prefácio de Lilian Too
Editado por Ailsa Cameron

São Paulo
2009

©Lama Zopa Rinpoche, 2006

1ª Edição, Editora Gaia, São Paulo 2009

Diretor Editorial
JEFFERSON L. ALVES

Diretor de Marketing
RICHARD A. ALVES

Seleção e Assistência Editorial
BEL CESAR

Gerente de Produção
FLÁVIO SAMUEL

Coordenadora Editorial
DIDA BESSANA

Assistentes Editoriais
ALESSANDRA BIRAL
JOÃO REYNALDO DE PAIVA

Tradução
LÚCIA HELENA SHAEFER DE BRITO

Preparação de texto
GABRIELA F. TREVISAN

Revisão
NAIR KAYO
TATIANA SOUZA

Foto de Capa
THANGKAGALLERY.ORG/S. NOSKOV

Capa e Projeto Gráfico
REVERSON R. DINIZ

Dados Internacionais de Catalogação na Publicação (CIP)
(Câmara Brasileira do Livro, SP, Brasil)

Rinpoche, Lama Zopa
  Cura definitiva : o poder da compaixão / Lama Zopa Rinpoche ; prefácio de Lilian Too ; [tradução Lúcia Brito]. – São Paulo : Gaia, 2009.

  Título original: Ultimate healing : the power of compassion.
  Bibliografia
  ISBN 978-85-7555-192-9

  1. Compaixão – Aspectos religiosos – Budismo 2. Cura – Aspectos religiosos – Budismo 3. Meditação – Budismo 4. Vida espiritual I. Too, Lilian. II. Título.

09-01170   CDD-294.3444

Índice para catálogo sistemático:
1. Vida espiritual : Budismo : Prática religiosa   294.3444

Direitos Reservados

EDITORA GAIA LTDA.
(pertence ao grupo Global Editora
e Distribuidora Ltda.)

Rua Pirapitingui, 111-A – Liberdade
CEP 01508-020 – São Paulo – SP
Tel: (11) 3277-7999 / Fax: (11) 3277-8141
e-mail: gaia@editoragaia.com.br
www.editoragaia.com.br

Obra atualizada
conforme o
**Novo Acordo
Ortográfico da
Língua
Portuguesa**

Colabore com a produção científica e cultural.
Proibida a reprodução total ou parcial desta obra sem a autorização do editor.
Nº de Catálogo: **2798**

Cura definitiva

O poder da compaixão

Sumário

Prefácio de Lilian Too 9
Prefácio do editor..11

PARTE UM: Psicologia da cura

1. O poder curativo da mente 17
2. Cura bem-sucedida 24
3. Rompendo conceitos arraigados 32
4. O propósito da vida.. 36
5. A natureza da compaixão.................................. 42
6. O poder curativo da compaixão 54
7. Curadores.. 59
8. Tudo vem da mente por meio de rótulos.................. 67
9. Doença é apenas um rótulo................................ 74
10. Tudo vem da mente por meio do Karma.................. 79
11. Transformando enfermidade em felicidade 88
12. Os benefícios da doença................................... 95
13. O benefício último da doença 103
14. O coração da cura: receber e dar........................ 111

PARTE DOIS: Práticas de cura

15. Meditações curativas simples 121
16. Buddha da Medicina 128
17. Liberando animais: introdução 147
18. Liberando animais: a prática 159
19. Lidando com a depressão 174
20. Prática de purificação 181
21. Abençoando a água 185
22. Pujas de Cura 188
23. Medicina Tibetana 191
24. Prece de cura de Tangtong Guialpo 194
25. Dedicação 197

Apêndice 198
Glossário 202
Leitura adicional sugerida 214
Índice remissivo 216
Notas 233

Agradecimento da editora

A editora é muito grata à amável
generosidade de Richard Gere e da
Gere Foundation pela contribuição
para a impressão deste livro.

Prefácio

Este é um livro verdadeiramente espantoso. De suas páginas emanam tamanha sabedoria confortante, tanta luz de cura – é a manifestação da presença, das palavras e dos ensinamentos de um dos mais eminentes Lamas do mundo. Eis aqui um livro que enfoca o coração da cura espiritual para aqueles em sofrimento; um livro que dirige a atenção da mente para a sabedoria especial de tratamentos que produzem cura permanente; um livro para os doentes, os infelizes e os feridos.

Entretanto, *Cura definitiva* é mais que um livro de preces para aliviar nossas enfermidades físicas. Os ensinamentos e práticas aqui contidos levam a mente a um entendimento mais profundo da vida e da morte e da impermanência e do sofrimento. Tal entendimento permite-nos começar a ver as enfermidades e doenças por uma perspectiva mais ampla. Nessa perspectiva, os conceitos de Karma, reencarnação e qualidade de renascimento assumem novos significados que têm o poder de nos confortar e, por fim, curar.

Lama Zopa Rinpoche é um professor espiritual cuja compaixão, bondade e incrível humildade são lendárias para seus milhares de estudantes e discípulos ao redor do mundo. Aos quatro anos de idade ele foi reconhecido como a reencarnação de um sábio e meditante que viveu na região de Lawudo, nos Himalaias nepaleses.

Tive a grande felicidade de conhecer Rinpoche na Índia em fevereiro de 1997, um encontro que mudou para sempre meu modo de ver a vida. Levei para aquele encontro a bagagem negativa de uma vida de pose e egocentrismo. Na época, fumava como uma chaminé – baforando facilmente dois maços de cigarro por dia. Eu fumava há 30 anos! Na Índia, pediram-me educadamente para não fumar na presença de um Lama tão elevado, e recordo-me de escapulir para os fundos do prédio para, em desespero, acender um cigarro a cada poucas horas. Sentia-me muito tola, mas, como todos que já foram viciados em fumar vão confirmar, não é por escolha que nós fumantes nos comportamos como viciados. Após uma vida inteira de cigarros, não é fácil largar.

E a coisa maravilhosa foi essa: depois de voltar da Índia, nunca mais toquei em outro cigarro, e desde então não fumei mais. Lembro-me de que percebi, muitos meses depois de ter parado de fumar, que isso tinha algo a ver com ter conhecido

Rinpoche. As bênçãos dele me ajudaram a ter êxito em largar o cigarro, enquanto todos os esforços que eu havia feito tinham fracassado. Contudo, quando tentei agradecer, Rinpoche nem mesmo admitiu ter qualquer coisa a ver com aquilo. Simplesmente ignorou todas as referências a respeito – essa é a extensão da humildade de Rinpoche.

As práticas aqui compiladas são especialmente vitais para aqueles que sofrem de enfermidades com risco de morte. A prática do Buddha da Medicina é particularmente poderosa, visto que pode trazer cura aparentemente milagrosa para nossa vida e a vida daqueles afligidos por indisposições e doenças crônicas. A bondade de Lama Zopa Rinpoche em transmitir esse conhecimento e esses ensinamentos para o mundo é infinita.

Assim, prepare-se para curas, mas faça também um esforço para penetrar o véu de ignorância e desapontamento que impedem a mente de aceitar quando as curas *não* ocorrem. Transponha a ignorância kármica meditando sobre esses ensinamentos, realizando as visualizações e recitando os mantras. Rinpoche mostra-nos como, pelo entendimento da verdadeira natureza da existência, somos capazes de ver que cada sofrimento contém as sementes da felicidade. Nisso jaz a sabedoria superior deste livro maravilhoso.

A qualquer um que leia as palavras de meu professor, tenha felicidade para sempre. Que seus sofrimentos sejam atenuados e aliviados, e que todas suas indisposições, enfermidades e doenças sejam instantaneamente curadas.

Lilian Too
Julho de 2001

Prefácio do editor

Lama Zopa Rinpoche, diretor espiritual da Foundation for the Preservation of the Mahayana Tradition (FPMT), ajudava pessoas com problemas de saúde há mais de 20 anos quando decidiu dar o primeiro curso sobre cura em agosto de 1991, no Tara Institute, centro da FPMT em Melbourne, Austrália. Tanto quanto medicina herbal tradicional tibetana, Lama Zopa havia prescrito meditações, mantras e várias outras práticas de cura budista tibetana para milhares de pessoas. Sentindo que havia cada vez mais pessoas necessitando de ajuda, e que o budismo tibetano tinha muito a oferecer a elas, especialmente àquelas com doenças incuráveis, Rinpoche organizou um curso de cura de uma semana.

Anunciado como "Métodos e Meditações para Ajudar a Curar Mente e Corpo", o curso não fazia promessas de curas milagrosas. Lama Zopa insistiu que apenas aqueles com doenças com risco de morte poderiam participar do curso, e apenas seis pessoas foram aceitas: quatro com câncer, uma com HIV e uma com esclerose múltipla. Além dessas, o curso foi assistido por seis pessoas selecionadas para organizar o evento ou dirigir futuros cursos de cura.

Na manhã de 28 de agosto de 1991, os participantes reuniram-se no salão de meditação do Tara Institute para a primeira sessão. Dispensando o estilo tradicional de ensinar em um trono, Lama Zopa sentou-se em uma poltrona confortável, de frente para os seis participantes, também sentados em poltronas. Rinpoche cumprimentou-os dizendo: "Gostaria de agradecer a todos vocês por terem vindo aqui. Juntos vamos ajudar uns aos outros a desenvolvermos nossa mente e, a coisa mais importante da vida, nosso bom coração. Dessa maneira, podemos beneficiar outros seres vivos de uma forma melhor e mais profunda. Gostaria de agradecê-los muito por proporcionar essa oportunidade."

A seguir, todas as pessoas do grupo, incluindo Lama Zopa, apresentaram-se brevemente e falaram um pouco sobre o que esperavam do curso. Mais adiante, Rinpoche comentou que de início havia planejado concentrar-se em fazer meditação durante o curso, mas, quando os participantes se apresentaram, ficou surpreso ao verificar que eles estavam mais interessados em encontrar paz mental do que em curar a doença. Isso encorajou Rinpoche a entrar mais profundamente na filosofia budista em suas palestras.

Durante os sete dias do curso, Rinpoche ensinou duas vezes ao dia, de manhã e à tarde, geralmente em sessões curtas, devido às limitações físicas dos participantes. Ele teve o cuidado de evitar os termos sânscritos e, em vez disso, tentou usar uma linguagem de significado mais universal. Além das palestras, havia exercícios suaves todas as manhãs, meditações conduzidas e discussões genéricas. Rinpoche apresentou a filosofia budista básica, com ênfase especial na transformação do pensamento; deu a cada pessoa uma cópia autografada de seu livro *Transforming problems into happiness*, destacando que a obra cobria os temas fundamentais que seriam discutidos durante o curso de cura. Rinpoche também conduziu meditações de cura com luz branca; canto de mantras e meditação em divindades, particularmente Logyönma; circum-ambulação de estupas, relíquias e textos; e bênção-d'água, que era bebida no início e ao encerramento das sessões. Perto do fim do curso, Rinpoche reuniu-se com cada pessoa para discutir sua situação individual e dar conselhos sobre práticas pessoais. Também realizou pujas para elas em sua sala.

Embora uma jovem tenha desistido após o segundo dia, por precisar de mais alívio para a dor, os outros comentaram que se sentiam muito melhor ao fim do curso, notando diminuição da dor e aumento da paz mental.

Para concluir o curso, Rinpoche concedeu os *jenangs*, ou permissão para prática, do Buddha da Medicina, Singhanada e Sitatapatra. Também compôs a "Prática de Purificação para Câncer ou Aids" (ver página 182) e traduziu uma breve prática de cura de Padmasambhava (ver "O Buddha da Cura", página 144). Rinpoche deu a cada pessoa práticas para depois do curso. Posteriormente, explicou preferir que as pessoas com doenças com risco de morte continuassem sua prática espiritual, aproximando-se dessa forma do fim de todo sofrimento e suas causas, do que simplesmente se recuperassem da doença e então não fizessem mais prática espiritual. Elas poderiam ficar saudáveis, mas estariam desperdiçando suas vidas.

Embora o curso no Tara Institute tenha sido o único curso de cura dado por Lama Zopa Rinpoche, em fevereiro de 1993 Rinpoche deu três palestras sobre "Curando Mente e Corpo" em Auckland, Nova Zelândia. Para essas preleções ele levou um bloquinho de notas no qual havia traçado as linhas gerais para os cursos de cura, que descreveu como "a própria essência da cura". Incapaz de abordar todos os tópicos em Auckland, Rinpoche terminou explicando-os durante ensinamentos subsequentes no Mahamudra Centre, também na Nova Zelândia. Apesar de as linhas gerais jamais terem sido mencionadas no curso de cura no Tara Institute, ficou claro que elas proporcionaram a estrutura para as preleções.

São elas também que compõem a estrutura da Parte Um deste livro. O primeiro tópico, abordado nos dois capítulos iniciais, é estimular a confiança nos benefícios das técnicas de meditação por meio do relato das histórias de duas pessoas que se recuperaram de alguma doença por intermédio dessa prática. O Capítulo 3 desenvolve o segundo tópico, a necessidade de romper o conceito arraigado da permanência. Isso significa reconhecer que ter ou não ter uma doença que ameaça a vida dá no mesmo, visto que a morte pode acontecer para qualquer um a qualquer momento.

O terceiro tópico, explicado no Capítulo 4, envolve a consideração sobre o propósito último da vida, que não é apenas ser saudável e viver por um longo período, mas libertar outros seres vivos do sofrimento e trazer felicidade a eles. Esse assunto é mais detalhado nos três capítulos seguintes.

O quarto tópico, que tudo vem da mente, tem duas divisões. A primeira, relacionada ao processo de rotulamento mental, é abordada nos Capítulos 8 e 9, enquanto a segunda, relacionada ao Karma, é discutida no Capítulo 10.

A seguir vem o tema-chave da transformação do pensamento, no qual os problemas são transformados em felicidade, pensando-se em seus benefícios. Isso é discutido nos três capítulos seguintes. O tópico final, a meditação de receber e dar *(tong-len* em tibetano), é explicado no Capítulo 14.

A Parte Dois contém várias meditações e práticas de cura, muitas delas traduzidas ou compostas por Lama Zopa. O Capítulo 15 oferece meditações sobre cura com luz branca, compaixão, e receber e dar. O Capítulo 16 explica os benefícios da prática do Buddha da Medicina e tem as traduções de Lama Zopa para dois textos de Padmasambhava sobre o Buddha da Medicina. Seguem-se dois capítulos sobre liberação de animais, o primeiro explicando os benefícios das circum-ambulações, recitação de mantras e bênção-d'água (as principais práticas envolvidas na liberação de animais), e o segundo contendo a própria cerimônia de liberação animal elaborada por Rinpoche. O Capítulo 19 apresenta três técnicas que podem ser aplicadas para curar a depressão. O Capítulo 20 começa com uma breve explicação do remédio dos quatro poderes e a seguir oferece uma prática simples de purificação elaborada por Rinpoche ao fim do primeiro curso de cura. Os próximos dois capítulos oferecem uma meditação simples de Tchenrezig para abençoar água e um vislumbre das práticas envolvidas em lidar com nagas e espíritos – seres não humanos implicados na causa de doenças. O Capítulo 23 apresenta as tentativas de Rinpoche de encontrar uma cura com ervas para a Aids, e o Capítulo 24 tem a tradução de uma famosa prece de cura que Rinpoche recomendou que fosse recitada durante os cursos de cura. O capítulo final contém as três preces de dedicação que Rinpoche recitou na conclusão das palestras e meditações durante o curso no Tara Institute.

Embora a estruturação de *Cura definitiva* tenha sido relativamente simples, porque Lama Zopa já havia fornecido as linhas gerais do livro, várias decisões tiveram de ser tomadas ao se escolher material relevante dentre as mais de seiscentas páginas de ensinamentos transcritos e não editados de Lama Zopa sobre cura. Somados aos três ensinamentos principais já mencionados, mais de trinta outros ensinamentos de várias dimensões foram examinados, além de excertos de conselhos pessoais dados a estudantes em 1998 e 1999.[1] Não obstante a maior parte dos ensinamentos ter sido dada no início da década de 1990, eles vão do início de 1981 a meados de 1999.

Durante o curso no Tara Institute, a divindade de cura escolhida para o grupo por meio de adivinhação de Rinpoche foi Logyönma, divindade feminina geralmente praticada para combater doenças contagiosas. Em vez de tentar incluir um número exaustivo de práticas de divindades de cura neste livro, resolvi concentrar somente na do Buddha da Medicina, primeiro porque está intimamente conectada à cura, e também porque pode ser praticada para trazer sucesso em geral. Se você tem uma enfermidade, é melhor verificar com um Lama qualificado a divindade de cura com quem tem uma forte conexão kármica e então seguir aquela prática. Para mais informações sobre práticas de cura específicas, favor contatar FPMT Education Services.[2]

Embora algumas práticas contidas neste livro possam ser adotadas sendo a pessoa budista ou não, muitas presumem que o praticante tenha tomado refúgio no Buddha, no Dharma e na Sangha. Em especial na prática de divindades, é aconselhável treinar primeiro nas meditações preliminares do caminho gradual para a iluminação, ou LamRim, antes de tentar as visualizações e recitações de mantra. Novamente, a instrução de um professor qualificado é o ideal para se obter o máximo benefício desses métodos.

Essas práticas não são mágicas ou miraculosas, mas sim um cultivo paciencioso de causas internas reais de saúde e felicidade. Assim como a prática budista mais genérica, os resultados que a pessoa obtém dependem do Karma passado e de suas condições atuais. Rinpoche explica em muitos pontos, por exemplo, os maravilhosos benefícios de se recitar vários mantras, sugerindo às vezes que recitar um mantra uma única vez pode cortar a possibilidade de renascimento em reinos inferiores. Tais explicações de benefícios inconcebíveis encorajam a fé e a perseverança. Contudo, ele também observa: "Os benefícios que você recebe dependem do quão perfeitamente você recita o mantra, o que é determinado por sua motivação e pela qualidade de sua mente".

Agradeço sinceramente às muitas pessoas que ajudaram neste livro. Agradeço especialmente a Lama Zopa Rinpoche por sua infinita bondade e paciência; Claire Atkins pelo generoso apoio financeiro; Venerável Robina Courtin por seu conselho generoso; Nick Ribush, do Lama Yeshe Wisdom Archive (LYWA), por seu apoio; Wendy Cook, do LYWA, pelo rápido envio de fitas e transcrições; Venerável Connie Miller do FPMT Education Services por sua generosidade em conselhos e materiais; Venerável Lhundrup Damchö por fornecer materiais; Venerável Thubten Gyatso, Venerável Pende Hawter e Murray Wright pela transcrição e trabalho de edição inicial; e aos muitos transcritores de fitas, incluindo Venerável Wendy Finster, Venerável Yeshe Chodron, Venerável Kaye Miner, Venerável Thubten Wongmo, Chris Naylor, Katarina Hallonblad, Tracy Ho, Sally Barraud, Su Hung, Julia Hengst, Gareth Robinson, Segen Speer-Senner, Diana Velez e à saudosa Inta McKimm.

A todos que lerem *Cura Definitiva*, que sejam imediatamente libertados de todas as doenças, dano por espíritos, Karma negativo e obscurecimentos, e que rapidamente alcancem a felicidade inigualável da iluminação plena. Que este livro possa tornar-se medicamento para todos os seres vivos, não apenas curando temporariamente seu sofrimento físico, mas curando definitivamente seu corpo e mente, de modo que jamais tenham que experienciar o sofrimento outra vez.

Parte Um

Psicologia da cura

1. O poder curativo da mente

A natureza da mente

Visto que a cura vem essencialmente de nossa mente, não de nosso corpo, é importante entender a natureza da mente. A natureza intrínseca da mente é pura no sentido de que não está unida às falhas da mente, aos pensamentos perturbadores e aos obscurecimentos. Todas as falhas de nossa mente – egoísmo, ignorância, raiva, apego, culpa e outros pensamentos perturbadores – são temporárias, não permanentes e constantes. E, visto que a causa de nosso sofrimento, nossos pensamentos perturbadores e nossos obscurecimentos, é temporária, nosso sofrimento também é temporário.

A mente também é vazia de existência verdadeira, de existência por si mesma. Essa qualidade da mente, conhecida como natureza do Buddha, nos dá o potencial para nos libertarmos por completo de todo sofrimento, inclusive das doenças, e das causas do sofrimento, e para atingirmos qualquer felicidade que desejamos, inclusive a felicidade inigualável da iluminação. Visto que a mente possui todo esse potencial, não há por que nos sentirmos deprimidos ou desesperançados. Não temos de experienciar problemas para sempre. Temos a incrível liberdade para desenvolver nossa mente em qualquer sentido que desejarmos. É simplesmente uma questão de encontrar o caminho certo para usar o potencial de nossa mente.

A mente e o corpo são dois fenômenos distintos. A mente é definida como aquilo que é claro e que percebe objetos. Como reflexos aparecendo em um espelho, os objetos aparecem claramente para a mente, e a mente é capaz de reconhecê-los. Enquanto o corpo é substancial, a mente é informe, sem cor ou formato. Ao passo que o corpo se desintegra após a morte, a mente continua de vida em vida. Não é incomum ouvir falar de pessoas, tanto no Oriente quanto no Ocidente, que são capazes de lembrar de vidas passadas e ver vidas futuras, não apenas as delas mesmas, mas também as dos outros. Alguns nascem com essa capacidade, outros desenvolvem-na por meio da meditação. Algumas pessoas conseguem lembrar de vidas há centenas ou milhares de anos. Quando Lama Yeshe, que me orientou por muitos anos, visitou as pirâmides do Egito, conseguiu lembrar que havia vivido lá em uma vida passada.

O ponto é que, embora muita gente não acredite em vidas passadas e futuras, ninguém provou realmente que vidas passadas e futuras não existem. Por outro lado, muitos perceberam que vidas passadas existem porque lembram delas muito claramente, assim como lembramos do que fizemos na véspera. Essas pessoas percebem a verdade da reencarnação porque têm a capacidade mental de ver vidas passadas e futuras.

O conhecimento da natureza da mente é um tema mais importante, e também mais vasto, do que o conhecimento da natureza dos fenômenos externos. E, a menos que entendamos a natureza da mente, não há meio de podermos entender corretamente a natureza convencional e absoluta dos outros fenômenos. Mesmo em termos mundanos, somente por meio do entendimento da mente é que podemos definir e entender precisamente como os fenômenos externos existem.

De modo geral, desenvolver o conhecimento de nossa mente é a solução prática para os nossos problemas. Primeiro temos de identificar a raiz deles, pois só então teremos a possibilidade de pôr fim a eles e garantir que nunca os experienciemos de novo. Também temos de reconhecer a sua plena extensão, pois se virmos apenas parte de nossos problemas, nosso conceito de liberação será limitado.

Curando a mente

Curar nossa mente é crucial, porque, do contrário, nossos problemas, que não têm começo, tornam-se intermináveis. Podemos usar medicamentos ou algum outro meio externo para curar uma doença específica, mas a doença vai retornar a menos que curemos nossa mente. Se não fizermos nada para curá-la, existe sempre o perigo de criarmos outra vez a causa da doença, de repetirmos as ações que nos tornaram fisicamente enfermos. E então experienciaremos a mesma enfermidade em vidas futuras, ou mesmo nessa vida.

Curar doenças por meios externos não é a melhor solução porque a causa da doença não é externa. Bactérias, vírus, espíritos e outros podem atuar como condições para doenças, mas a doença em si não tem causa externa. No Ocidente, entretanto, as condições externas para uma doença específica em geral são consideradas sua causa. A causa da doença não é externa; está na mente – ou, pode-se dizer, é a mente. A doença é causada por nosso egocentrismo, nossa ignorância, nossa raiva, nosso apego e outras delusões, e pelas ações negativas motivadas por esses pensamentos negativos. Nossos pensamentos e ações negativos deixam marcas em nossa mente, que então se manifestam como doença ou como outros problemas. As marcas também possibilitam que pensamentos perturbadores e ações negativas surjam de novo.

Uma manifestação física possui necessariamente uma causa física, mas esta surge devido à causa interna, às marcas deixadas na mente pelos pensamentos e ações negativos. Para entender plenamente a doença, temos de entender sua causa interna, que é a verdadeira causa da doença e que também cria as condições físicas para a doença. Enquanto ignorarmos a causa interna, não teremos uma cura real para a doença. Devemos estudar seu desenvolvimento e reconhecer que a causa está na mente. Uma vez que reconheçamos isso, automaticamente entenderemos que a cura da doença também tem de vir da mente.

O que descrevi está de acordo não só com os ensinamentos budistas, mas com nossa experiência de vida. Pesquisas também mostraram que a saúde tem muito a ver com a atitude da pessoa na vida cotidiana, com a capacidade de manter a mente positiva. Em *Sabedoria incomum**, por exemplo, Fritjof Capra entrevistou médicos e psicólogos famosos a respeito da causa do câncer. A partir de pesquisas, eles concluíram que a fonte do câncer jaz nas atitudes negativas, e que ele pode ser curado por meio da geração de atitudes positivas.[3] Essa visão científica aproxima-se da filosofia do Buddha.

Um problema é uma criação particular da mente. Se a causa de um problema existe na mente, o problema definitivamente há de se manifestar, a menos que se purifique aquela causa. Se a causa interna de um problema existe, as condições externas para o problema também vão existir, porque a causa interna as cria. Em outras palavras, obstáculos externos vêm de obstáculos internos. Mesmo as condições externas para um problema são criadas por nossa mente. Fatores externos tornam-se condições para um problema devido à causa interna de nossa mente; mas, se não existe causa interna, mesmo que os fatores externos estejam presentes, não podem se tornar condições para o problema. Sem o obstáculo interno, não existe obstáculo externo.

Tome-se como exemplo o câncer de pele. A crença geral é de que ele é causado por exposição prolongada ao sol. Contudo, se o sol é a causa principal do câncer de pele, todo mundo que toma banho de sol deveria desenvolvê-lo. O fato de que nem todos que tomam banho de sol desenvolvem câncer de pele prova que o sol não é a causa principal. Exposição ao sol é uma condição, mas não é a causa principal. A causa principal do câncer de pele é interna, não externa. A causa principal é a mente. Para as pessoas que têm a causa do câncer de pele na mente, a exposição ao sol torna-se uma condição para o seu desenvolvimento. Porém, para aquelas que não têm a causa interna, a exposição ao sol não se tornará uma condição.

Como já mencionei, a raiz de nossos problemas está dentro de nossa mente. É o nosso modo inábil de pensar. Temos de identificar o jeito certo de pensar,

---

* CAPRA, F. *Sabedoria incomum*. 6ª ed. São Paulo: Cultrix, 1995.

que traz felicidade, e a maneira errada de pensar, que traz sofrimento. Com uma forma de pensar, temos problemas em nossa vida; com outra forma de pensar, não temos. Em outras palavras, felicidade e sofrimento vêm de nossa mente. Nossa mente cria a nossa vida.

Meditação é o remédio

Enquanto um medicamento externo pode ser tomado para curar uma enfermidade física, deve-se tomar um medicamento interno para curar a causa da doença e garantir que jamais se experiencie-a outra vez. O que é esse medicamento interno? Meditação. Meditação é usar nossa própria mente e nossas atitudes positivas para nos curarmos. E não devemos restringir nossa definição de cura à recuperação de uma doença específica, mas expandi-la para incluir a cura de todos os problemas e de suas causas. Visto que doenças e todos nossos outros problemas são causados por marcas negativas deixadas em nossa mente, curarmo-nos das causas de nossos problemas também deve vir de nossa mente. "Meditação" é simplesmente um rótulo para o que fazemos com nossa mente, e é o melhor tratamento, porque não tem efeitos colaterais.

Visto que felicidade e sofrimento vêm de nossa mente, a meditação é a chave essencial para a cura. É o único meio de deter a causa do sofrimento e criar a causa da felicidade. Não podemos efetuar esse processo por quaisquer meios externos; temos de efetuá-lo por meio de nossa mente. Medicamento sozinho ou uma simples visualização pode curar uma doença específica, mas não é suficiente para curar a mente. Não existe outro meio de curar a doença, bem como sua causa, além da meditação.

Na meditação, nossas atitudes positivas tornam-se o medicamento interno que cura nossa mente e cura a causa de todos os nossos problemas. A cura bem-sucedida requer o desenvolvimento das boas qualidades de nossa mente. Certos modos de pensar são pacíficos e curativos; outros, são perturbadores e nocivos. Doença e todos os outros problemas de nossa vida são causados pela mente enferma. Mente enferma é qualquer ação mental que nos perturba e nos deixa infelizes, e um corpo enfermo vem de uma mente enferma.

A meditação não só cura a doença, como traz grande paz à mente. É a natureza dos pensamentos positivos que nos deixa calmos e relaxados. Os melhores pensamentos positivos para cura são bondade amorosa e compaixão. Bondade amorosa é o desejo de que os outros tenham felicidade e as causas da felicidade; grande bondade amorosa é tomarmos para nós a responsabilidade de trazer para os outros a felicidade e suas causas. Compaixão é o desejo de que os outros fiquem livres do sofrimento e das causas do sofrimento; grande compaixão é tomarmos para nós a responsabilidade de libertar os outros do sofrimento e suas causas. Gerar essas qualidades positivas pode curar doenças.

Compaixão é a melhor curadora. A cura mais poderosa vem do desenvolvimento da compaixão por todos os demais seres vivos, independente de raça, nacionalidade, crença religiosa ou relacionamento conosco. Precisamos sentir compaixão por todos os seres vivos, cada um deles, que desejam felicidade e não querem sofrimento. Precisamos não apenas desenvolver compaixão, o desejo de libertar todo mundo de todo sofrimento, mas grande compaixão, que significa tomar para nós a responsabilidade de fazer isso. Isso gera cura profunda e poderosa.

A natureza dos pensamentos amorosos e compassivos é pacífica e saudável, bem diferente da natureza da ignorância, da raiva, do apego, do orgulho ou do ciúme. Embora uma pessoa compassiva sinta preocupação genuína pelos outros e ache intolerável que qualquer um sofra, a natureza essencial de sua mente ainda assim é pacífica.

Por outro lado, a mente da má vontade e do desejo de fazer mal aos outros não é calma; é como ter um espinho pontiagudo em nosso coração. O apego também tem a sua dor; é algo retesado, apertado e muito doloroso quando temos de nos separar do objeto de nosso desejo. O apego também obscurece nossa mente, criando uma parede entre nós e a realidade. Quando estamos apegados a uma pessoa em particular, ou mesmo a um animal específico, não conseguimos ver a realidade do sofrimento daquele ser ou sentir compaixão por ele porque o apego obscurece nossa mente. O apego não nos deixa espaço para sentir compaixão. Mesmo se ajudamos aquele ser, sempre temos uma expectativa de obter algo em troca. Nosso auxílio não é dado simplesmente porque ele está doente ou em perigo, mas, sim, com a expectativa de que ele nos recompense de alguma maneira no futuro.

Quando nossa mente é invadida pelo apego, achamos difícil sentir compaixão. Se examinarmos, vamos verificar que, quando estamos subjugados por um forte apego, nos importamos apenas com o que queremos. Nossa meta principal é nossa própria felicidade. Mesmo que ajudemos os outros, é porque queremos algo em troca. Nossa mente fica perturbada e obscurecida. Não conseguimos ver que a pessoa por quem sentimos forte apego é pelo menos tão importante quanto nós; não conseguimos zelar por ela e oferecer-lhe ajuda sincera.

Ao curar nossa mente com grande compaixão, seremos capazes de resolver todos os nossos problemas e os dos outros. O pensamento positivo da compaixão não apenas nos ajudará a nos recuperarmos da doença, mas nos trará paz, felicidade e satisfação. Nos permitirá desfrutar a vida. Também trará paz e felicidade à nossa família, aos nossos amigos e às outras pessoas ao nosso redor. Como não teremos pensamentos negativos em relação a elas, as pessoas – e até os animais – com quem tratarmos vão se sentir felizes. Se temos bondade amorosa e compaixão, nosso primeiro interesse será sempre não ferir os outros, e isso em si é curativo. Uma pessoa compassiva é a curadora mais poderosa, não apenas de sua doença e de outros problemas, mas dos outros. Uma pessoa com bondade amorosa e compaixão cura os outros simplesmente por existir.

Cura definitiva

Cada vez que meditamos sobre compaixão por todos os seres vivos, acumulamos mérito infinito, a causa de toda a felicidade e sucesso; cada vez que praticamos meditação para o benefício de todos os seres, executamos a cura definitiva.

Desenvolver compaixão também nos ajuda a desenvolver sabedoria, especialmente a sabedoria que realiza a vacuidade, a natureza última do eu, da mente e de todos os outros fenômenos. A sabedoria dilui gradativamente as nuvens que obscurecem temporariamente a mente, até esta tornar-se tão pura quanto um céu azul límpido e banhado de sol. Essa sabedoria purifica a mente de forma direta. Libera-a da ignorância, da raiva, do apego e de todos os outros pensamentos perturbadores, das sementes desses pensamentos e até de suas marcas. Todos os obscurecimentos, mesmo os muito sutis, são completamente purificados por essa sabedoria.

Com o pleno desenvolvimento da compaixão e da sabedoria, a mente torna-se completamente livre dos obscurecimentos grosseiros e sutis. Nesse momento, a mente fica onisciente, ou plenamente conhecedora. Uma mente onisciente é capaz de ver diretamente todo passado, presente e futuro; é capaz de ver as mentes de todos os seres sencientes e saber quais métodos vão libertá-los de seus problemas e lhes trazer felicidade, inclusive a felicidade mais elevada da iluminação plena.

Nesse momento, nosso conhecimento é muito limitado. Até para saber do nosso estado de saúde temos de contar com médicos, com máquinas, com exames de sangue e assim por diante. Mesmo na pequena área do tratamento médico, não conseguimos entender os problemas dos outros seres, suas causas e as soluções que seriam adequadas. Nosso entendimento é muito limitado, assim como nossa capacidade de ajudar os outros. Nossa capacidade de ver o futuro também é muito limitada. Não podemos dizer o que vai acontecer no ano que vem, mês que vem, semana que vem, ou mesmo amanhã, que dirá o que vai acontecer na próxima vida.

O poder de nosso corpo, de nossa fala e nossa mente é limitado devido a nossos obscurecimentos mentais. Entretanto, quando libertarmos nosso *continuum* mental de todos os obscurecimentos grosseiros e sutis, não haverá limitação para o nosso poder. Não apenas nossa mente será capaz de ver diretamente todo o passado, o presente e o futuro, como penetrará tudo. Sem qualquer resistência, nossa mente será capaz de ir até qualquer objeto sobre o qual pensamos. Quando nossa mente estiver plenamente iluminada, o que significa livre de todos os obscurecimentos grosseiros e sutis, ficaremos completamente livres tanto da mente grosseira quanto do corpo grosseiro. Nesse momento não seremos limitados por nada. Essa é a liberdade última.

Quando o sol nasce, reflete-se espontaneamente em tudo. Reflete-se em cada massa de água sobre a Terra – cada oceano, regato, lago, até em gotas de orvalho. De modo semelhante, visto que todos os obscurecimentos grosseiros e sutis são eliminados, a mente onisciente penetra naturalmente todos os lugares. Sempre que a marca positiva de um ser vivo amadurece, a mente onisciente pode manifestar-se imediatamente em uma forma adequada ao nível mental daquele ser específico. Se ele tem uma mente pura, ela se manifesta de forma pura para guiá-lo; se tem uma mente impura, manifesta-se de forma impura. Como a mente onisciente vê toda existência a qualquer momento, sempre que uma marca positiva amadurece na mente de um ser, ela pode manifestar-se na mesma hora para ajudar a guiar aquele ser de felicidade em felicidade, até a felicidade inigualável da iluminação plena. Esse é o significado do poder perfeito.

Entretanto, apenas conhecimento e poder não bastam. É preciso compaixão. Embora uma mente onisciente veja tudo, a principal fonte de auxílio para os seres vivos é a compaixão. Por exemplo, mesmo que alguém seja muito culto, não significa necessariamente que vá usar seu conhecimento para ajudar os outros. Conhecimento e poder podem até mesmo tornar-se obstáculos para ajudar os outros, se a pessoa não tiver compaixão. Mesmo que saiba como ajudar e que tenha o poder para fazê-lo, existe a possibilidade de que não o faça, apesar de lhe pedirem. Porém, alguém com compaixão sempre irá ajudar quando lhe pedirem.

É a compaixão que nos ajuda a aperfeiçoar nossa sabedoria e nosso poder. A compaixão incita-nos a desenvolver nossa mente para os outros. Precisamos gerar compaixão e aperfeiçoá-la, desenvolvendo-a em todos os seres vivos, de modo que possamos aumentar todas as outras qualidades positivas. Com compaixão, conhecimento e poder perfeitos, realmente podemos ajudar os outros.

Essa transformação da mente é a cura definitiva. Eu posso dizer tudo isso, mas a verdadeira cura tem de vir de você, de sua própria mente. A cura vem por meio de sua meditação e de seu pensamento positivo, o que significa basicamente por meio de sua própria sabedoria e compaixão. Meditação sobre vacuidade, bondade amorosa e compaixão põe fim à necessidade de cura. Por meio dessa cura definitiva, você jamais terá de experienciar a doença de novo.

2. Cura bem-sucedida

Visto que algumas doenças não têm cura ou são difíceis de curar, as pessoas experimentam vários métodos de cura, especialmente aqueles que envolvem o poder da mente. Hoje em dia, recuperar-se de câncer e outras doenças por meio da meditação é quase tão comum quanto a recuperação com tratamento médico padrão. Conforme já expliquei, o melhor modo de nos curarmos de uma doença é por meio da meditação, usando nossa mente. Então nos tornamos nosso próprio médico, nosso psicólogo, nosso guru.

Na minha experiência, aqueles que tentam sinceramente praticar a meditação com certeza obtêm algum resultado; mesmo que não fiquem curados, pelo menos vivem mais. Isso porque nossa saúde tem a ver com nossa mente, com nossa maneira de pensar. Gostaria de contar algumas histórias de pessoas que se curaram por meio da meditação.

Alice

Minha primeira experiência de cura de câncer por meio da meditação foi com Alice,[4] uma bem-sucedida consultora de moda. Quando Alice descobriu que tinha câncer, enviou uma mensagem por meio de um amigo, estudante do Vajrapani Institute, na Califórnia, pedindo conselhos sobre prática de meditação. Sugeri que meditasse sobre Vajrapani, um aspecto irado do Buddha que é poderoso na cura do câncer. Aconselhei-a simplesmente a visualizar Vajrapani acima da coroa de sua cabeça, emitindo raios de néctar para purificá-la. Também aconselhei-a a comprar animais que estavam em risco de serem mortos e soltá-los em local seguro, permitindo dessa forma que tivessem vidas mais longas.

Alice estava no hospital quando recebeu meu conselho para fazer essas duas práticas básicas. Quando explicou aos médicos que queria deixar o hospital para executar essas instruções, eles aconselharam-na a ficar, mas disseram que, se ela realmente acreditava nos métodos, podia partir. Ela então deixou o hospital.

Alice salvou muitos animais de restaurantes e outros locais onde seriam mortos. Embora eu tivesse aconselhado-a a libertar um número de animais equivalentes à sua idade, ela na verdade soltou dois ou três mil animais, a maioria galinhas, peixes e minhocas. Deixou as galinhas aos cuidados de uma fazenda, e soltou os peixes em águas abertas. Também comprou cerca de duas mil minhocas, porque eram baratas e fáceis de obter, e libertou-as no jardim de sua casa. Libertar minhocas é uma boa ideia, já que elas vão direto para debaixo da terra quando são soltas. Visto que ali elas têm certa proteção contra os predadores, têm chances de viver mais. É mais incerto que animais libertados em florestas, lagos ou oceanos vivam muito porque possuem inimigos naturais nesses lugares.

Quando Alice retornou ao hospital para uma revisão depois de fazer essas práticas, os médicos não conseguiram encontrar qualquer vestígio do câncer. Eles ficaram muito surpresos. Foi a primeira vez que viram alguém curar-se de câncer por meio de meditação. Queriam escrever um livro sobre o caso dela, pois sua recuperação era um fenômeno inédito e fascinante para eles, mas Alice disse que ela mesma escreveria um livro.

Posteriormente, Alice foi ao Nepal para me agradecer pessoalmente pela ajuda. Ela disse que eu havia lhe dado de presente o restante de sua vida.

Embora o câncer estivesse curado, fiquei curioso se voltaria, por isso, de tempos em tempos, checava com Alice como estava sua condição de saúde. Por alguns anos ela esteve bem, mas uns cinco anos depois contraiu uma doença viral, e o câncer voltou. Ela me contou que isso aconteceu porque sua vida tinha se tornado muito bagunçada e desregrada. Alice manteve a disciplina em sua prática espiritual por um longo tempo, mas naquela época havia parado de fazer as práticas, e sua vida havia ficado muito confusa.

A experiência de Alice mostra que curar a mente é muito mais importante do que curar o corpo. O câncer retornou porque ela parou de fazer as práticas e parou de disciplinar sua mente; não protegeu a mente praticando as meditações. Disciplinar sua vida significa disciplinar sua mente. O câncer de Alice desapareceu rapidamente quando ela novamente meditou sobre Vajrapani, salvou a vida de animais e adotou os Oito Preceitos Mahayana, votos de se abster de oito ações negativas específicas durante um dia.[5] Então, quando foi fazer uma revisão, os médicos disseram que o câncer havia desaparecido por completo de novo. Após a recuperação, ela foi entrevistada na TV muitas vezes sobre a experiência pessoal de curar o câncer com meditação.

Podemos nos recuperar da doença por meio de meditação, mas, se não protegermos nossa mente, nossa vida ficará confusa de novo, e nosso problema voltará. Se simplesmente permitimos que nosso corpo siga o egocentrismo, o apego e outras delusões, nossa mente não tem proteção, e simplesmente criamos a causa para que nosso problema retorne.

Alan

Vi vários outros casos de pessoas cuja vida foi ficando confusa e sua condição física deteriorando-se quando interromperam a prática de meditação. Isso aconteceu com Alan, que morreu de Aids há muitos anos. Quando vivia no Tchenrezig Institute, um centro de meditação na Austrália, Alan era muito disciplinado e praticava as várias meditações que lhe haviam sido recomendadas. Creio que não haja muita escolha em um ambiente desses – não há muito mais o que fazer.

Alan fazia sessões de meditação todos os dias, enfocando principalmente o Buddha da Medicina, mas fazendo também outras práticas de divindade. Tais divindades são muito poderosas, e seus mantras também são muito abençoados, de modo que meditar sobre elas é muito eficiente. A prática de Alan definitivamente fortaleceu sua mente e o inspirou. A aparência externa reflete a mente, e Alan parecia radiante e relaxado devido à mente saudável. Quando nossa mente está feliz porque estamos meditando e levando uma vida disciplinada, isso também é manifestado externamente em nosso corpo. Depois de toda aquela prática meditativa, Alan parecia não ter absolutamente doença nenhuma, e tinha condições de auxiliar em várias atividades no centro de meditação.

Alan ficava no centro de meditação por algumas semanas ou meses, mas depois pensava em voltar para a cidade com a intenção de ajudar outras pessoas com Aids. O problema era que, sempre que ia para a cidade, ele não conseguia continuar a prática, sua vida ficava confusa, e sua condição física deteriorava-se. Ele ficava ocupado na cidade, mas acho que sua saúde sofria não tanto por ele estar ocupado, mas porque não tinha condições de continuar a prática de meditação. Ele então retornava ao centro de meditação para tentar recobrar as forças e a inspiração. Contudo, uma vez que o fazia, retornava à cidade para ajudar os outros, e o ciclo se repetia. Ele passou por esse ciclo várias vezes.

Desejar ajudar os outros é obviamente um pensamento precioso. Não observei isso com frequência nas pessoas com câncer, mas aquelas com Aids muitas vezes ficam especialmente preocupadas em ajudar outros com Aids. A experiência pessoal do sofrimento leva-as a sentir forte compaixão por outras pessoas que passam pela mesma experiência. A despeito de seus próprios problemas, elas parecem querer ajudar os outros naturalmente. Sem dúvida é uma atitude louvável, e a mera geração desse pensamento bem-aventurado é motivo de celebração. O ponto preocupante, porém, é que a saúde da pessoa com frequência se deteriora porque ela é incapaz de manter o nível necessário de disciplina e prática.

A última vez que vi Alan antes de morrer ele estava muito fraco e só podia andar com o amparo de dois amigos. Ele sentou-se em uma cadeira e me ouviu falar por uma hora ou mais sobre como ele podia usar a transformação do pensamento para ver sua enfermidade como positiva e significativa, em vez de negativa e inútil. Disse a Alan que ele era muito afortunado por ter Aids, porque a enfermidade deu-lhe uma oportunidade incrível de desenvolver a mente no caminho espiritual, no caminho da iluminação. A doença abriu a porta para a iluminação e para todas as outras felicidades. Falei a ele sobre os benefícios de ter Aids. Ter Aids pode ser, por exemplo, um meio rápido e poderoso de desenvolver compaixão, porque ter a enfermidade facilita que você sinta compaixão por outros que também têm a doença, bem como por aqueles com outros tipos de sofrimento. E usar a doença para gerar bondade amorosa e compaixão acarreta uma purificação muito poderosa. Não lembro de cada coisa que disse a Alan, mas a essência foi que sua enfermidade poderia levá-lo mais rapidamente à iluminação. Quis que ele visse o fato de ter Aids como algo positivo; quis que visse o incrível benefício que poderia obter por ter a doença.

Precisamos da transformação do pensamento, porque a cura tem muito a ver com nossa maneira de pensar. Temos de aprender a olhar para nossa doença como algo de que precisamos, não como algo de que não precisamos. Temos de olhar para nossa doença como um ornamento que representa o sofrimento de todos os seres vivos. Em vez de ver a doença como um obstáculo, devemos usá-la para desenvolver bondade amorosa, compaixão e sabedoria. A exemplo do uso de veneno como remédio, devemos usar nossa doença como um caminho para a felicidade. Pela transformação de nossa mente, podemos fazer nossa experiência de doença significativa não só para nós mesmos, mas para cada ser vivo. Usar nossa doença para desenvolver as preciosas qualidades humanas de bondade amorosa e compaixão capacita-nos a trazer paz e felicidade para cada ser vivo.

Visto que temos de experienciar a doença de qualquer maneira, podemos muito bem torná-la benéfica, usando-a para trazer felicidade, tanto temporária quanto definitiva, para nós mesmos e para todos os outros seres vivos. Esse é o meio hábil de experienciar enfermidades.

Depois de termos falado sobre transformação de pensamento dessa forma, Alan sentiu-se muito melhor. No começo ele estava atirado na cadeira, mas, depois de eu falar com ele, Alan foi capaz de erguer o corpo e ficar de pé sem auxílio. Ele ficou surpreso com a melhora súbita de sua saúde. Abanou os braços no ar, dizendo: "Oh, vejam! Vejam! Agora consigo ficar de pé sozinho!".

Alan experienciou uma melhora imediata na saúde, mas é claro que não bastava apenas manter sua mente dessa forma naquela ocasião, ele deveria ter mantido-a em todos os momentos. Isso teria ajudado a mantê-lo saudável por mais tempo.

A partir disso você pode ver o quanto o estado do corpo tem a ver com o estado da mente. Isso é particularmente verdadeiro no caso da Aids. Se as pessoas com Aids conseguem tornar sua mente forte e saudável, podem viver mais e também ter um corpo mais forte, mais saudável, embora a enfermidade possa não desaparecer.

Lucy

Há muitos anos, quando Lucy, uma estudante australiana, me disse que tinha câncer, sugeri-lhe que fizesse vários *nyung-näs*. Nyung-nä é uma prática de purificação relacionada a Tchenrezig, o Buddha da Compaixão. Cada retiro de dois dias envolve muitas prostrações e um certo jejum; faz-se uma refeição no primeiro dia, mas não se come nem se bebe nada no segundo dia. Jejuar em si não tem nada de especial, de fato, é simplesmente uma forma de tortura. Contudo, essa prática de jejum é feita com uma motivação especial de compaixão, pela qual você toma para si a responsabilidade de libertar todos os seres vivos do sofrimento e lhes trazer felicidade. Lucy fez alguns retiros de nyung-nä em Bodhgaya, local sagrado na Índia onde o Buddha Shakyamuni tornou-se iluminado.

Também sugeri a ela que abençoasse a água recitando três malas do mantra médio de Tchenrezig[6] e depois soprando sobre a água. Ela então bebia-a abençoada várias vezes ao dia. Ela continuou a prática de abençoar a água mesmo depois de voltar da Índia para a Austrália.

Quando a encontrei posteriormente, em um ensinamento em Londres, ela estava muito saudável e parecia radiante. Também encontrei-a recentemente na Austrália, e permanece saudável. Cada vez que vejo Lucy, ela menciona que foi a prática do Buddha da Compaixão que a ajudou a se recuperar do câncer.

Luke

Quando Luke, um estudante chinês de Cingapura, foi ao hospital para uma revisão, o médico disse que ele tinha Aids. Pessoa muito devotada, Luke enviou uma carta para seu guru, Rato Rinpoche, um Lama muito elevado, hoje falecido, que viveu em Dharamsala, na Índia. Embora o próprio Rato Rinpoche estivesse manifestando sinal de doença naquela época, bondosamente enviou para Luke uma meditação especial sobre bondade amorosa e compaixão chamada *tong-len*, ou "receber e dar".

Na meditação de "receber e dar", para treinar compaixão, tomamos para nós todo o sofrimento, inclusive doença, dos outros seres vivos e o usamos para destruir nosso egocentrismo, que é a raiz de todo nosso sofrimento. Essa prática de meditação opõe-se diretamente ao nosso desejo habitual de não receber doença das outras pessoas. Para treinar a bondade amorosa, então oferecemos aos outros seres vivos nosso próprio corpo, bens, felicidade e energia positiva. Essa prática não é secreta ou rara. É uma meditação comum dos ensinamentos do caminho gradual para a iluminação.

Depois de receber a instrução de Rato Rinpoche, Luke fez a meditação por apenas quatro dias. E então foi ao hospital para outra revisão, e os médicos não conseguiram encontrar absolutamente nenhum vestígio do vírus HIV. Quando perguntei quanta meditação ele tinha feito, fiquei chocado quando Luke disse que meditava apenas três ou quatro minutos por dia. Eu esperava que ele dissesse que meditava por muitas horas. É preciso entender que seus poucos minutos de meditação eram extremamente poderosos. Durante a meditação ele não pensava em si mesmo, na sua doença. Era como se seus problemas não existissem. Ele pensava apenas no sofrimento dos outros, especialmente daqueles com Aids, e gerava intensa compaixão. As lágrimas corriam por seu rosto cada vez que ele fazia a meditação, não porque estivesse preocupado com sua própria situação, mas porque sentia muita compaixão pelas outras pessoas com Aids e por aquelas com outros problemas. Ele estava muito mais preocupado com elas do que consigo mesmo. Ele tinha uma forte devoção, e durante as meditações também sentia que seu guru estava com ele a orientá-lo.

Recuperar-se de uma enfermidade séria leva muito tempo se você toma pequenas doses de um remédio fraco; mas a recuperação é rápida se você toma um remédio poderoso, mesmo que tome apenas um pouquinho e somente umas poucas vezes. A rápida recuperação de Luke aconteceu pelo poder de sua própria mente, pelo poder da compaixão que ele sentia mesmo durante meditações tão curtas. Ele recuperou-se rapidamente porque a forte compaixão que gerou purificou muito Karma negativo e obscurecimento, as causas de sua Aids.

Luke voltou ao hospital para revisão muitas vezes, mas permanece bem. Essa é minha única experiência pessoal de recuperação completa de Aids por meio de meditação.

Pedi a Luke para que me desse uma cópia exata da meditação que fez, de modo que eu pudesse mostrá-la para outras pessoas como uma prova quando conto sua história. (Ver página 128.)

A meditação tong-len é o coração da cura. Uma vez que entendemos essa meditação, podemos aplicá-la para cada problema em nossa vida e transformar todos os nossos problemas em felicidade. É uma simples questão de fazer ou não a meditação. Enquanto a fazemos, é impossível nos sentirmos deprimidos, porque nosso problema é instantaneamente transformado em felicidade.

Essa meditação especial é o melhor remédio, porém, seu benefício mais importante não é curar a doença, mas sim nos ajudar a desenvolver bondade amorosa, compaixão e *bodhichitta*, que é a principal causa da iluminação. Bodhichitta é o desejo altruístico de obter a iluminação a fim de libertar todos os outros seres vivos do sofrimento e de suas causas, e levá-los à iluminação plena. O pensamento amoroso e compassivo de bodhichitta é o melhor remédio para a mente e para o corpo.

Sr. Lee

O sr. Lee, empresário de Cingapura, usou a meditação para se curar de um câncer de estômago. Quando encontrei-o pela primeira vez em um ensinamento que dei em Cingapura, em uma cancha de boliche, ele estava muito magro e fraco, e tinha de se apoiar na esposa para caminhar. O médico havia dado poucos meses de vida a ele. Em Cingapura, Hong Kong e Taiwan, pessoas doentes assistem os ensinamentos com frequência, e depois vêm me ver para discutir sua enfermidade e pedir conselhos.

Aconselhei o sr. Lee a meditar sobre Tara e em especial recitar as *21 Homenagens às Duas Taras*. Embora fosse um empresário que viajava pelo mundo, o sr. Lee devotou-se a rezar para Tara e recuperou-se rapidamente do câncer de estômago.

Mais adiante, quando participou do curso de meditação de um mês no Monastério de Kopan, no Nepal, o sr. Lee me contou que não apenas havia curado seu câncer de estômago, mas também a grave doença cardíaca do filho. Em sonho ele viu uma roda girando no coração do filho, e então ele se recuperou da enfermidade.

O sr. Lee também curou muitas outras pessoas, em especial aquelas que sofriam danos por espíritos e magia negra. Ele usa água abençoada para curar pessoas possuídas por espíritos. Uma mulher possuída por um espírito recusava-se a sair do quarto. Quando o sr. Lee entrou no cômodo, ele a viu no aspecto de um espírito com dentes arreganhados. As alterações no rosto e na voz dela fizeram-no recordar de um médium recebendo um espírito. Porém, à medida que ele borrifou água abençoada, ela tornou-se gradativamente pacífica.

Como resultado de seu sucesso em curar, o sr. Lee ficou muito ocupado, com muita gente doente esperando todos os dias para vê-lo quando chegava em casa do trabalho. Também pedi a ele para que conduzisse sessões de cura no Amitabha Buddhist Centre, o centro da FPMT em Cingapura, de modo que todos os estudantes de lá, embora saudáveis, possam ajudar a rezar pela recuperação daqueles que estão doentes. Existe mais poder de cura quando um grupo de pessoas reza junto.

É preciso entender aqui qual a fonte do poder de cura do sr. Lee. Embora pareça que a capacidade do sr. Lee de curar a si mesmo e a outras pessoas venha de um objeto externo, Tara, ela de fato vem principalmente da atitude positiva dele. O poder de cura dele é resultado de sua forte devoção à Tara e de sua ética pura.

O ponto essencial é que todos nós temos o potencial de curar. Intensificando o poder de nossas ações positivas, podemos curar a nós mesmos e os outros de câncer, Aids e outras doenças. Contudo, é muito mais importante remover a causa da doença, porque, do contrário, qualquer cessação desta será apenas temporária. Mesmo que curemos a doença de alguém, teremos apenas curado temporariamente um problema em sua vida, e, se a causa permanecer, este retornará.

A meditação geralmente pode curar doenças, mas não basta simplesmente meditar para uma divindade e recitar mantras. Precisamos mudar nossas atitudes e nossas ações. Se não reduzirmos nossas ações negativas, que prejudicam os outros e a nós mesmos, uma vez que tenhamos nos recuperado, criaremos de novo a causa de doenças. O ponto vital é parar de criar a causa de doenças.

3. Rompendo conceitos arraigados

Alguns de nossos conceitos comuns não condizem com a realidade. Temos a tendência de pensar que morreremos logo se tivermos câncer, Aids ou alguma outra doença que ameace a vida, e que, do contrário, podemos esperar viver por muito tempo. Associamos a morte com essas doenças e, como resultado, não sentimos uma conexão pessoal com a morte. A primeira coisa de que devemos abrir mão é de nossa ideia fixa de que morreremos logo somente se tivermos uma doença que ameace a vida e que, se não for assim, viveremos por muito tempo. Isso é completamente errado. Muita gente saudável vai morrer hoje. Na verdade, mais pessoas saudáveis morrem a cada dia do que pessoas doentes. Todo dia, centenas de milhares de pessoas saudáveis, pessoas que não têm câncer ou Aids, morrem em acidentes de carro, em guerras e em outras situações. A realidade é que câncer e Aids não são as únicas condições que resultam em morte, a morte pode acontecer de muitas maneiras.

O conceito de que você não vai morrer logo porque não tem uma doença que ameace a vida está errado. Se você tem câncer ou Aids, a crença de que vai morrer logo – e que sem essas doenças viveria muito – também está errada. Essa ideia fixa tortura você, deixando-o ansioso e temeroso. Você precisa demolir esse conceito errado recordando que, mesmo que não tivesse câncer ou Aids, muitas outras condições poderiam levá-lo à morte. Reconhecer isso traz paz ao coração. Ter câncer ou Aids torna-se menos perturbador, menos amedrontador. Uma vez que perceba que muitas outras condições poderiam causar sua morte, você descobre que não há nada de excepcional em ter câncer ou Aids. Isso não o incomodará tanto.

Em nosso cotidiano, precisamos estar cientes da impermanência e da morte. A morte é um fenômeno natural. Depois do nascimento vem a morte, assim como uma planta cresce e depois morre. Tentar ignorar uma coisa que é a realidade de nossa vida resulta em muitas emoções negativas, inclusive em depressão. Visto que a morte é algo que todos nós temos de experienciar, precisamos estar cônscios e preparados.

Devemos romper o conceito de nossa própria permanência, que está nos enganando, e abrir o coração para a ideia de que não ter uma doença que ameace a vida dá no mesmo que ter: a morte pode sobrevir para qualquer um de nós a qualquer hora. Quer sejamos saudáveis ou doentes, podemos morrer a qualquer momento. Reconhecer isso traz paz imediatamente, porque nos liberta do conceito de nossa permanência e nos permite relaxar. Essa mudança de atitude é fundamental na cura porque reduz a preocupação e o medo. Também é importante para todo mundo, claro, não só para pessoas com uma doença com risco de morte.

Temos de aceitar a realidade da morte, pois podemos morrer a qualquer momento e muitas condições, além da doença, podem nos levar a morrer cedo. Devemos lembrar que podemos morrer a qualquer momento – nesse mês, nessa semana, ou mesmo hoje –, especialmente quando estamos sobrecarregados de preocupação e medo ou presos a expectativas não realizadas. Devido a nosso egocentrismo e apego a essa vida, temos muitas expectativas de obter felicidade, riqueza, poder e fama, e experienciamos preocupação e medo quando essas expectativas não se cumprem. Lembrar que podemos morrer hoje, até mesmo daqui a uma hora, elimina imediatamente toda nossa confusão e nossas expectativas. Lembrar da morte permite-nos ver que nada dessas coisas possui qualquer significado. Tão logo lembramos da impermanência e da morte, imediatamente encontramos paz, felicidade e satisfação, pois eliminamos todas as expectativas desnecessárias que só nos trazem problemas.

Precisamos estar cientes da real natureza de nossa vida, de nosso corpo, de nossa família e amigos e de nossos bens. Todos eles são fenômenos causais, o que significa que são de natureza transitória. Precisamos estar cientes de sua natureza verdadeira e não ser enganados pelo conceito de permanência, que os vê erradamente como permanentes e que deseja que sejam permanentes. Aí nos agarramos a essas coisas e ficamos irritados diante do pensamento de nossa morte, quando teremos que nos separar delas. Isso significa simplesmente que ficamos irritados com a natureza dos fenômenos, e essa recusa em aceitar a natureza das coisas torna nossa morte ainda mais aterrorizante.

A morte não é o problema, nosso conceito de morte é o problema. A morte não é amedrontadora por si só, nossa mente torna a morte amedrontadora e difícil de aceitar. Nosso apego aferra-se às aparências dessa vida – nosso corpo, nossa família e amigos, nossas posses –, mas é como estar agarrado a coisas que aparecem em nossos sonhos, porque nosso apego é baseado em um conceito alucinado. Embora todas essas coisas sejam meramente rotuladas pela mente, nós as vemos como reais, independentes, existentes de modo inerente. Não as vemos como dependentes de partes, de causas e condições, ou da mente, do rótulo e da base. Todas essas coisas nos parecem existentes de modo inerente, e acreditamos que a aparência falsa seja verdadeira.

Com base nesse conceito alucinado, exageramos nas boas qualidades de nosso corpo, nossa família e amigos e nossos bens, e então nos agarramos a nossas projeções. Por exemplo, nos agarramos a um objeto bonito como se sua beleza existisse externamente por si só e não tivesse absolutamente nada a ver com nossa mente. Esse apego interfere em nossa aceitação das realidades da vida, em nossa aceitação da impermanência e da morte. O apego a essa vida não nos permite aceitar a morte e, em vez disso, nos faz ver a morte como algo amedrontador e difícil sequer de se pensar a respeito. Entretanto, não existe morte real por si só, morte amedrontadora por si só. A morte é uma criação de nossa mente. Portanto, nossa mente também pode tornar a morte desfrutável, podemos usar nossa mente para transformar a morte em uma experiência feliz e excitante. Por termos o potencial de transformar a morte de algo amedrontador em algo desfrutável, podemos usar nossa morte para desenvolver nossa mente, de modo que a experiência se torne benéfica para nós e para todos os outros seres vivos.

Descobrir como nossos conceitos criam problemas para nós, inclusive nosso medo da morte, é uma meditação essencial e muito prática, e vou discuti-la em maior profundidade mais adiante.

Todos nós somos basicamente iguais. Quando nossos estômagos estão vazios, sentimos fome e queremos comer. Em certo momento você pode não estar com fome, mas outra pessoa estará; em outro momento você pode estar com fome, e outra pessoa não estará. É o mesmo com a doença. Você pode ter feito uma revisão médica recentemente e acreditar que está livre de doenças, mas isso é apenas um questão de tempo. Com certeza não significa que no passado você jamais tenha experienciado as doenças que outras pessoas estão experienciando neste momento, nem que você jamais vá experienciá-las no futuro. Você experienciou todas as doenças possíveis nesse mundo, bem como todos os outros problemas, inúmeras vezes no passado. Nada disso é novo. Às vezes você se recupera, às vezes não. Contudo, quando você deixa seu corpo físico, também deixa a doença. Sua mente continua, mas, visto que a mente não carrega doenças físicas, você não reencarna com a doença.

Embora do ponto de vista ocidental uma certa doença possa ser considerada nova, do ponto de vista budista não. Na explicação budista da mente e de toda experiência de samsara, ou existência cíclica, cada um de nós passou por todas experiências inúmeras vezes. É completamente natural, como um broto surgindo de uma semente. O ponto a ser entendido é que, se não fizermos algo para melhorar nossa mente agora, passaremos por essas experiências inúmeras vezes de novo.

Devemos nos sentir felizes por termos sido capazes de viver tantos anos quanto vivemos, e devemos nos regojizar especialmente por termos a oportunidade de desenvolver nossa mente e transformar todas nossas experiências em felicidade. Mesmo que tenhamos o que os médicos chamam de doença, ainda temos uma oportunidade incrível de fazer progresso espiritual, desenvolver nossa sabedoria, compaixão, e outras qualidades positivas. Temos a oportunidade de usar nossa doença para ir de felicidade em felicidade, até a felicidade definitiva da iluminação plena, que significa ser liberado para sempre de todos os problemas e de suas causas.

Nossa mente pode ocasionar o fim da morte e do renascimento, o fim de todo sofrimento. Nesse ínterim, enquanto desenvolvemos nossa mente rumo a essa meta, devemos tornar válida a doença e tudo mais que experienciamos, não só para nós mesmos, mas para cada um dos outros seres vivos que sofrem. Devemos usar nossa doença para libertar todos os outros seres do sofrimento e para lhes trazer felicidade temporária e, especialmente, definitiva.

Visto que temos uma oportunidade tão incrível de desenvolver nossa mente e trazer felicidade para os outros seres vivos, é extremamente importante não desperdiçar os preciosos anos, meses, semanas, dias, horas, minutos ou mesmo segundos que nos restam. É nossa atitude que determina se nossa vida é significativa ou sem sentido. Se nossa atitude é insalubre, desperdiçamos nosso tempo e levamos uma vida sem sentido. Se nossa atitude é saudável, se nosso desejo é trazer paz e felicidade para os outros seres vivos, tornamos nossa vida muito significativa.

4. O propósito da vida

O propósito de nossa vida não é apenas ser saudável, viver uma vida longa, enriquecer, educar-se ou conquistar muitos amigos. Nada disso é a meta definitiva da vida. Quer sejamos saudáveis ou doentes, ricos ou pobres, educados ou incultos, nossa meta última é beneficiar os outros seres vivos. O propósito de se estar vivo, de continuarmos nossa atual associação de corpo e mente, é beneficiar os outros, usar nosso corpo, fala e mente para trazer felicidade aos outros.

Toda nossa felicidade passada, presente e futura é recebida por meio da bondade dos outros seres vivos, e nosso egocentrismo é a fonte de todos os nossos problemas, inclusive de doenças. Em vez de renunciar aos outros e cuidarmos de nós mesmos, precisamos cuidar dos outros e renunciar a nós mesmos. Em vez de trabalhar apenas para nós mesmos, temos de viver apenas para trazer felicidade aos outros. Essa troca do eu pelos outros é a psicologia fundamental que elimina a raiz de todos os nossos problemas. É também a fonte de nossa cura.

Cuidar dos outros seres vivos cura nossa mente na mesma hora, cura da atitude egocentrada, o maior criador de nossos problemas. Cuidar dos outros também nos cura por transformar nosso apego a essa vida, bem como nossa ignorância, nossa raiva, nosso orgulho, nosso ciúme e outros pensamentos insalubres, que são causas não só de doenças, mas de todos os nossos problemas. Esses pensamentos insalubres não nos dão paz mental. Tão logo geramos bodhichitta, a mente mais saudável, encontramos satisfação e paz mental. Então transformamos nossa mente de criadora de sofrimento em criadora de felicidade.

O propósito de nossa vida não é simplesmente resolver nossos próprios problemas e encontrar felicidade para nós mesmos, mas sim libertar todos os seres vivos do sofrimento e de suas causas, e trazer a eles não só felicidade temporária, mas definitiva. E, em termos de felicidade definitiva, precisamos conduzir os outros não apenas à liberação, mas à felicidade mais elevada da iluminação plena. O propósito de respirarmos a cada dia, a cada hora, a cada minuto, a cada segundo é tão vasto e infinito quanto o espaço, porque os outros seres são incontáveis e o propósito de nossa vida é levar felicidade a cada um deles.

Tendo essa meta constantemente em nosso coração, cessam toda depressão e problemas, e a felicidade e a satisfação seguem-se naturalmente. Na vida, a verdadeira felicidade vem quando a dedicamos a outros seres vivos. Beneficiar os outros nos traz verdadeira paz mental e satisfação. É o melhor jeito de aproveitar a vida.

Experienciamos tanta depressão em nossa vida basicamente porque não mudamos nossa atitude para viver em favor dos outros. Trocar nossa meta de encontrar felicidade a nós mesmos para levar felicidade aos outros reduz imediatamente os problemas em nossa vida. Essa nova atitude transforma todas as coisas indesejáveis de nossa vida em felicidade. Em vez de ver os problemas como perturbadores, conseguimos passar a vê-los como benéficos.

Muitos de nossos problemas têm a ver com nossas expectativas referentes ao propósito de nossa vida. Saúde, riqueza, educação, fama e poder são metas muito limitadas. Se temos uma doença e nossa meta não é nada mais que ficar saudável de novo, não há nada de especial nisso. Na verdade, essa expectativa limitada cria problemas, causando preocupação, medo e depressão, porque, se nossa meta é simplesmente ficar saudável, ficamos deprimidos e amedrontados quando estamos doentes.

Ser saudável não é o ponto principal. O ponto principal é fazer tudo que acontece conosco ser benéfico para os outros seres vivos. Se somos saudáveis, devemos usar nossa boa saúde para beneficiar os outros. Se estamos enfermos, devemos ainda assim usar essa experiência para beneficiar os outros.

Quando enfocamos a verdadeira meta da vida, beneficiar os outros, ser saudável torna-se algo eventual. Mesmo ter câncer ou Aids não nos perturba mais, porque podemos experienciar nossa doença em favor de todos os seres sencientes. Quer estejamos saudáveis ou doentes, ricos ou pobres, vivendo ou morrendo, nossa meta principal é beneficiar os outros seres vivos. Essa é a fonte essencial de felicidade na vida. Com essa atitude, aproveitamos tudo que experienciamos na vida. Com essa atitude, tornamos nossa vida significativa 24 horas por dia.

A cultura ocidental enfatiza o sucesso material como fonte de felicidade. Acredita-se que a felicidade vem de ser rico, viver em uma casa luxuosa, ter bens e assim por diante. Riqueza por si só, entretanto, não pode nos trazer felicidade e satisfação. Mesmo que nos tornemos milionários, com dinheiro suficiente para durar por cinquenta vidas, nossa riqueza não poderá nos trazer paz mental. Não importa quantos amigos tenhamos, eles também não vão nos trazer paz mental. O sucesso acadêmico tampouco é a fonte da felicidade. De fato, ele pode nos trazer constante insatisfação, raiva, orgulho e assim por diante. Além de não nos trazer satisfação e paz mental, nossa riqueza, nossos amigos e nossa educação, na verdade, podem se tornar problemas para nós.

Se vemos saúde, riqueza, educação, fama ou poder como meta, estamos simplesmente nos agarrando à felicidade e ao conforto dessa vida. Mesmo que nossa meta seja atingida, jamais encontraremos satisfação, porque nossa atitude é de apego a essa vida. Estivemos seguindo esse apego ao longo de renascimentos sem princípio e não obstante jamais encontramos satisfação. Não importa por quanto tempo sigamos o desejo, jamais conseguiremos encontrar satisfação, e jamais conseguiremos cessar realmente nossos problemas. Seguir o desejo não é o caminho para acabar com a insatisfação.

Contudo, se nossa meta é beneficiar os outros, ser abastado torna-se algo que vale a pena, porque podemos usar nossa riqueza para ajudá-los. Com essa atitude, quanto mais poder e fama tivermos, mais poderemos beneficiar os outros. Com essa meta na vida, tudo que fazemos beneficia os outros e, quando os beneficiamos, não há dúvida de que isso também nos beneficia.

Ser saudável e não ser saudável dá na mesma para nós se usamos tudo que experienciamos para beneficiar os outros seres vivos. Se temos problemas, usamos para beneficiar os outros. Isso dá sentido à nossa vida. Mesmo que não tenhamos quaisquer problemas, ainda assim tornamos nossa vida benéfica para os outros.

Pensamentos insalubres, como egocentrismo e apego, são a fonte de todos os nossos problemas, e precisamos transformá-los em pensamentos saudáveis, tal como a intenção de levar felicidade aos outros. Essa transformação, ou cura, da mente é a solução geral para os problemas de nossa vida. Ela reduz imediatamente, por exemplo, o medo que surge com um diagnóstico de câncer ou Aids. Com essa atitude, nenhum problema pode perturbar nossa mente, e podemos usar qualquer problema para beneficiar os outros.

É extremamente importante ter clareza sobre nossa meta última na vida. Se a recuperação de uma doença específica é nossa meta última, erramos o alvo porque, mesmo que nos recuperemos da doença, nada terá mudado. Ainda teremos as mesmas velhas atitudes, e faremos as mesmas velhas ações. Continuaremos a criar as causas de problemas porque nossas ações criarão Karma negativo. Em outras palavras, criaremos de novo a causa de doenças.

Mudar nossa atitude de fato é muito mais importante do que curar nossa doença. Se nossa meta última é beneficiar os outros, essa atitude positiva nos impedirá de criar Karma negativo futuro, a causa da doença, e nos permitirá criar Karma positivo, a causa da felicidade.

Nosso desejo de usar nossa vida para levar felicidade aos demais seres vivos assegura naturalmente que não façamos mal aos outros. Quando a felicidade dos outros é nossa meta última, desfrutamos de um sucesso incrível, porque essa atitude traz toda a felicidade, inclusive a felicidade inigualável da iluminação, e cessa todo sofrimento. A verdadeira definição de sucesso na vida é ser capaz de beneficiar os outros.

Mesmo que não possamos curar nossa doença por meio de tratamento médico ou meditação, ainda assim efetuaremos a cura mais profunda se formos capazes de transformar nossa atitude de vida em um desejo puro de beneficiar os outros. Isso traz a cura profunda porque cria as causas de um corpo saudável e de uma mente saudável, eliminando os conceitos errados que causam doenças e criando as atitudes positivas que causam felicidade.

Quando analisamos o benefício que recebemos do desejo de ajudar os outros, não é um grande fracasso sermos incapazes de curar nossa doença. Experienciar uma cura milagrosa não significa muita coisa se não formos capazes de mudar nossa atitude de vida, porque simplesmente criaremos a causa de doenças outra vez. Ser capaz de ficar de pé depois de passar vinte anos em uma cadeira de rodas significa pouco se não houver mudança em nossa atitude mental. O verdadeiro milagre é quando alguém é capaz de deter a causa de sofrimento e criar a causa de felicidade aprendendo que sua própria mente é a fonte de seu sofrimento e felicidade. O verdadeiro milagre é transformar nossa mente, porque isso vai tomar conta de nós por muitas vidas. Nossa atitude positiva nos fará parar de criar as causas de problemas, assegurando, dessa forma, nossa felicidade não apenas nesta vida, mas em centenas, ou até milhares de vidas futuras até a iluminação. Esse é o maior sucesso.

Por que precisamos nos tornar iluminados

Para realizar o vasto trabalho de trazer felicidade a todos os seres vivos, especialmente a felicidade inigualável da iluminação plena, precisamos nos tornar iluminados. Para guiar os outros perfeitamente, precisamos desenvolver as qualidades internas de nossa mente, em especial a sabedoria onisciente, compaixão por todos os seres, e o poder perfeito para revelar os métodos de ajudar os outros. Essas qualidades são vitais para curarmos a nós mesmos e a todos os outros seres vivos. Iluminação significa a cessação da ignorância, raiva, apego e todos os outros pensamentos insalubres, bem como a cessação até mesmo de suas marcas sutis, e a consumação de todas as realizações. E a iluminação é alcançada por meio do desenvolvimento mental. Precisamos desenvolver tanto a compaixão quanto a sabedoria. Precisamos desenvolver não apenas a sabedoria que entende a realidade convencional, especialmente as causas de felicidade e sofrimento, mas também a sabedoria que entende a realidade absoluta, porque só então podemos eliminar a ignorância que é a raiz de todo o sofrimento e de suas causas, e podemos atingir a liberação.

Normalmente, antes de podermos ensinar os outros sobre literatura, sobre filosofia, sobre ciência ou sobre trabalhos manuais, precisamos estar qualificados para ensinar. Por exemplo, antes que médicos possam treinar outras pessoas para se tornarem médicas, eles devem ter conhecimento e habilidades clínicas necessárias para diagnosticar até doenças obscuras. De modo semelhante, não podemos conduzir todos os seres vivos ao estado de iluminação plena a menos que estejamos perfeitamente qualificados por meio do desenvolvimento das qualidades positivas da mente, em especial compaixão e sabedoria. Só então podemos realmente ajudar os outros.

O propósito de nossa vida é curar o corpo e a mente de cada ser vivo de todo sofrimento e de suas causas, e levar cada um deles à felicidade última e perene da iluminação plena. Desenvolver nossas qualidades internas de sabedoria e de compaixão é o caminho para curar nossa mente e nosso corpo, e, com isso, seremos capazes de também curar os outros.

Tornando cada dia significativo

A primeira coisa da qual devemos nos lembrar pela manhã, ao acordarmos, é o propósito de nossa vida, que é libertar todos os seres vivos de todo sofrimento e trazer felicidade a eles. Devemos sentir que a felicidade de todos os seres vivos é nossa responsabilidade pessoal. Para sermos capazes de ajudar os outros, precisamos de boa saúde e de uma vida longa, e é por esse motivo que nos lavamos, comemos, bebemos e realizamos nossas outras atividades diárias. Cada vez que comemos e bebemos durante o dia, devemos lembrar do propósito de nossa vida. E devemos fazer a mesma coisa quando vamos dormir. Para cumprir nossa responsabilidade universal, precisamos de boa saúde e de uma vida longa, e é por isso que dormimos. Desse modo, usamos todas as nossas atividades diárias para servir a todos os seres vivos.

Antes de ir trabalhar, devemos lembrar de novo do propósito de nossa vida, de que somos responsáveis pela felicidade de todos os seres vivos. É uma simples questão de mudar nossa atitude ao ir trabalhar porque estamos buscando nossa própria felicidade, para ir trabalhar pelos outros. Mesmo que não possamos levar em conta a felicidade de todos os seres vivos, devemos pelo menos considerar a de nossos empregadores, que precisam de pessoas para trabalhar para eles. Ao fazer nosso trabalho, servimos nossos empregadores de maneira prática, trazendo-lhes o lucro e a felicidade que eles buscam. Devemos ao menos lembrar que, por meio de nossos esforços, eles estão realizando seus desejos. Oferecemos a nossos empregadores, por meio de nosso trabalho, todo lucro, conforto e felicidade.

Enquanto trabalhamos, devemos pensar sobre o propósito de nossa vida em relação a todas as pessoas ao nosso redor, e até em relação aos animais. Estamos aqui para servir a todo mundo, inclusive a estranhos, existimos para o bem de todos os seres vivos. Lembrar do propósito de nossa vida nos traz felicidade imediatamente. Tão logo mudamos nossa atitude, encontramos paz e contentamento. De repente, nos vemos a desfrutar de nossa vida e de nosso trabalho.

Quando pensamos apenas em nós mesmos, ficamos tensos, e tensão prolongada é estressante. Ficamos deprimidos com nossos problemas, e pensamos sem parar: "Tenho esse problema, tenho aquele problema. Quando serei feliz?". A expressão física de nosso autointeresse é que nosso rosto parece tenso e infeliz.

Contudo, nossa tensão é liberada tão logo paramos de pensar em nós mesmos e nos preocupamos com os outros. Como se recitássemos um mantra, devemos pensar sem parar: "Estou aqui para servir aos outros, estou aqui para servir aos outros, estou aqui para servir aos outros", ou: "Estou aqui para trazer felicidade aos outros, estou aqui para trazer felicidade aos outros, estou aqui para trazer felicidade aos outros". Esses mantras poderosos vão nos deixar felizes e permitir que vejamos nossa vida como algo de valor. Sente-se em algum lugar e recite essas frases por dez minutos, ou até por uma hora. Essa meditação excelente vai liberar a tensão de seu coração na mesma hora e trazer felicidade para sua vida.

Nós nos trancafiamos em uma prisão de egocentrismo, mas cuidar dos outros é a chave que nos solta. Podemos sentir a liberdade no mesmo instante. Nossa mente não fica mais afiada e lesiva como um espinheiro, ou áspera e dura como uma rocha, mas macia e deliciosa como creme. Nosso coração parece aberto e espaçoso, e imediatamente experienciamos paz e felicidade. Esse é o resultado de cuidar dos outros seres vivos.

Com essa atitude, todas as atividades durante nossas oito horas de trabalho tornam-se positivas, causas de felicidade, porque nossa motivação para fazê-las não é maculada pelo egocentrismo. Com essa atitude positiva, todas as nossas atividades diárias – trabalhar, caminhar, sentar, comer, dormir – tornam-se causa de sucesso e felicidade, e nada do que fazemos torna-se causa de sofrimento. Nossas ações também se tornam causas da mais elevada felicidade e da iluminação plena.

Desde que levantamos pela manhã, até irmos dormir à noite, devemos fazer tudo para os outros. Vivendo nossa vida para os outros ficamos felizes, e nossa felicidade não será apenas uma excitação temporária, mas uma paz profunda em nosso coração. O melhor jeito de desfrutar a vida é nos dedicarmos livremente aos outros – não porque alguém nos força, mas devido à liberdade que nossa bondade amorosa, compaixão e sabedoria nos proporcionam. De repente, existe felicidade e sentido em nossa vida. A vida vale a pena ser vivida. Temos uma incrível liberdade para usar nossa mente com o objetivo de deter os problemas e alcançar a felicidade. Tornamos tudo que nos acontece significativo, e não desperdiçamos nossa preciosa vida humana. Do contrário, mesmo que permaneçamos saudáveis por milhares de anos, teremos uma vida vazia e sem sentido.

Ter a felicidade dos outros como nossa meta última faz uma enorme diferença, porque não mais importa se estamos saudáveis ou enfermos. Visto que ser saudável não é nossa meta principal, mesmo que tenhamos câncer estaremos preocupados simplesmente em usar nossa experiência com o câncer para levar felicidade aos outros. Psicologicamente, isso faz uma enorme diferença e nos traz muita felicidade. Sacrificar a nós mesmos para dar algo aos outros em vez de, constantemente, tirar algo deles e usá-los para nossa própria felicidade proporciona grande significado a nossa vida. Essa nova forma de pensar transforma nossa vida.

Felizes ou infelizes, saudáveis ou enfermos, devemos usar o que quer que estejamos experienciando para o benefício dos outros seres vivos. Mesmo que estejamos morrendo, devemos tornar nossa experiência de morte benéfica para todos os seres vivos.

5. A natureza da compaixão

Compaixão é a fonte de felicidade na vida. É o meio essencial para assegurar nossa própria felicidade e para a felicidade da sociedade. Sem bondade amorosa e compaixão, não existe paz ou felicidade na família, na sociedade, no país ou no mundo. Compaixão é também a fonte de uma mente saudável e de um corpo saudável. Gerar compaixão é o modo mais poderoso de curar a nós mesmos e os outros seres vivos.

Compaixão é essencial porque é a causa de felicidade, sucesso, satisfação e gozo da vida. Praticar compaixão significa não fazer mal aos outros, mas apenas ajudá-los, e ajudar os outros é a causa de nosso próprio sucesso. Se somos amorosos e compassivos, tornamos nossa vida digna de valor por levar felicidade aos outros. Ver que estamos fazendo os outros felizes nos deixa felizes. Sua Santidade o Dalai Lama, com frequência, diz que se vamos cuidar de nós mesmos, devemos fazê-lo de forma inteligente, e a forma inteligente de cuidar de nós mesmos é cuidarmos dos outros seres sencientes. Dessa maneira, mesmo que não tenhamos nenhuma expectativa para nós mesmos, nosso sucesso é o resultado natural de levar felicidade e sucesso aos outros.

Compaixão torna todo mundo nosso amigo. Se temos bondade amorosa e compaixão, vemos todo mundo como amigo. Sentimo-nos próximos de todos, mesmo que estejam fisicamente distantes de nós. Se não temos bondade amorosa e compaixão, não nos sentimos próximos de ninguém, mesmo que estejam na mesma sala que nós. Se carecemos de compaixão, temos dificuldade para encontrar amigos, e, quando conseguimos achar alguns, cedo ou tarde tornam-se nossos inimigos. Mesmo os membros de nossa família podem se tornar nossos inimigos.

Sem compaixão, a vida é miserável. Pessoas que estão interessadas apenas em si mesmas e cujos corações são vazios de afeto e compaixão pelos outros não possuem paz ou felicidade real. A menos que tenhamos compaixão, não importa quanta riqueza, educação ou poder, ou quantos amigos tenhamos, não teremos paz ou felicidade, e não poderemos desfrutar a vida. Falta de afeto e compaixão pelos outros traz solidão, depressão e muitos outros problemas. Quando questionado sobre a depressão em uma entrevista, Sua Santidade o Dalai Lama respondeu que a depressão origina-se, basicamente, de não se ter afeto pelos outros. Isso faz sentido, pois o autointeresse provoca preocupação e medo.

Se não temos compaixão, não importa quantos amigos ou quanta riqueza tenhamos, não temos paz ou satisfação real em nossa vida. Mesmo que nos tornemos a pessoa mais rica do mundo, nossa riqueza não nos trará satisfação se carecermos das preciosas qualidades humanas de bondade amorosa e compaixão. Não teremos condições de desfrutar a vida, e nosso coração será como um deserto quente e estéril. Se carecemos dessas qualidades preciosas e nossa atitude de vida é egoísta, nossa riqueza, na verdade, nos traz muita preocupação, medo e expectativas não preenchidas. Isso é especialmente verdadeiro se temos êxito em obter toda a riqueza e o conforto material que desejamos, porque jamais conseguiremos encontrar satisfação. Também teremos medo de que um de nossos concorrentes fique mais rico que nós. Nossa riqueza na verdade pode criar problemas em nossa vida, trazendo-nos inimigos e pondo nossa vida em perigo.

Egocentrismo e falta de bondade amorosa e compaixão tornam a vida de pessoas ricas infeliz e insatisfatória. Elas podem ser mais infelizes que um mendigo, que precisa suplicar por comida todos os dias, porque, embora tenham todo o conforto material possível, ainda assim não conseguem encontrar satisfação. Isso exacerba seus problemas mentais, e elas experienciam muita depressão e insatisfação em suas vidas.

Por serem afetuosas e compassivas, muitas pessoas que vivem em condições primitivas são felizes e contentes. Vejamos os aldeões que vivem em Solu Khumbu, a região himalaia onde eu nasci. Comparados com as pessoas ricas do Ocidente, esses aldeões não têm nada. Vivem em casas de pedra nua e possuem uma ou duas mudas de roupa, umas poucas panelas e comida suficiente apenas para sobreviver. Entretanto, apesar de viverem de modo muito simples e primitivo, esses aldeões com frequência são mais felizes e pacíficos devido ao coração afetuoso.

Não importa quanta educação e conhecimento intelectual tenhamos, não teremos paz no coração se carecermos de bondade amorosa e compaixão. Mesmo que passemos a vida estudando, nossa educação apenas nos causará problemas se formos motivados simplesmente pelo autointeresse. Em vez de nos trazer felicidade e satisfação, nossa educação só nos causará o surgimento de orgulho, de raiva e de outros pensamentos insalubres. Não desfrutaremos a vida, nem veremos qualquer sentido nela. Se não tivermos compaixão, há o perigo de usarmos nossa educação e inteligência para ferir os outros, até mesmo para destruirmos a nós mesmos e o mundo. Vejamos o poder atômico, por exemplo, que pode ser usado de forma destrutiva se não houver motivação de compaixão. Mas, tendo compaixão, usaremos nossa educação para levar felicidade aos outros, que é o melhor jeito de trazê-la para nós mesmos.

Por que os outros necessitam de nossa compaixão

Nossa compaixão é a fonte de paz e felicidade em nossa vida e na vida dos outros. É a fonte de felicidade para cada um dos demais seres vivos, a começar pelas pessoas e animais ao nosso redor.

Podemos entender isso levando em conta como nossa felicidade no cotidiano depende de pessoas e até de animais ao nosso redor. Somos afetados pelo que as pessoas pensam de nós e pela forma como se comportam conosco. Isso pode nos deixar felizes ou deprimidos. Ficamos encantados quando alguém, mesmo um estranho, sorri para nós afetuosamente ou nos trata com gentileza. Não ficamos felizes quando alguém fecha a cara para nós ou nos trata de modo grosseiro. A visão de alguém caminhando pela rua com a mente focada em si mesmo e em seus problemas nos deprime. A mente da pessoa está ocupada, e todo seu corpo fica tenso.

Do mesmo modo, a forma como pensamos e nos comportamos afeta as pessoas e até os animais ao nosso redor. Os outros se sentem relaxados quando percebem que não temos intenção de lhes fazer mal. Até camundongos conseguem sentir a bondade. De início ficam hesitantes sobre confiar ou não em você, mas, uma vez que descubram que você não deseja lhes fazer mal, ficam confortáveis e relaxados à sua volta. Dá para ver até uma mudança na cara deles, que se torna serena e relaxada.

Eu tenho muito Karma com camundongos. Mesmo que previamente não haja ratos em um local, eles em geral aparecem logo depois que eu chego. Quando eu estava fazendo um retiro em Adelaide, na Austrália, vários camundongos apareciam tarde da noite. Subiam na cama perto de mim e, então, metiam-se atrás de um dos travesseiros, onde acredito que faziam um ninho no calor. Certa noite, um dos camundongos tentou subir várias vezes na mesa diante de mim, e conseguiu fazê-lo apenas uma vez. Claro que o rato não subiu porque sou bondoso ou gentil, mas deve ter sentido que eu não tinha intenção de perturbá-lo. O ratinho sentou-se ali, olhando para o meu rosto com uma cara muito serena e feliz. Depois de um tempo, partiu.

Embora o rato não conseguisse subir no altar em minha sala de retiro, conseguia subir em outro altar na sala ao lado. Subiu ali algumas vezes para beber água das tigelas de oferenda e beliscar as oferendas de alimento. Enchi especialmente uma tigela larga com nozes e *tsampa* e coloquei-a onde o rato conseguia subir, mas ele de fato não comia muito do alimento – talvez eu não tivesse mérito suficiente. Ele comia apenas um pouquinho e então fugia.

Certa noite, um conjunto de grandes *tsa-tsas* de estuque do altar caiu para trás. Acho que o rato ficou preso entre duas tsa-tsas que caíram. Ele levou um tempinho para sair e, quando conseguiu, estava muito assustado e aflito. Estava com um ar de quem havia levado uma surra. Quando eu fiz um pequeno ruído, ele pulou direto do altar e fugiu. A partir daquele dia, ele jamais voltou ao altar.

O que estou tentando mostrar é que a felicidade das pessoas e animais à nossa volta depende de nós, do que pensamos a respeito deles e de como agimos com eles. Cada um de nós é responsável pela felicidade não só de todos ao nosso redor na vida cotidiana, mas pela felicidade de todos os outros incontáveis seres vivos. Essa felicidade depende de nossa mente, de nossa compaixão, está completamente em nossas mãos. Para oferecermos paz e felicidade aos outros, ou não, depende do que fazemos com nossa mente. Temos plena responsabilidade.

Se não praticarmos compaixão, vamos causar mal a incontáveis outros seres vivos, tanto direta quanto indiretamente, e de uma vida para outra, em função de nossos pensamentos de egocentrismo e outras delusões. Visto que a felicidade, e até mesmo a vida dos outros, depende de nós, podemos colocar outros seres vivos em perigo. Por não ter compaixão, uma pessoa pode usar seu poder e influência para pôr em perigo, até mesmo, o mundo inteiro.

Aconteceu muitas vezes na história do mundo, em um passado distante e até mesmo recentemente, de milhões de pessoas e animais – incluindo os insetos – serem mortos porque uma pessoa no poder não praticava compaixão. Se aquela pessoa poderosa tivesse sido compassiva, todos aqueles milhões de pessoas não teriam sido torturadas e mortas, nem um incontável número de animais, incluindo os insetos, teria sofrido. Em uma guerra ou explosão atômica, apenas o número de pessoas mortas é contado; os outros animais que morrem são ignorados. Mesmo que a pessoa poderosa não tivesse feito nada de especial para ajudar os outros, mas, simplesmente, tivesse praticado compaixão e parado de causar mal, todos aqueles incontáveis seres teriam recebido muita felicidade e paz. Em vez disso, receberam um mal terrível, e, mesmo depois de muitos anos, ainda levam a ferida em seus corações.

Em virtude de sua compaixão, indivíduos como Sua Santidade o Dalai Lama e Mahatma Gandhi têm sido fontes destacadas de paz no mundo. Os livros e palestras públicas de Sua Santidade levaram paz a milhões de pessoas por ensiná-las sobre compaixão e sabedoria. Se as pessoas no poder têm compaixão, podem usar seu poder para levar felicidade a milhões de pessoas. Contudo, se carecem de compaixão, podem usar seu poder para pôr o mundo em perigo.

Quando viajei para Amdo em minha segunda visita ao Tibete, em uma peregrinação de dois meses com mais de 70 alunos de vários países, pensei que o equívoco essencial na China foi o fato de milhões de pessoas, por livre vontade ou à força, terem seguido a filosofia de Mao Zedong sem realmente analisá-la. Esse engano de acreditar cegamente nas ideias de uma pessoa resultou no sofrimento de milhões de pessoas. Além de Mao Zedong não praticar qualquer religião, também rejeitava todas as religiões e não permitia que se praticasse nenhuma. Não permitir essa liberdade às outras pessoas foi um enorme equívoco.

Alguém com compaixão não será um perigo para os outros, não importa quantas armas possua. Alguém sem compaixão é perigoso para os outros mesmo que não possua armas, pois ele sempre encontrará meios de prejudicar os outros com seu corpo, sua fala ou sua mente.

Acabamos de ver como uma pessoa poderosa detém grande responsabilidade pelas vidas de muitos seres vivos. A paz e a felicidade de muitos milhões de seres podem depender da mente e do nível de compaixão dessa pessoa. É exatamente assim com todas as pessoas. Cada um de nós é responsável pela felicidade de todos os outros seres vivos, quer possamos vê-los ou não, quer sejam nossos amigos, nossos inimigos, assim como os estranhos. Somos responsáveis pela felicidade de cada humano, cada animal, incluindo um minúsculo inseto, e cada espírito. Todo ser vivo é igual em querer felicidade e em não querer sofrimento.

Quando praticamos compaixão, a primeira coisa que fazemos é parar de causar mal a outros seres vivos, começando com as pessoas e animais à nossa volta. Isso significa que os outros recebem paz de nossa parte. Ausência de mal é paz. Por exemplo, se tivemos uma dor de cabeça forte ontem e hoje esta dor não está tão intensa, embora ainda não tenha desaparecido por completo, diremos às outras pessoas: "Oh, me sinto melhor hoje!". Ficamos felizes em razão da ausência de dor maior como a que tivemos na véspera, e, por isso, podemos nos dizer "melhores".

Ou tome-se o exemplo de alguém que esteja ameaçando atirar em nós. Se, ao argumentarmos com a pessoa, conseguirmos fazer que mude de ideia, ela nos trará paz e felicidade, simplesmente por decidir não atirar em nós. Ao mudar de ideia, ela nos liberta do medo e do perigo de sermos mortos, e, de fato, prolonga nossa vida. Na realidade, a pessoa nos ajuda ao se abster de nos causar mal. É semelhante quando praticamos compaixão. Ajudamos os outros quando nos abstemos de lhes fazer mal. A ausência de nosso mal significa que inumeráveis outros seres vivos recebem paz de nós.

Além disso, quando somos compassivos, sentimo-nos generosos e solidários em relação aos outros, de modo que também tentamos ajudá-los. Quando sentimos forte compaixão por um ser, seja uma pessoa ou um animal, não apenas não queremos causar-lhe mal, como fazemos tudo que podemos para ajudá-lo. Essa é nossa reação normal em relação a pessoas que são muito doentes ou pobres, mesmo estranhos, e animais feridos. Conforme nosso entendimento da situação e nossa capacidade, tentamos ajudá-los. Não causar mal aos outros e, acima disso, beneficiá-los, resume toda a filosofia do budismo.

Os outros recebem ajuda ou mal de nós dependendo de sermos compassivos ou não. É claro que, se formos compassivos, vamos ajudar os outros, ou, se não pudermos ajudá-los, pelo menos não iremos causar-lhes mal. Quanto mais compaixão tivermos, mais iremos dedicar nossa vida a ajudar os outros. Todos os outros seres receberão paz e felicidade de nós, seja direta ou indiretamente. Os outros recebem esse benefício de nós dependendo de praticarmos compaixão ou não. É assim que cada um de nós é responsável pela paz e felicidade de todo ser vivo. A felicidade de todos os seres vivos depende de nossa própria mente, de gerarmos ou não compaixão.

Se não geramos compaixão, mas vivermos com uma mente autocentrada, então raiva, apego, ciúme e outras delusões surgem rápida e intensamente. Esses pensamentos negativos levam-nos, constantemente, a causar mal aos outros seres vivos, direta ou indiretamente, e vida após vida. Falta de compaixão traz muita infelicidade e muitos problemas para nossa vida e a dos outros.

Você é uma pessoa apenas

Não importa se as outras pessoas demonstram compaixão por você. Mesmo que todo mundo antipatize com você e, ainda por cima, abuse verbalmente de você ou lhe faça mal fisicamente, não há por que se deprimir, pois você é uma pessoa apenas. Não há por que se alarmar, pois apenas um ser vivo está envolvido, e esse ser é você. Mesmo que nasça no inferno, não há por que se deprimir, pois você é um ser vivo apenas. E mesmo que alcance a liberação, não há por que ficar animado, pois você é uma só pessoa.

Contudo, se você, esse único ser vivo, não praticar compaixão, existe a possibilidade de causar mal a todos os seres vivos, direta ou indiretamente, e vida após vida. Conforme já ressaltei, mesmo nessa vida, existe a possibilidade de que você possa causar mal a milhões de pessoas. Por esse motivo, gerar compaixão deve ser nosso interesse primário, deve ser a primeira coisa a ser pensada e praticada. Incontáveis seres vivos querem que você sinta compaixão por eles, que os ajude e que não lhes cause mal. Embora você também queira que todo mundo ame você e o ajude, por ser apenas uma só pessoa você é completamente insignificante se comparado as outras incontáveis pessoas cuja felicidade depende de sua compaixão.

É mais importante você demonstrar compaixão pelos outros, que são inumeráveis, do que os outros mostrarem compaixão por você, uma única pessoa. E, quer os outros comportem-se ou não de modo compassivo em relação a você, você deve dar início à prática da compaixão pelo motivo que já mencionei: se gera compaixão, você beneficia inumeráveis outros seres; se não gera compaixão, você coloca inumeráveis outros seres em perigo. Por esse motivo, mesmo que os outros não estejam praticando compaixão, ainda assim você deve fazê-lo.

É comum pensarmos: "Por que devo praticar compaixão se as outras pessoas não praticam?", porém esse argumento provém do egocentrismo, e não da sabedoria. Esse argumento não é algo bem pensado, pois não leva em conta nem mesmo nossa felicidade e paz mental. Nosso egocentrismo argumenta dessa forma na esperança de lucro, mas, na realidade incorre apenas em perda, pois sua interpretação de lucro é falsa. O egocentrismo define lucro como fazer que os outros percam, e, assim, tomar a vitória para nós mesmos. Os outros têm de perder para ficarmos felizes. A sabedoria do Dharma, no entanto, entende a real evolução de felicidade e de sofrimento, e que ambos provêm de nossa mente. Atitudes e ações positivas trazem felicidade, e as negativas trazem sofrimento. Essa sabedoria também compreende que derrotar os outros e tomar a vitória para nós mesmos é, na verdade, uma perda, porque essa tomada de vitória é a causa para experienciarmos perda nessa vida e em muitas milhares de outras vidas.

Quer percebamos ou não, causando mal aos outros criamos problemas para nós mesmos. Nossa felicidade e nossos problemas têm uma evolução natural, do mesmo modo que uma planta medicinal cresce a partir da semente de uma planta medicinal, e uma planta venenosa cresce a partir da semente de uma planta venenosa. A semente de uma planta medicinal não pode gerar uma planta venenosa, nem a semente de uma planta venenosa pode gerar uma planta medicinal. Ao prejudicar os outros, criamos as causas dos problemas que iremos experienciar, e quando não prejudicamos os outros, criamos as causas da felicidade que também iremos experienciar.

O egocentrismo está interessado somente em nossa felicidade pessoal imediata, mas os métodos que utiliza para assegurar essa felicidade não são hábeis. Derrotar os outros e tomar a vitória para nós é, na verdade, uma infantilidade, pois o resultado é contrário ao objetivo. Queremos tomar remédio, mas na realidade tomamos veneno.

Quando agimos com a sabedoria do Dharma, oferecemos a vitória aos outros e tomamos a perda para nós. Porém, a perda é apenas aparente. De fato lucramos, imensamente, a partir dessa única ação positiva, visto que, por muitos milhares de vidas, teremos condições de desfrutar de vitória ou sucesso. É por isso que devemos praticar compaixão, independente do que os outros fazem.

Por que é possível gerar compaixão?

Todos nós temos alguma compaixão. Podemos não sentir compaixão por todos os seres vivos, mas sentimos por, pelo menos, alguns deles. Existem outras pessoas que têm muito mais compaixão que nós. Existem no mundo pessoas que, até mesmo, sentem compaixão por um vasto número de seres que sofrem. E, seguindo a mesma linha de raciocínio, existem seres cuja compaixão é plenamente desenvolvida e abrange todos os seres vivos que sofrem.

A principal responsável por gerarmos compaixão é a natureza da mente em si. Conforme expliquei antes, a natureza de nossa mente é pura; não é una, nem está misturada com as falhas da mente. Visto que a natureza da mente não é una com pensamentos perturbadores e obscurecimentos, algumas pessoas chamam essa natureza da mente de "Buddha" e a consideram plenamente iluminada.

A natureza pura e de clara luz da mente, chamada natureza de Buddha, nos dá o potencial de desenvolver nossa mente em qualquer sentido que desejemos;

nos dá a possibilidade de gerar compaixão e desenvolvê-la. Podemos treinar nossa mente e desenvolver compaixão perfeita por todos os seres vivos.

Compaixão não é um fenômeno independente. Não existe por si mesma, não existe de modo inerente. Nossa mente rotula de "compaixão" o pensamento pacífico e positivo e deseja que os outros seres fiquem livres do sofrimento. Em outras palavras, compaixão é algo que criamos por meio de nossa mente. Compaixão é um surgimento dependente. Surge na dependência de causas e condições. Por exemplo, a compaixão surge na dependência da condição de vermos o sofrimento de outro ser, seja uma criança etíope faminta ou um animal ferido, e de desejarmos que aquele ser fique livre do sofrimento. É a própria natureza da mente que torna possível gerarmos e desenvolvermos compaixão. A mente em si também é um surgimento dependente; existe na dependência de causas e condições.

Como sabemos por nossa própria experiência, até mesmo quando sentimos uma pequena compaixão por alguém, desejamos que aquela pessoa fique livre dos problemas e fazemos o que podemos para ajudar. À medida que nossa compaixão fica mais forte, assumimos a responsabilidade de libertar mais e mais seres vivos do sofrimento. Quando aperfeiçoamos o desenvolvimento da compaixão, dedicamos nossa vida a todos os seres vivos. Vivemos unicamente para libertar cada um deles do sofrimento e de suas causas para lhes trazer felicidade. A essa altura, continuamente, acumulamos mérito, a causa de felicidade e sucesso, tão infinito quanto o espaço.

Como gerar compaixão

Podemos ver agora que gerar compaixão é muito importante para nós e, especialmente, para todos os outros seres vivos. Precisamos desenvolver compaixão por todos eles a fim de libertá-los de sofrimento e suas causas, e conduzi-los não só à felicidade temporária, mas à felicidade definitiva da iluminação plena. Mas compaixão não cai do céu por milagre, nem aparece simplesmente por se repetir o tempo todo: "Preciso de compaixão, preciso de compaixão, preciso de compaixão". Do mesmo modo que estudamos vários temas e progredimos por diferentes classes na escola, temos de desenvolver compaixão passo a passo, começando pelas meditações preliminares.[7] Do contrário, nossa compaixão não será estável. Poderemos sentir compaixão por um amigo ou um animal ferido por uns poucos dias, mas, depois, ela desaparecerá.

Precisamos desenvolver compaixão perfeita, o que significa sentir por todos os seres vivos a mesma compaixão que uma mãe sente quando seu filho amado está em perigo. Se o filho cai em uma fogueira, o único pensamento da mãe é resgatá-lo. O pensamento surge de forma espontânea e intensa, e ela, imediatamente, larga o que está fazendo e se apressa para resgatar o filho. Quando desenvolvemos a compaixão perfeita, sentimo-nos exatamente assim a respeito do sofrimento de cada ser vivo, seja amigo, inimigo ou estranho.

Com grande compaixão, não desejamos simplesmente que cada ser vivo fique livre de todo sofrimento, mas desejamos, nós mesmos, libertá-los do sofrimento. Esse desejo é chamado *grande* compaixão porque tomamos para nós a responsabilidade de libertá-los. Quando temos grande compaixão, trazemos paz e felicidade não só para nós mesmos, mas para todo ser vivo. Isso torna nossa vida profundamente significativa. Precisamos desenvolver essa compaixão por todos aqueles que querem felicidade e não querem sofrimento. Precisamos sentir compaixão não só por aqueles que são doentes ou pobres, mas também por gente saudável e rica.

Para gerar compaixão por todo ser vivo, precisamos de amplo conhecimento sobre os diferentes tipos de problemas que os seres vivos experienciam. Cada problema, seja individual, nacional ou global, é um motivo para gerarmos compaixão. Cada pessoa e animal que vemos sofrendo, mesmo que apenas na TV, é um motivo para gerarmos compaixão. Cada ser que sofre está suplicando para que geremos compaixão. Vemos animais em incrível sofrimento, subjugados por medo, raiva, desejo e ignorância. Eles atacam uns aos outros, não entendendo que ao causar mal aos outros estão criando a causa para receber o mal posteriormente.

Muitos animais, especialmente os pássaros, não podem relaxar por um momento sequer, pois vivem em medo constante. Quando encontram comida, não podem comer de maneira relaxada porque têm que escutar cada som constantemente e olhar em todas as direções. Suas vidas são muito incertas. E todos têm inimigos que podem atacar e matá-los. Quer estejam voando ou pousados no solo, estão constantemente amedrontados. Nós, entretanto, consideramos nossa segurança garantida e, em geral, levamos vidas confortáveis e relaxadas. Quando saímos de casa, acreditamos que as pessoas ao redor não tenham intenção de nos causar mal ou matar. Na realidade, contudo, o perigo está logo ali. É simplesmente uma questão de alguém mudar de atitude. Se uma pessoa torna-se violenta, nossa vida imediatamente fica em perigo. Podemos ver assim como dependemos dos outros.

Os três tipos de sofrimento

Para sentir compaixão plena pelos outros seres, temos de ser capazes de ver os três tipos de sofrimento que eles experienciam: *sofrimento do sofrimento, sofrimento da mudança* e *sofrimento que tudo permeia*. E para entender o sofrimento dos outros, temos de entender primeiro o nosso próprio sofrimento. Temos de reconhecer, claramente, que nós mesmos estamos experienciando os três tipos de sofrimento e, assim, gerar a determinação de nos libertarmos não só do sofrimento do sofrimento, mas também do sofrimento da mudança e do sofrimento difuso. Do contrário, se não reconhecermos todo nosso próprio sofrimento, não seremos capazes de ver todo o sofrimento dos outros.

Nosso entendimento do sofrimento será limitado, e qualquer compaixão que gerarmos será limitada. Sentiremos compaixão apenas por aqueles cujo sofrimento nos é familiar. Por exemplo, poderemos pensar em sofrimento apenas em termos de uma só doença.

Se nosso entendimento de sofrimento é limitado, nossa ideia de liberação também será limitada. Contudo, se entendermos os três níveis de sofrimento, seremos capazes de gerar compaixão de modo mais profundo e extensivo, porque nossa compaixão, então, irá abranger todos os seres vivos. Do contrário, nossa compaixão ficará limitada apenas àqueles que estão em agonia.

O *sofrimento do sofrimento* é fácil de reconhecer e refere-se ao nascimento, à velhice, à morte e a todos os outros problemas mentais e físicos. Doença, como um único átomo em comparação a todos os átomos da Terra, é apenas um dos milhares de problemas na categoria do *sofrimento do sofrimento*.

O segundo tipo de sofrimento, *o sofrimento da mudança*, é mais sutil e mais difícil de reconhecer. Só pode ser entendido por meio de raciocínio analítico. O *sofrimento da mudança* refere-se aos prazeres temporários que experienciamos; esses prazeres não duram e, quando tentamos fazer que durem, transformam-se em *sofrimento do sofrimento*.

Em relação aos prazeres temporários que experienciamos, rotulamos como "prazer" uma sensação que, na verdade, é sofrimento. A natureza de sofrimento da sensação não é perceptível como sofrimento grosseiro, porque nós a rotulamos como "prazer", e, então, ela nos parece prazer. Entretanto, o sofrimento subjacente torna-se perceptível à medida que o prazer diminui. Continuar a ação – seja comer, seja caminhar, seja sentar ou dormir – meramente intensifica o desconforto. O sofrimento torna-se mais perceptível, e experienciamos menos daquilo que havíamos rotulado como "prazer". Não existe prazer por si mesmo; existe, simplesmente, o que rotulamos como "prazer". Rotulamos como "prazer" uma base que não é prazer puro, que, na verdade, é sofrimento não identificado.

Por exemplo, se temos menos dor hoje do que tivemos ontem, dizemos que nos sentimos melhor, mas isso não significa que não tenhamos dor alguma. Apenas temos menos dor. Rotulamos como "felicidade" a redução de qualquer problema que tenhamos, porém a base de nosso rotulamento não é a ausência completa do problema. Ainda temos um problema, mas é menor. O mesmo ocorre com os prazeres do samsara.

Quando estamos sentados, nos sentimos mais desconfortáveis e cansados à medida que permanecemos muito tempo naquela posição. O desconforto de estar sentado logo é perceptível, e, quando se torna insuportável, levantamo-nos. Nesse momento, o desconforto insuportável de estar sentado cessa, pois a ação que exacerba o desconforto cessou. Mas, tão logo levantemos, a ação de levantar começa a provocar o desconforto de ficar de pé. Embora o desconforto de ficar de pé comece na mesma hora, é tão pequeno que não reparamos; mas, ao continuarmos de pé, o desconforto aumenta gradativamente. Depois de um tempo, quando o desconforto torna-se maior, ficamos cientes dele. Nesse momento, torna-se *sofrimento do sofrimento*. Rotulamos como "prazer" as sensações de desconforto que são tão pequenas que não as reconhecemos como desconforto, e continuamos a rotular como "prazer" até o desconforto tornar-se perceptível.

Quando uma sensação grosseira de sofrimento cessa, dizemos que estamos experienciando prazer, mas não é felicidade pura ou definitiva. Assim como dizemos que nós estamos melhor quando sentimos menos dor. Rotulamos como "prazer" uma base que, na verdade, é sofrimento. Parece prazer porque rotulamos como prazer, mas, de fato, não é felicidade pura. Podemos rotular algo como felicidade pura apenas se for livre dos três tipos de sofrimento. Não só livre do *sofrimento do sofrimento* e do *sofrimento da mudança*, mas livre também do sofrimento *que tudo permeia*.

A terceira forma de sofrimento, *sofrimento que tudo permeia*, é a mais sutil e a mais importante de se entender. É o sofrimento fundamental, pois sem ele não experienciaríamos o *sofrimento do sofrimento* e o *sofrimento da mudança*. Precisamos ter uma forte determinação para ficarmos livres desse sofrimento.

O que é *sofrimento que tudo permeia*? É o samsara, a associação de corpo e de mente que está sob controle do Karma e dos pensamentos perturbadores, e é contaminada pelas sementes dos pensamentos perturbadores. Seres em todos os três reinos – reinos do desejo, da forma e da não forma – experienciam esse terceiro tipo de sofrimento. Seres dos infernos, fantasmas famintos, animais, seres humanos e os deuses mundanos que vivem no reino do desejo experienciam todos os três tipos de sofrimento. Deuses mundanos do reino da forma não experienciam o *sofrimento do sofrimento*, embora experienciem os outros dois tipos de sofrimento. Deuses do reino da não forma, que possuem consciência, mas não um corpo substancial, não experienciam o *sofrimento do sofrimento* ou o *sofrimento da mudança*. Entretanto, experienciam o sofrimento difuso e componente, porque ainda estão sob o controle do Karma e das delusões.

Como as sementes dos pensamentos perturbadores contaminam nossa consciência, geramos pensamentos perturbadores quando deparamos com objetos feios, bonitos ou indiferentes. Os pensamentos perturbadores então motivam o Karma a deixar uma marca em nossa consciência, e essa marca, mais tarde, torna-se a causa de nossa vida futura no samsara, nossa vida futura de associação de corpo e mente, que novamente não é livre do sofrimento.

Cada ação motivada por um pensamento perturbador deixa uma marca negativa em nossa consciência. Então, como um broto oriundo de uma semente, a marca manifesta futuros agregados do mesmo tipo, o que significa a natureza do sofrimento. Do mesmo modo que a planta de milho original não retorna, mas uma planta de milho semelhante cresce a partir de sua semente, agregados de tipo semelhante surgem a partir da marca, no sentido de que os novos agregados também não estão livres do sofrimento. Embora nosso corpo não continue na vida seguinte, nossa consciência migra e associa-se a outro corpo para se tornar os agregados da vida futura, ou samsara. Nossos agregados da vida futura são uma continuação de nossos agregados atuais, sendo, por isso, que se diz que o samsara é um ciclo.

O terceiro sofrimento é chamado de *tudo permeia* porque a associação de corpo e de mente está sob controle do e impregnada pelo Karma e de pensamentos perturbadores e "componentes", porque a marca produz agregados de um tipo semelhante. Nossos agregados atuais criam agregados futuros de tipo semelhante, que, novamente, experienciam os três tipos de sofrimento. Em outras palavras, esses agregados compõem outro conjunto de agregados, os agregados da vida futura, que também são sofrimento por natureza, por comporem a causa, a marca. É por isso que esses agregados são chamados de *sofrimento que tudo permeia*.

Se removemos as sementes dos pensamentos perturbadores de nosso *continuum* mental, os pensamentos perturbadores não podem surgir, e sem eles não há nada que produza as ações negativas que deixam marcas em nossa mente e criam nosso futuro samsara – assim como nada pode crescer em um campo onde não há sementes plantadas. Sem a causa, não há resultado. É assim que é possível ficar completamente livre do sofrimento. Transformando nossa mente por meio da meditação, podemos nos purificar das sementes dos pensamentos perturbadores e nos libertar por completo da causa do sofrimento, e, por conseguinte, do sofrimento em si. Somos, então, libertados do renascimento e da morte, e de todos os problemas entre um e outro. Uma vez que tenhamos purificado nossa mente das sementes de delusão, estamos livres do sofrimento para sempre. É assim que podemos nos libertar por completo desse terceiro sofrimento fundamental.

Quando nos libertamos dos agregados – ou, em outras palavras, do *sofrimento que tudo permeia* –, também nos libertamos do *sofrimento do sofrimento* e do *sofrimento da mudança*. Liberação definitiva é liberdade total dos três tipos de sofrimento. Nesse momento, não temos mais de reencarnar em tais agregados de sofrimento. A felicidade da liberação é duradoura porque é impossível experienciarmos sofrimento outra vez. Essa é a liberação definitiva.

6. O poder curativo da compaixão

Uma pessoa amorosa e compassiva cura os outros simplesmente por existir. Onde quer que estejam, pessoas compassivas são curativas porque fazem tudo que podem para ajudar os outros com seu corpo, sua fala e sua mente. Apenas estar perto de uma pessoa compassiva nos cura porque nos traz paz e felicidade.

Simplesmente ver o rosto de uma pessoa bondosa e cordial nos deixa felizes. Mesmo que estejamos preocupados com algum problema, ficamos felizes e pacíficos quando vemos uma pessoa assim. Queremos falar com ela e ajudá-la. Ficamos felizes por receber a visita de alguém compassivo e cordial, porque tal pessoa traz alegria a todos. Quando ela entra em uma sala, ficamos felizes. Ficamos encantados até porque ouvimos seu nome.

Minha mãe, já falecida, era uma pessoa muito compassiva. Todos gostavam dela e a respeitavam, não porque era minha mãe, mas porque estava sempre preocupada com os outros. Sempre que eu a via e tínhamos tempo de conversar, ela falava dos problemas de outras pessoas. Nem consigo lembrar de ela alguma vez citar seus próprios problemas. Quando ficou cega por causa da catarata, ela me pediu, em certa ocasião, que recitasse mantras e soprasse sobre seus olhos, mas, normalmente, ela jamais discutia suas necessidades pessoais.

Minha mãe jamais deixava alguém sair de sua casa de mãos vazias. Ela dava coisas para as pessoas o tempo todo. Quando percorríamos uma estrada, ela ficava abalada porque havia pessoas que caminhavam descalças e ficava muito preocupada por não terem sapatos.

Certa vez, minha mãe foi convidada para ir ao Tushita Retreat Centre em Dharamsala, na Índia, onde, todas as manhãs, os cozinheiros preparavam panquecas para o desjejum. Ela comia um pouquinho da panqueca, embrulhava o resto e guardava-o no bolso. Todo dia ela descia de Tushita, que fica no alto de uma montanha, para circum-ambular o palácio onde vive Sua Santidade o Dalai Lama e também o templo vizinho, e dividia a panqueca entre os muitos leprosos que mendigam na trilha da circum-ambulação.

Em muitas área dos Himalaias no Nepal, as pessoas têm de viajar a pé porque não há estradas, e as famílias param ao longo do caminho para fazer fogueiras e cozinhar a comida. Sempre que minha mãe ia em peregrinação com o restante da família, depois que a comida estava pronta, ela dava para outras pessoas. Como, então, não sobrava nada para a família, tinham de preparar tudo de novo.

No Monastério de Kopan, quando os jovens monges traziam-lhe comida, ela sempre dizia: "Não mereço ser servida por eles – meu estômago está vazio". Ela não queria dizer que seu estômago estava literalmente vazio, mas, sim, que seu coração estava vazio de realizações. Ela estava sempre preocupada com outras pessoas e suas dificuldades, e não apenas com gente da família dela. Se qualquer um ajudasse-a ou trabalhasse perto dela, ela ficaria preocupada por aquela pessoa ter de trabalhar tanto para ela.

Por minha mãe ser tão compassiva, todo mundo ficava feliz ao encontrar e conversar com ela. Sempre que vemos uma pessoa que parece generosa e cordial, mesmo que não a conheçamos, sentimos vontade de sentar e conversar. É nossa reação natural a pessoas compassivas, àquelas que sempre colocam os outros acima de si mesmas.

Existem muitas histórias nas escrituras budistas sobre bodhisattvas, ou santos, que se sacrificaram pela felicidade dos outros. *Bodhisattva*, um termo sânscrito, poderia ser traduzido como "o herói da iluminação". Bodhisattvas, seres sagrados que ainda não estão plenamente iluminados, não pensam em buscar a própria felicidade, mas pensam, unicamente, em cuidar dos outros seres vivos e trabalhar para eles com seu corpo, sua fala e sua mente. Eles não desejam, simplesmente, que outros sejam felizes, mas tomam para si a plena responsabilidade de libertar sozinhos todos os seres do sofrimento e de lhes trazer felicidade. Fazem o voto de realizar isso, não importa quanto o trabalho seja difícil ou quanto demore. Por sua grande compaixão, não só tomam para si a responsabilidade de efetuar essa grande obra, como a tomam para si *sozinhos*. É o pensamento totalmente dedicado de um coração extremamente valente. Qualquer ser com esse tipo de coragem é o verdadeiro herói.

O Buddha Shakyamuni, antes de se tornar iluminado, foi um bodhisattva em muitas centenas de vidas durante três incontáveis grandes éons. Porém, não apenas santos budistas tiveram essa mente pura, mas muitos santos cristãos também, como São Francisco de Assis, o santo italiano que viveu na mesma época que Milarepa. Seja cristão, hindu, budista, ou seguidor de alguma outra religião, qualquer um que não pense em sua própria felicidade, mas pense apenas em libertar todos os outros seres do sofrimento e lhes trazer felicidade é um santo, um ser sagrado. Até um animal é um ser sagrado se tiver essa atitude.

Durante seu período como bodhisattva, o Buddha Shakyamuni sacrificou seu corpo sagrado para outros seres vivos centenas de vezes. Em centenas de vidas o Buddha deu seus olhos para pessoas cegas e seus membros para aqueles que queriam membros. Por exemplo, uma vez ele deu seu corpo para uma família de tigres que estava morrendo de fome. O Buddha rezou para que os tigres, por meio da conexão que fizeram por comer seu corpo, nascessem como seres humanos em vidas futuras e se tornassem seus discípulos. Também rezou para revelar o caminho da iluminação para eles. Devido à sua conexão com o Buddha, os tigres mais tarde nasceram como seres humanos, ouviram ensinamentos diretamente do Buddha e, então, efetuaram o caminho para a iluminação.

Em uma outra vida como bodhisattva, o Buddha deu seu sangue para cinco rakshas, espíritos que bebem sangue, e rezou para ser capaz de revelar a eles o caminho para a iluminação em vidas futuras. Quando mais tarde nasceram como humanos, os cinco rakshas tornaram-se os primeiros discípulos do Buddha. Quando deu ensinamentos pela primeira vez, em Sarnath, na Índia, o Buddha ensinou-lhes as Quatro Nobres Verdades.

Em outra vida passada do Buddha Shakyamuni, ele e outro ser dos infernos estavam empurrando uma carruagem na qual estavam sentados guardiões kármicos,[8] no solo de ferro em brasa de um dos infernos quentes. Ele sentiu tanta compaixão pelo sofrimento do outro ser infernal que se sacrificou e empurrou a carruagem sozinho. Também rezou para que pudesse substituir todos os outros seres sencientes que tivessem o Karma de experienciar tal sofrimento.

Quando se sacrificou para libertar o outro ser infernal do sofrimento, os guardiões kármicos disseram que ele era louco e o golpearam na cabeça. Ele foi imediatamente liberado do reino infernal, e sua consciência foi transferida para o reino puro de Tushita. Os ensinamentos dizem que essa foi a primeira vez que o Buddha gerou grande compaixão.

Em ainda outra de suas vidas passadas como bodhisattva, o Buddha Shakyamuni era o capitão de um navio com quinhentos negociantes a bordo. Os comerciantes estavam cruzando o oceano em busca de joias. Por meio da clarividência, o capitão bodhisattva descobriu que uma pessoa a bordo planejava matar todos os outros passageiros. O capitão sentiu uma compaixão insuportável pelo futuro assassino e pensou: "Não importa se vou nascer no inferno por causa disso – tenho de matá-lo". Renunciando a si mesmo por completo, ele estava disposto a nascer no inferno a fim de proteger aquela pessoa de criar o pesado Karma negativo de matar todos os outros negociantes. Com compaixão insuportável, o capitão bodhisattva, então, matou-o.

Em termos gerais, a ação de matar é considerada negativa, e a ação do capitão teria resultado em seu renascimento no inferno. Contudo, como sua ação foi motivada por grande compaixão, em vez de fazer que o capitão renascesse no inferno, trouxe grande purificação e encurtou sua estada no samsara em cem mil éons. Em outras palavras, por ele ter se sacrificado completamente pela felicidade da outra pessoa, sua ação de matar levou-o para mais perto da iluminação.

Existe também a história do monge noviço Tsembulwa, discípulo do grande yogue Krishnacharya, que tinha realizações muito elevadas. Krishnacharya estava a caminho de Oddiyana, um dos 24 locais sagrados de Vajrayogini, para executar uma prática tântrica especial que é feita logo antes da obtenção da iluminação. Ele chegou a um rio, em cuja margem havia uma mulher com o corpo inteiro desfigurado pela lepra. Ela tinha um aspecto muito feio, com a pele enegrecida e vertendo pus. Quando a leprosa pediu a Krishnacharya para carregá-la pelo rio, ele se recusou.

Mais tarde, quando Tsembulwa chegou ao mesmo local, a leprosa também pediu a ele que a carregasse pelo rio. Embora como monge Tsembulwa normalmente não fosse tocar em uma mulher, ele sentiu compaixão tão insuportável pela leprosa que, sem qualquer hesitação, sacrificou-se, correndo o risco até de contrair lepra, e colocou a mulher nas costas. Contudo, no meio do rio, a leprosa de repente transformou-se em Vajravarahi, um aspecto de Vajrayogini. Devido à compaixão insuportável e completo autossacrifício de Tsembulwa para ajudar a leprosa, Vajravahari levou-o em sua forma humana à terra pura de Vajrayogini, onde ele teve a oportunidade de ouvir ensinamentos e completar o caminho para a iluminação.

O ponto é que a leprosa sempre havia sido Vajravahari, mas Tsembulwa viu-a como leprosa devido a seus obscurecimentos kármicos. Só depois de gerar compaixão e se sacrificar para ajudá-la é que ele foi capaz de vê-la como um ser iluminado. Durante os momentos em que sentiu compaixão insuportável pela leprosa, ele purificou por completo o Karma negativo que fazia que a visse como leprosa e impedia que a visse como um ser iluminado.

Uma coisa semelhante aconteceu com Asanga, um grande pandita e um Lama da linhagem do caminho gradual para a iluminação. Embora Asanga meditasse em um eremitério por doze anos para alcançar o Buddha Maitreya, não viu Maitreya. Ao fim de cada três anos de retiro, Asanga ficava desanimado e deixava o eremitério. Então deparava com algo que o inspirava a retornar ao eremitério para outros três anos de retiro. Ele fez isso três vezes, mas depois de doze anos ainda não havia acontecido nada.

Quando Asanga abandonou o retiro e deixou o eremitério pela última vez, enquanto caminhava pela estrada viu um cachorro ferido cuja parte inferior do corpo era uma ferida aberta coberta de larvas. Ao ver o cachorro, Asanga sentiu compaixão insuportável e ficou disposto a se sacrificar para ajudá-lo. Decidindo que as larvas precisariam de comida para viver uma vez que as retirasse da ferida, Asanga cortou a carne de sua coxa e estendeu-a no chão. A seguir, foi pegar as larvas, mas não com os dedos, pois ficou com medo de esmagá-las. Fechou os olhos e se inclinou para pegar as larvas com a ponta da língua, mas verificou que não conseguia alcançá-las. Parecia não haver nada ali. Quando abriu os olhos, de repente viu o Buddha Maitreya.

Asanga então reclamou para o Buddha Maitreya: "Por que você demorou tanto para aparecer? Meditei sobre você durante anos!". Buddha Maitreya replicou: "Não é que eu não estivesse ali. Estive com você o tempo todo, mas você não conseguia me ver". Asanga tinha o hábito de cuspir no eremitério, e Maitreya provou que havia estado na sala mostrando as marcas de cuspe em seus mantos. Buddha Maitreya disse: "Sempre estive lá, mas você não me via por causa de seus obscurecimentos kármicos. Esses obscurecimentos agora foram purificados por sua compaixão. É por isso que agora você é capaz de me ver".

Aquele único momento de intensa compaixão que Asanga sentiu pelo cachorro purificou seu Karma negativo por completo, e ele foi capaz de ver o Buddha Maitreya, uma realização que lhe foi negada durante doze anos de retiro.

Sacrificar-se por um ser vivo – na visão de Asanga, um cachorro ferido – fez uma enorme diferença. Zelar até mesmo por um único ser vivo, seja uma pessoa ou um animal, e nos sacrificarmos para cuidar dele traz grande purificação, purificando todo nosso Karma negativo, a causa de doenças e todos nossos outros problemas. Cura nossa mente e nosso corpo. Sacrificar-se mesmo que por um único ser vivo também acumula um mérito incrível.

Conforme já expliquei, até estarmos completamente livres dos agregados, que são sofrimento por natureza, teremos de experienciar enfermidades e outros problemas repetidas vezes. Visto que temos de passar por esses problemas, por que não fazer que valham a pena? Por que não seguir os exemplos desses seres sagrados, renunciando a nós mesmos e zelando apenas pelos outros? O resultado para eles foi que rapidamente ficaram livres de todos os problemas e suas causas, alcançaram iluminação plena e a seguir iluminaram inúmeros outros seres. Por que não usamos nossos problemas da mesma maneira?

A quantidade de benefício que obtemos de experienciar nossa doença ou qualquer outro problema em favor dos outros depende da força da compaixão que sentimos. Depende do quanto zelamos pelos outros e estamos dispostos a nos sacrificar para experienciar seu sofrimento. Visto que inúmeros outros seres vivos têm os mesmos problemas que nós, precisamos tomar todos esses problemas para nós e experienciá-los em favor de todos os outros seres. O capitão bodhisattva, o monge noviço Tsembulwa e Asanga sacrificaram-se para ajudar apenas um único ser vivo. Também podemos obter o maior sucesso sentindo compaixão insuportável e nos sacrificando mesmo que por um único ser vivo.

7. Curadores

Muitas causas e condições determinam se uma pessoa pode ser curada de uma enfermidade e quão rápido isso pode acontecer. Por exemplo, depende de a pessoa doente ter acumulado bom Karma o bastante a partir de suas ações positivas passadas. Também depende de ter uma conexão kármica positiva com a pessoa que a está curando e de os quatro elementos de seu corpo estarem em harmonia com os elementos do curador. Entretanto, três fatores principais são importantes na cura: fé, compaixão e moralidade.

O poder da fé

Cura tem muito a ver com fé, tanto a fé da pessoa que executa a cura quanto a fé da pessoa que a recebe. O poder da mente do curador é importante, mas também a fé no método que ele esteja usando. Claro que essa fé precisa estar baseada em um atitude sincera e compassiva, com pouca vaidade. Uma atitude vaidosa, bem como pensamentos insalubres, como raiva e má vontade, interferem na capacidade de curar outras pessoas.

Fé é uma causa importante de sucesso não apenas na cura, mas em qualquer atividade, incluindo a obtenção de realizações do caminho para a iluminação. Às vezes a técnica de cura pode parecer ridícula, mas, se os pacientes têm uma fé intensa nela, podem ser curados.

Isso é ilustrado por uma história de Buxa Duar, no oeste de Bengala, na Índia, onde vivi durante oito anos após fugir do Tibete. Buxa havia sido uma prisão quando os britânicos controlavam a Índia e foi o local onde Mahatma Gandhi e o primeiro-ministro Nehru ficaram presos. Monges tibetanos de todas as quatro tradições que queriam continuar seus estudos monásticos eram enviados para Buxa; a maioria deles, contudo, provinha de três grandes universidades monásticas próximas de Lhasa: Sera, Ganden e Drepung. Outros monges foram para locais variados na Índia, alguns para trabalhar nas estradas. O comprido bloco de celas onde o primeiro-ministro Nehru havia ficado preso acomodou os monges do Monastério de Sera. Os monges apinhavam-se dentro e fora da galeria, que ainda era rodeada de arame farpado; eles simplesmente cobriram o arame farpado com roupas velhas, bambu e outros materiais. As monjas foram alojadas no bloco de celas onde Mahatma Gandhi havia ficado preso. Nada havia mudado. Os blocos de celas e o arame farpado ainda estavam ali – apenas as pessoas alojadas não eram mais chamadas de prisioneiros.

Buxa era um lugar quente e insalubre, e muitos monges contraíram tuberculose ou outras doenças. Muitos monges ficaram doentes e morreram lá, em parte porque não conseguiram adaptar-se ao clima e à comida indianos.

Toda manhã, os monges das quatro tradições do budismo tibetano reuniam-se em uma plataforma para fazer preces e pujas.[9] Como era muito quente, todos suavam muito. Certa manhã, durante o puja, um monge disse ao monge sentado ao lado dele que estava doente e com febre alta. O outro monge então fez uma bolinha com a sujeira de seu próprio corpo e a deu para o monge doente, dizendo que era uma pílula abençoada. O monge doente, acreditando que realmente se tratasse de uma pílula abençoada, engoliu-a e recuperou-se da febre rapidamente. Ele se recuperou não por causa da pílula em si, mas por causa de sua fé no poder curativo da pílula. O poder da cura veio de sua mente, de sua fé em pílulas abençoadas.

O poder da compaixão

Conforme já discuti, compaixão é outra fonte de cura. Se nossos médicos são gentis e compassivos, começamos a nos sentir melhor simplesmente quando eles falam conosco ou nos tocam; nos sentimos felizes e nossa dor diminui. Mesmo que o medicamento que prescrevam não seja da melhor qualidade, ainda assim irá nos beneficiar. Quando os médicos carecem de amor e compaixão, tornam-se mais preocupados com sua reputação e felicidade do que com o sofrimento de seus pacientes; mesmo que prescrevam o melhor e mais caro medicamento, será difícil que beneficiem seus pacientes.

Alguém que esteja envolvido com cura deve meditar intensamente sobre bodhichitta. Seja em retiro ou na vida cotidiana, deve fazer as meditações passo a passo do caminho gradual para a iluminação e gerar a realização da compaixão. Todo mundo concorda que compaixão é necessária, mas não é muita gente que de fato a desenvolve.

O melhor curador de todos é aquele com a realização de bodhichitta, o pensamento altruístico de atingir a iluminação para o bem de todos os seres vivos. O corpo inteiro de um bodhisattva é abençoado por causa de sua mente altruística pura, que não é marcada por qualquer pensamento de uma atitude egocentrada. Sua mente é transformada porque ele renunciou por completo a qualquer pensamento de trabalhar para si mesmo e trabalha apenas para os outros seres vivos. Bodhisattvas fazem qualquer ação – caminhar, sentar, dormir e até respirar – em favor dos outros.

Bodhichitta é uma mente tão pura e preciosa porque os bodhisattvas renunciaram não só à mente grosseira de atitude egocentrada ou ao egocentrismo, mas até ao pensamento de trabalhar para si mesmos. Até o veículo da mente sagrada de bodhichitta, o corpo do bodhisattva, é abençoado. Bodhisattvas são dignos de ser contemplados, o que significa que qualquer ser, até um animal, que vê, ouve ou toca neles é beneficiado. Apenas ver um bodhisattva é curativo, pois acalma a mente. Cada respiração de alguém com grande compaixão é medicamento, assim como a saliva, a urina, as fezes, o sangue e tudo o mais que provém de seu corpo. Uma pessoa doente pode recuperar-se simplesmente com a respiração de um bodhisattva tocando seu corpo. Ser tocado por um bodhisattva, ou mesmo por sua roupa, traz grande bênção. Beber sua urina ou aplicá-la em infecções também tem o poder de abençoar e curar.

Isso é ilustrado por muitas histórias de praticantes espirituais. No Tibete, quando alguém desmaia ou endoidece, é uma prática comum queimar o cabelo ou roupa de um Lama elevado e fazer a pessoa inalar a fumaça. Se a pessoa desmaiou, rapidamente recobra a consciência. Em alguns países cristãos existe prática semelhante com relíquias de São Francisco de Assis e outros santos. Lama Yeshe e eu observamos isso quando visitamos algumas igrejas e mosteiros cristãos na Itália. Algumas igrejas da Itália preservaram as vestes de certos santos cristãos, e pedacinhos do tecido são dados a pessoas doentes, que queimam ou comem o pano. Em geral elas vomitam logo depois de comer o tecido, e a seguir recuperam-se gradativamente. Dizem que o mal que causava a enfermidade abandona a pessoa. O poder curativo vem das elevadas realizações dos santos, especialmente sua bondade amorosa e compaixão.

Em Solu Khumbu, Nepal, existe um monastério para monges e monjas, embora hoje muitos não vivam lá porque o Lama principal faleceu. O líder desse monastério era um meditante asceta altamente realizado que fugiu do Tibete. Antes ele havia sido administrador de um grande monastério tibetano, uma divisão da Universidade Sera Me. Seu trabalho era coletar grãos e outros alimentos das várias aldeias ligadas ao monastério e vender comida para financiá-lo. Ele fracassou como administrador, e o fracasso levou-o a gerar renúncia, a determinação de ficar livre do samsara.

Depois de largar o cargo de administrador do monastério, ele foi ver um Lama importante e muito culto, Ling Tse Dordje Tchang, de quem recebeu ensinamentos sobre o caminho gradual para a iluminação. A seguir foi para um local solitário nas montanhas para meditar. Durante seis ou sete anos viveu em uma simples caverna de barro escavada na encosta da montanha. Antigamente, no Tibete, o topo de muitas montanhas elevadas era crivado de buracos, como formigueiros; eram as cavernas dos meditantes que iam viver nas montanhas para efetuar o caminho para a iluminação. Eles simplesmente escavavam uma caverna na montanha e tapavam sua entrada. Hoje em dia restam poucas.

Esse monge fez retiro por seis ou sete anos e realizou a permanência serena, ou *shamatha*, e bodhichitta. Também efetuou realizações tântricas. Com a efetivação da permanência serena, a concentração é unidirecionada e imóvel; uma vez que mente é colocada em um objeto, você pode concentrar-se nele por tantos meses, anos ou até éons quanto desejar. O corpo e a mente tornam-se extremamente refinados. Problemas físicos de doença, cansaço e outros não viram obstáculos para a meditação, e você experiencia êxtase físico e mental.

Por ter efetivado a permanência serena, ele se tornou clarividente e era capaz de usar esse poder para aconselhar os outros sobre seus problemas. Seus feitos tornaram-no bastante famoso. Ele estabeleceu um monastério para monges e monjas em Tö Tsang, no interior do Tibete. Quando o Tibete foi invadido pelos comunistas chineses, o Lama e muitos de seus monges e monjas fugiram para o Nepal. Quando ele perguntou a Sua Santidade o Dalai Lama se deveria ir para a Índia, Sua Santidade aconselhou-o a viver em Solu Khumbu, onde ele construiu um monastério para monges e monjas em uma encosta na montanha abaixo da Caverna de Lawudo. Devido a seus feitos, ele logo ficou famoso também em Solu Khumbu.

O Lama dizia a seus atendentes para misturar os restos de seu chá de manteiga com tsampa e fazer pílulas. Depois dava as pílulas para pessoas doentes que iam vê-lo. Muitas eram imediatamente curadas pelas pílulas.

De tempos em tempos, o Lama subitamente manifestava o aspecto de uma doença grave e vomitava sangue, às vezes o suficiente para encher um potinho. Os discípulos então faziam pílulas misturando o sangue vomitado com tsampa e as davam aos doentes. Era comum as pessoas se recuperarem após tomarem as pílulas. Devido à bodhichitta do Lama, tudo relacionado a seu corpo tinha poder curativo. As pessoas usavam até os restos de sua comida, urina e pertences para se curar.

Muitos sadhus da Índia possuem poderes semelhantes. Existe um sadhu em particular, com apenas um pequeno número de seguidores, cujas fezes podem curar lepra quando aplicadas no corpo. Na Índia, as pessoas geralmente defecam nos campos, e as fezes desse sadhu tornaram-se muito raras e muito difíceis de encontrar porque as pessoas apressam-se para achá-la. O poder curativo mais uma vez vem do corpo sagrado, da compaixão do sadhu.

Os ensinamentos também mencionam a história de uma família no Tibete, com uma filha possuída por um espírito há muito tempo. Embora tivessem convidado muitos Lamas para realizar rituais de puja, a filha jamais se recuperava. Certo dia, quando um monge muito simples veio à casa em busca de esmola, a família convidou-o para entrar e pediu que ajudasse a filha. Quando o monge fez um ritual para dispersar as interferências que envolvia preces e oferendas de bolos rituais, descobriu que o espírito estava recitando as mesmas preces.

O monge pôde ver que o puja não estava ajudando, de modo que cobriu a cabeça com seu manto e meditou sobre compaixão pelo espírito. Só então o espírito abandonou a garota. O espírito pediu desculpas ao monge e disse: "Mostre-me o caminho". Quanto mais forte o bom coração, mais poderosa a cura.

Se pedimos ajuda aos bodhisattvas, eles vão nos ajudar devido à sua compaixão. De nossa parte, porém, precisamos ter sabedoria e fé para confiar neles e pedir ajuda. Se tivermos sabedoria e fé, os bodhisattvas terão condições de nos ajudar.

O poder da moralidade

Outro fator poderoso na cura é a moralidade pura. Quer tenham realizações ou não, aqueles que vivem em moralidade pura possuem poderes para curar. Você não precisa necessariamente ser um monge ou monja. Por exemplo, se vive uma vida pura, abstendo-se das dez ações não virtuosas, você pode beneficiar os outros.[10] Suas preces têm muito mais poder para eliminar doenças e outros obstáculos e trazer sucesso. Se alguém enlouqueceu por estar possuído por um espírito, você pode mandá-lo abandonar a pessoa; e, por estar vivendo uma vida pura e verdadeira, o espírito tem de ouvi-lo e obedecer.

Qualquer um com a realização da vacuidade, a natureza última dos fenômenos, também é um curador poderoso. A realização da vacuidade proporciona à pessoa maior controle sobre os elementos e os seres vivos, de modo que ela tem poder para curar gente violenta ou louca. Se alguém tem uma doença causada por um espírito danoso, um praticante com realização da vacuidade pode ajudar a pacificá-lo. Com essa realização, você também pode fazer os quatro tipos de ação tântrica: pacificadora, de aumento, controle e irada. Isso também dá o poder de provocar e cessar a chuva.

Mesmo que não tenhamos nenhuma dessas realizações, é essencial gerar tanta compaixão quanto pudermos e ter uma fé intensa nos métodos de cura que estivermos usando. Ao fim de uma instrução sobre como provocar e cessar chuva, Lama Tsongkhapa enfatiza a importância de ter uma fé intensa nas instruções, em bodhichitta e uma certa experiência em vacuidade. Esse conselho também se aplica à cura. Forte compaixão, realização da vacuidade e fé no método de cura são todos necessários, mas a cura é mais favorecida por compaixão e fé intensas. Quanto mais você tiver essas qualidades, mais será capaz de ajudar os outros.

Curas milagrosas

Na Malásia, Cingapura e também nos Estados Unidos, conheci muitos curadores com histórias de curas milagrosas. A capacidade de uma pessoa para realizar curas milagrosas não tem nada a ver com quaisquer fenômenos externos. Seu poder de cura em geral provém do bom coração. Geralmente, são pessoas calorosas, que se interessam pelos outros. Não há vaidade envolvida, e elas zelam mais pelos outros do que por si mesmas.

Nos Estados Unidos, conheci um rapaz da China continental que havia realizado muitas curas milagrosas. Quando dá uma palestra, ele é capaz de curar pessoas doentes sentadas na plateia sem sequer tocá-las. Gente em cadeira de rodas de repente tem condições de levantar e caminhar sem auxílio, embora não tenha caminhado por muitos anos. Na verdade, ele não toca nas pessoas; apenas faz um gesto com a mão a distância; não obstante, elas sentem-se melhores na mesma hora e levantam sem ajuda. Ele é uma pessoa muito bondosa e compassiva, famoso na China por suas curas milagrosas. Tem um álbum com fotos das muitas pessoas que, apenas por o terem visto, recuperaram-se depois de muitos anos doentes.

Na Malásia, tenho um amigo chamado Tony Wong, um empresário chinês cuja vida é repleta de histórias de curas milagrosas. Ele é um budista devotado e organizou muitas turnês de Lamas de todas as quatro tradições do budismo tibetano à Malásia. Como não possui um local separado para as cerimônias de cura, ele utiliza seu escritório. Em um lado da sala fica seu altar budista, e do outro o altar de sua esposa. Todo fim de semana, o escritório fica lotado de gente querendo ser curada, alguns até sentam nos degraus do lado de fora.

Tony simplesmente coloca um jarro-d'água no altar diante da estátua de Kuan Yin, um aspecto feminino do Buddha da Compaixão, e, então, conduz três ou quatro horas contínuas do canto do mantra de Kuan Yin. Como os tibetanos, mas diferentemente dos ocidentais, os chineses estão acostumados a cantar por muitas horas.

Quando perguntei a Tony se ele faz alguma meditação ou visualização especial, ele disse que não faz absolutamente nada; simplesmente coloca a água sobre o altar e conduz o canto. Depois do canto, ele distribui a água. Tanto ele quanto seus pacientes têm uma intensa fé em que a água foi abençoada, embora as pessoas curadas não sejam necessariamente budistas.

Tony conta muitas histórias de pessoas gravemente enfermas que começaram a se sentir melhor na mesma hora após cantar o mantra e beber a água. Algumas até se recuperaram por completo já no dia seguinte. Gente com câncer chega amparada por duas pessoas porque não tem condições de andar. No dia seguinte, depois de beber a água abençoada, a pessoa entra no escritório sem ajuda de ninguém. Tony testemunhou muitas dessas curas milagrosas.

Como esses milagres acontecem mesmo sem que se faça nenhuma meditação especial? Um fator é o poder da mente de Tony. O próprio Tony é uma pessoa muito sincera e compassiva, que dedica toda sua vida a servir os outros. Ele jamais recusa ajuda a qualquer um que a peça, e tenta fazer o que pode para ajudar os outros. Essa é sua prática espiritual. Outro fator é sua fé. Ele tem uma fé intensa em que a água é abençoada simplesmente por ser colocada diante da estátua de Kuan Yin. Muito do poder da cura vem da fé em sua mente e nas mentes das pessoas que bebem a água.

Água ou qualquer outra substância pode ser abençoada, pura e poderosa, mas a efetivação do poder de cura depende da pessoa que dá a água e da pessoa que a bebe. Basicamente, o poder de cura depende da mente; a mente tem de fazer seu trabalho. Embora gostemos de acreditar no poder de cura exterior, tal coisa não existe; todo poder de cura vem de nossa mente, principalmente de nossa fé. Esse é o caso de Tony Wong, em que não é feita nenhuma visualização especial para abençoar a água, e não obstante houve muitas recuperações milagrosas de enfermidades. A mente do indivíduo, especialmente o pensamento positivo da fé, cria a bênção. É um surgimento dependente.

Embora algumas pessoas possam ser curadas por beber água abençoada ou consumir outras substâncias abençoadas, por fazer meditação, recitar mantras ou usar tratamento médico convencional, outras não podem ser ajudadas por esses métodos simples porque têm pesados obstáculos. Mesmo que um médico diagnostique a doença com exatidão e prescreva aquele que seria o tratamento correto, não há garantia de que a pessoa vá se recuperar. O tratamento não vai funcionar se a pessoa tiver muitos obstáculos severos. Ela terá de empregar certo esforço em fazer alguma prática de purificação. Só então poderá haver cura.

Vejamos um de meus tios, por exemplo. Por muitos anos ele não conseguia dormir porque sentia muita dor. Ele se revirava e remexia a noite inteira. Embora tivesse ido ao Tibete e consultado muitos médicos, nada adiantava. Finalmente, ele foi ver um meditante que vivia em uma caverna não muito longe da Caverna de Lawudo.

O meditante usou adivinhação para checar o estado de saúde de meu tio e, então, alertou-o de que sua doença era kármica. Claro que doença e qualquer outro problema que experienciamos é resultado de nosso Karma negativo, mas o meditante quis dizer que, no caso de meu tio, apenas tomar remédio não seria suficiente para curar o problema, e que ele precisava fazer alguma prática de purificação. Ele aconselhou meu tio a recitar centenas de milhares de mantras de Vajrasattva, um aspecto específico do Buddha que traz purificação poderosa, e a fazer centenas de milhares de prostrações. Assim como os médicos especializam-se em um campo específico – um cardiologista especializa-se em curar problemas do coração, por exemplo –, diferentes Buddhas têm funções especiais; Vajrasattva é especializado em purificação. As práticas de Vajrasattva e as prostrações foram recomendadas para permitir que meu tio purificasse a real causa da doença, suas ações negativas do passado e as marcas deixadas por elas em sua mente. Purificar a mente purifica doenças físicas porque problemas físicos vêm da mente.

Meu tio fez algumas dessas práticas na Caverna de Lawudo, mais tarde construiu um pequeno eremitério no alto de uma montanha rochosa. Durante os cinco ou seis anos em que fez essas práticas, ele também cuidou de minha avó, que era muito idosa e cega. Ao longo de todos esses anos, ele cozinhava para ela e a carregava para fora para ir ao banheiro. Tão logo começou a prática, seu estado começou a melhorar, e ele se tornou, gradativamente, cada vez mais saudável. Por fim, recuperou-se completamente.

Embora medicamentos ou substâncias abençoadas em geral beneficiem as pessoas, não funcionam em certos indivíduos cujos graves obstáculos impedem a recuperação. Aqueles que não podem ser curados por esses meios simples têm de usar outros métodos, tais como meditação ou práticas de purificação. Depois de fazerem alguma prática, com frequência o medicamento recomendado consegue agir.

Também há muitos casos em que tomar o que seria o medicamento correto para uma doença específica faz que a pessoa contraia uma nova doença ou experiencie efeitos colaterais desagradáveis, como febre. Em vez de curar a doença, o medicamento a agrava. Claro que, somadas às atitudes e ações da pessoa, condições externas como dieta, clima e espíritos podem afetar o curso de uma enfermidade. Espíritos podem interferir ao não permitir que o medicamento aja. Certos pujas e práticas de meditação precisam então ser feitos para pacificar os espíritos e, uma vez que sejam feitos, o medicamento tem condições de agir.

Enquanto algumas pessoas conseguem experienciar curas milagrosas simplesmente encontrando ou tocando em um grande curador, nem todos conseguem encontrar um curador desses, e é importante entender o motivo. Aqueles com grandes obstáculos devem fazer algo para purificar a mente, a causa real de seus problemas físicos; o simples fato de alguém tocar neles e conversar com eles não será suficiente para curá-los. Por isso, é essencial praticar meditação e purificação. Dessa maneira nos tornamos o curador de nossa mente e corpo.

8. Tudo vem da mente por meio de rótulos

Tudo vem da mente, tudo é criação da mente. Quando cem pessoas olham para um mesmo indivíduo, cada uma o vê de maneira diferente: algumas pessoas veem-no como bonito, outras, como feio, outras não veem nada disso. As diferenças vêm da mente dos observadores. A maneira como os objetos nos parecem vem de nossa própria mente, não do objeto. Depende de como olhamos o objeto, como o interpretamos, como o rotulamos.

Que tudo vem da mente é um princípio budista fundamental, mas cientistas ocidentais hoje em dia concordam que até mesmo a existência de um átomo está relacionada à mente do observador. Tudo é criação da mente, inclusive a própria mente. Visto que tudo vem da mente, a mente em si é fundamental para curar doenças. Assim como os ensinamentos do Buddha, os textos médicos tibetanos e chineses explicam que todas as enfermidades originam-se na mente e relacionam doença a três delusões fundamentais: ignorância, raiva e apego. A raiz da doença – e de todos os outros sofrimentos – é a ignorância, especificamente a ignorância sobre a realidade última dos fenômenos.

Para curar não só doenças, mas todo sofrimento, e tornar impossível experienciarmos sofrimento de novo, temos de curar as causas do sofrimento, que estão em nosso *continuum* mental. Temos de cessar por completo as ações motivadas pelas delusões, as próprias delusões e as sementes destas. O medicamento que usamos é a realização da vacuidade, a natureza última dos fenômenos. Por isso é tão importante entender a vacuidade e, por isso, o Buddha deu tantos ensinamentos sobre o tema da vacuidade, sendo o mais resumido deles *A Essência da Sabedoria*, muito conhecido como *O Sutra do Coração*.

A realidade de uma flor

A realidade dos fenômenos pode ser considerada de várias maneiras. A realidade de uma flor, por exemplo, que é impermanente. Ela está mudando, deteriorando-se dia a dia, minuto a minuto. Mesmo a cada segundo ela está deteriorando-se. Por quê? Porque ela depende de outras causas e condições. Porém, apenas quando a deterioração torna-se grosseira e afeta a cor e a forma da flor é que somos capazes de perceber. Não notamos a deterioração sutil da flor a cada segundo.

A flor cresce em virtude de causas e condições e se deteriora por outras causas e condições. A realidade é que a flor muda a cada segundo e, graças a essa mudança sutil, ela muda a cada minuto, a cada hora, a cada dia. Por não estarmos cientes dessa mudança, a flor nos parece permanente. Apreendendo essa falsa aparência de permanência como verdadeira, criamos um conceito alucinado de permanência em relação a algo que é impermanente.

Consideremos a realidade última da flor, que é extremamente sutil. "Flor" é um nome, uma palavra, um rótulo aplicado à base de uma flor. Vemos uma flor na dependência dessa base, e não aplicamos o rótulo de "flor" em cima de qualquer base. Quando vemos um vaso ou um livro, por exemplo, não o chamamos de flor. Antes de aplicarmos o rótulo de "flor" a alguma coisa, temos de ter um motivo para fazê-lo; do contrário, poderíamos aplicar esse rótulo a qualquer objeto que víssemos. Se você rotulasse a si mesmo de flor, poderia acabar no hospital, na ala psiquiátrica. Antes de escolhermos o rótulo específico de "flor", precisamos ver uma base específica, um objeto material que tenha crescido na terra e tenha a forma e a cor específicas de uma flor. Ver um objeto assim leva-nos a decidir aplicar o rótulo específico de "flor". Ver um vaso, um livro ou uma mesa não leva a isso.

É por meio desse processo que vemos uma flor. Quando não analisamos nossa percepção, é como se víssemos uma flor desde o princípio, sem que nossa mente a rotulasse de flor, mas isso está completamente errado. O verdadeiro processo é que primeiro vemos a base de uma flor, um objeto material específico, rotulamos essa base de *flor*, e, então, uma flor aparece para nós. Só depois de rotularmos de "flor" com base em uma flor é que vemos uma flor. Até então, não a vemos.

O objeto material com o formato de uma flor é a base, e "flor" é o rótulo. Primeiro, vemos a base e, a seguir, a flor, de modo que a base não é a flor. Embora a realidade seja assim, nossa mente não está ciente disso. Para nossa mente alucinada, parece que vemos a flor, não a base da flor, desde o princípio. Na realidade, vemos a base primeiro e vemos a flor apenas depois de termos aplicado o rótulo.

Nesse estágio, o ponto principal a ser entendido é que a base e o rótulo não são uma coisa única; a base da flor e a flor são diferentes. Contudo, não estão separadas, porque a flor não existe separada de sua base. O objeto que você vê primeiro é a base, não é o rótulo de "flor". Esses dois são diferentes. Mesmo que não saibamos muito sobre como meditar a respeito da vacuidade dos fenômenos, é essencial entendermos o processo de distinguir o rótulo da base.

Além disso, não existe uma flor na base da flor. Para nós parece haver uma flor na base, mas isso é uma alucinação. Isso é conhecido como "o objeto a ser refutado"; é o que temos de realizar que é vazio. Não existe flor ali, não no sentido de que a flor não exista, mas no sentido de que não existe uma flor na base da flor.

Onde há a base de uma flor, existe uma flor; mas na base da flor não existe flor nenhuma. Assim, o que aconteceu com a flor? A flor não é inexistente; a flor existe. Contudo, analisando dessa maneira, podemos ver que a flor é algo completamente diferente do que acreditávamos que fosse no passado.

O que é a flor? A flor é simplesmente o que é meramente rotulado pela mente na dependência de sua base. Em outras palavras, a flor é criada pela mente. Essa é a natureza essencial da flor, e podemos ver que é extremamente sutil. A forma mais curta de expressar isso é dizer que a flor é meramente rotulada pela mente. Para detalhar um pouquinho, podemos dizer que a flor é meramente rotulada pela mente na dependência de sua base.

A flor é extremamente sutil, como o espaço. Não é que a flor não exista em absoluto; existe, mas de forma extremamente sutil. Outra maneira de expressar isso é dizer que a flor existe, simplesmente, devido à existência da base da flor. Não é que a flor não exista em absoluto. Ela existe, mas é tão sutil que é como se não existisse.

A partir dessa análise, podemos ver que a flor é completamente vazia de ser uma flor real no sentido de existir por sua própria conta. A flor existe como um surgimento dependente sutil, sendo meramente imputada pela mente. Essa é a realidade última da flor que mencionei anteriormente. Embora seja dessa maneira que a flor na verdade exista, aqueles que não realizaram a vacuidade não veem a flor desse jeito. A flor que nos parece real e na qual acreditamos é completamente falsa. Essa flor que parece existir por conta própria é uma completa alucinação; ela é completamente vazia.

Z é um rótulo

Ao aprender o alfabeto quando criança, antes de ser ensinado que aquela figura específica, Z, chamava-se "Z", o que a figura lhe parecia? Você simplesmente via uns traços, não Z. Por que não? Porque ainda não havia aprendido a rotular a figura de "Z" e a acreditar que fosse um Z.

Foi só depois de um de seus pais ou de seu professor dizer: "Isso é Z", e você acreditar na palavra daquela pessoa, que rotulou a figura de "Z" e acreditou que fosse Z. Só depois de aplicar o rótulo de "Z" a essa figura em particular e acreditar no rótulo, você vê a figura como Z. Em outras palavras, Z é Z apenas depois de você rotular de "Z". Antes de rotular a figura como "Z", você não via Z. Você pode ver como a aparência do Z vem da mente.

Pode ver também que a figura com esses traços específicos é a base, e "Z" é o rótulo. Os dois fatores, base e rótulo, não são unos; são diferentes. Contudo, não estão separados, porque Z não existe separado daqueles traços, que são a base a ser rotulada de Z. Se os traços *fossem* Z – em outras palavras, se a base fosse uma com o rótulo de "Z" –, por que você se incomodaria em rotular? Se a primeira coisa que você visse já fosse Z, não haveria motivo para rotular de "Z". Qual seria o propósito de aplicar o rótulo de "Z" a algo que já fosse Z? Isso significa que o processo seria infindável, porque você teria que aplicar o rótulo de Z outra vez em cima daquele Z, e a seguir Z em cima desse Z, e assim por diante.

Ocorre um segundo equívoco se você pensar que os traços que vê de início são Z e não a base a ser rotulada de Z. É claro que "Z" é um nome, um rótulo, de modo que tem de vir da mente. Se você visse Z desde o início, e não a base a ser rotulada de Z, por que decidir por esse rótulo em particular, "Z"? Uma vez que não dependa de você ver primeiro a base, aqueles traços em particular, você não tem motivo para escolher o rótulo "Z" em particular. Isso significa que você pode chamar absolutamente qualquer coisa de Z. Pode até dizer que A ou B é Z.

O ponto é que a base não é o rótulo. Os traços são a base. Primeiro você vê esses traços em particular, a base, e só depois de ter aplicado o rótulo de "Z" sobre essa base é que você vê Z.

Além disso, não existe Z nos traços. Embora você não possa encontrar Z nesses traços, existe um Z nesta página. Onde quer que esteja a base de Z, Z existe; mas na base de Z não existe Z. Embora pareça haver um Z nesses traços, você não consegue encontrar Z ao procurá-lo. Esse Z real é o objeto a ser refutado. É uma alucinação completa; é completamente vazio.

Eu é um rótulo

O motivo de se usar os exemplos da flor e do Z é nos ajudar a entender a natureza última do eu. Conforme já expliquei, tudo que existe vem da mente, é meramente rotulado pela mente. Sem a mente que cria o rótulo de "eu", não existe um eu. Em outras palavras, sem o conceito de eu, o eu não existe em absoluto. Devemos entender esse ponto claramente.

O corpo não é o eu, a mente não é o eu, e nem a associação de corpo e de mente é o eu. Nada disso é o eu. A associação de corpo e de mente é a base a ser rotulada de eu, e "eu" é o rótulo. E, como acabamos de descobrir, não existe jeito de a base a ser rotulada e o rótulo serem uma coisa só, eles têm de ser diferentes.

Assim, o que é o eu? O que é o eu que anda, senta, come, dorme e experiencia felicidade e sofrimento? Esse eu nada mais é do que aquilo que é rotulado pela mente na dependência dessa associação particular de corpo e de mente, e o eu que é meramente rotulado pela mente existe. É tudo que o eu é: algo meramente imputado pela mente. Se estivermos sentados em algum lugar e nos perguntarmos o que estamos fazendo, responderemos: "Estou sentado". Por que acreditamos que estamos sentados? O único motivo para isso é que nosso corpo está sentado. Por causa disso, inventamos o rótulo: "Estou sentado", e acreditamos em nosso rótulo. Isso é meramente uma ideia, um conceito.

Entretanto, quando procuramos o eu meramente rotulado, não conseguimos achá-lo. Embora o eu meramente rotulado exista, não conseguimos achá-lo nos agregados, na associação de corpo e de mente. O eu meramente rotulado existe, pois executa todas as nossas atividades e experiencia renascimento, velhice, doença e morte; mas, quando procuramos por ele especificamente na associação de corpo e de mente, não conseguimos achar o eu meramente rotulado em lugar nenhum.

Não é esse o jeito certo de meditar sobre a vacuidade do eu, porque não considera o eu existente de modo inerente, mas pode ser útil.

Primeiro temos de entender, claramente, que o eu meramente rotulado existe, e depois que não podemos achá-lo em lugar nenhum na associação particular de corpo e de mente, do topo da cabeça à ponta dos pés. Não podemos achar o eu meramente rotulado dentro de nossa cabeça, cérebro, peito, coração, barriga, pernas ou braços. Nem podemos achá-lo na superfície de nosso corpo, nem fora dele. Embora ele exista, como nossa mente inventou o rótulo na dependência de nossos agregados, não conseguimos achar o eu meramente rotulado em lugar nenhum.

Normalmente, acreditamos que o eu existe na associação de nosso corpo e de nossa mente, mas temos de entender que não existe tal eu. Quando não conferimos de perto, parece que tal eu existe. Entretanto, quando de fato procuramos por ele, e não conseguimos achá-lo em lugar nenhum, de repente entendemos que ele não está ali. É como pensar que a sombra de uma planta no chão, à noite, é um escorpião. O que parecia um escorpião no escuro não pode ser achado de jeito nenhum quando lançamos o facho de uma lanterna sobre o local. De modo semelhante, tão logo começamos realmente a analisar, descobrimos que o eu não está na associação de nosso corpo e de nossa mente.

O eu que sentimos estar em algum lugar dentro de nosso corpo não existe, é uma completa alucinação. Se existisse, se tornaria mais nítido ao procurarmos, mas, em vez disso, não conseguimos achar de jeito nenhum. Se pensamos ter algum dinheiro dentro da carteira, mas quando conferimos não conseguimos achar nada, significa que a carteira está vazia. De modo semelhante, quando buscamos o eu na associação de corpo e de mente, não conseguimos achá-lo em lugar nenhum, do topo da cabeça à ponta dos pés.

Agora temos de considerar o eu real, que parece existir por conta própria, como não rotulado pela mente. Quando ficamos muito aborrecidos – por exemplo, quando alguém nos critica ou nos acusa erroneamente de algo –, ou quando ficamos muito entusiasmados com algo, sentimos que esse eu independente, verdadeiramente existente, existe dentro de nosso corpo. Parece que podemos achar esse eu real em algum lugar dentro de nosso corpo. Contudo, se não conseguimos achar sequer o eu meramente rotulado sobre essa base, como seria possível acharmos esse eu real? Não há jeito de podermos achar. Logicamente, não existe maneira possível de esse eu real existir, que não tem nada a ver com nossa mente poder existir.

Quando reconhecemos um sonho como um sonho, entendemos que a pessoa com quem estávamos conversando no sonho não é real, aquela pessoa não existe. Contudo, se não reconhecemos nosso sonho como sonho, acreditamos que a pessoa em nosso sonho seja real. Pela visão da sabedoria, a pessoa que vemos em nosso sonho não existe, mas, pela visão da ignorância, a pessoa existe. Com uma visão, o objeto não existe; com outra, existe. É semelhante com o eu real. Pela visão da sabedoria, não existe eu real; mas, pela visão da mente alucinada da ignorância, o eu real existe, pois ele aparece para nós e acreditamos que seja verdadeiro.

Agora temos alguma ideia sobre como o eu realmente existe. O eu existe, mas é vazio de existência inerente, ou verdadeira. É vazio de qualquer existência que não tenha nada a ver com nossa mente ou com nossos agregados. Nossa mente inventa o rótulo de "eu" na dependência de nossos agregados, a associação de corpo e de mente. Isso é tudo que o eu é. Não existe nenhum eu que seja mais do que aquilo que é meramente rotulado por nossa mente. Qualquer eu que pareça existir como mais que isso é uma completa alucinação, é completamente vazio. Esse eu não existe.

Entretanto, apesar de termos meramente imputado o eu, não estamos cientes de nossa criação. O eu parece-nos não meramente rotulado por nossa mente na dependência de nossos agregados, mas sim um eu real que existe por conta própria. Em outras palavras, o eu que aparece para nós parece não ter nada a ver com nossa mente. Parece existir por conta própria, ser verdadeiramente existente. Simplesmente criamos esse falso eu, que é falso no sentido de que não existe em absoluto. Não só esse eu não existe nos agregados, como não existe em absoluto.

Permitirmo-nos acreditar que esse falso eu seja verdadeiro é a ignorância, que é a raiz de todo sofrimento. Ela produz outros tipos de ignorância, bem como raiva, apego e as outras delusões, e essas delusões, então, motivam as ações negativas que resultam em todo nosso sofrimento, inclusive renascimento, velhice, doença e morte. Quando nos permitimos acreditar que a aparência de um eu real que existe por conta própria é verdadeira, estamos criando a ignorância que é a raiz de todas as delusões e ações negativas e de todo sofrimento.

Perceber que o eu é completamente vazio de existência por conta própria é perceber a vacuidade, ou verdade última, do eu. Cessar a ignorância que acredita na existência inerente do eu é o único jeito de liberarmos nós mesmos e todos os outros seres vivos de todo sofrimento e suas causas. Tudo depende de cortar essa raiz de ignorância, e o único jeito de fazer isso é realizar a vacuidade. Temos de efetivar a sabedoria que realiza a vacuidade do eu e dos agregados.

Apenas a sabedoria que realiza a vacuidade pode eliminar a ignorância que é a raiz de todo sofrimento. Não importa quantas outras realizações tenhamos, a menos que tenhamos a realização da vacuidade, não temos a arma que destrói de forma direta o conceito ilusório da existência verdadeira. Enquanto mantivermos o conceito de um eu verdadeiramente existente, outras delusões vão surgir constantemente, motivar ações negativas e produzir problemas para nós.

A realidade é que o eu é meramente imputado pela mente. Embora nossa mente aplique o rótulo de "eu" sobre a associação de nosso corpo e de nossa mente, o eu aparece para nós de modo falso, como se existisse por conta própria. Nosso pensamento de egocentrismo então acolhe e se agarra a esse falso eu, que não parece ser meramente imputado pela mente, e, sim, existente de modo inerente. Geramos o pensamento de zelar por esse falso eu, pensando que ele é mais precioso e mais importante que todos os outros seres vivos. Para nós, a coisa mais importante do mundo é que esse eu específico encontre felicidade e não experiencie problemas.

Na realidade, zelar pelo eu é zelar por uma alucinação. É como achar um milhão de dólares em um sonho e trancá-lo em um cofre por ser muito precioso. Enquanto o sonho durar, veremos o milhão de dólares, zelaremos por ele e nos preocuparemos em mantê-lo em segurança. Mas, quando o sonho acabar, não veremos um milhão de dólares, não veremos sequer um dólar. Zelar por esse eu real é como zelar por esse milhão de dólares. Não existe realmente nenhum eu existente de modo inerente pelo qual zelar. É uma completa alucinação. Não há nada ali. Enquanto estamos sob o feitiço do conceito errôneo que acredita na existência verdadeira, um eu real parece existir e ser digno de zelo. Na realidade, porém, o pensamento de egocentrismo é zelar por um objeto que é completamente vazio.

Realizar a vacuidade do eu é uma poderosa meditação para purificação e cura, é um jeito poderoso de encontrar paz, porque elimina toda nossa preocupação e medo desnecessários. Ao meditar sobre a vacuidade, usamos nosso pensamento hábil para eliminar nossa doença e outros problemas.

9. Doença é apenas um rótulo

Os exemplos que acabei de mencionar ajudam-nos a entender a realidade do câncer, da Aids e até da morte. Meditar sobre a vacuidade do câncer, da Aids e de outras doenças é útil para romper com nossos conceitos fixos de doença, que criam preocupação e medo.

Na realidade, ter uma doença específica é uma visão de nossa mente. O que aparece para nós é algo que nós mesmos criamos. Ou, como disse o grande yogue Naropa: "Quando estamos doentes, o conceito está doente". É claro que é nosso próprio conceito que experiencia a doença. Primeiramente, nossa mente rotula algo, então o vemos. Isso aplica-se à doença, bem como a todos os outros fenômenos. Toda nossa doença é criação de nossa própria mente. Já expliquei que, a menos que nossa mente invente o rótulo de "eu", não tem jeito de podermos ver um eu. Da mesma maneira, a menos que nossa mente invente o rótulo de "câncer" ou "Aids", não há jeito de câncer ou Aids poderem aparecer para nós.

Entender como as doenças e todos os nossos outros problemas vêm da mente é um ponto importante na cura, porque, se algo vem de nossa mente, podemos controlá-lo, até mesmo mudá-lo. Visto que isso significa que nossa mente tem o poder de eliminar doenças, não é necessário nos sentirmos deprimidos ou aborrecidos. Ter consciência da liberdade que dispomos deve nos inspirar e dar esperança.

A Aids é um rótulo

Não existe Aids real, uma Aids que exista por conta própria. Primeiramente, um médico descobre que seu paciente é HIV positivo e diz que ele pode ter contraído Aids. Baseado no que o médico diz, o paciente rotula seu estado de saúde com "Aids" e acredita no rótulo. O vírus específico, o HIV, que deixa a pessoa incapaz de resistir à doença, é a base, e "Aids" é o rótulo. Na realidade, isso é tudo que a doença Aids é: a mente inventa o rótulo "Aids" e o aplica a uma base particular. Não existe outra Aids a não ser essa. Não existe uma Aids independente, uma Aids que exista por conta própria. Não existe Aids por parte do corpo; a Aids é meramente imputada pela mente. A Aids real em que acreditamos, na verdade não existe. Essa Aids real é uma completa alucinação; é completamente vazia bem ali, bem na base.

Assim como a Aids é completamente vazia, também o são o câncer e todas as outras doenças. Um texto para transformação do pensamento diz: "Sofrimento é uma manifestação da vacuidade". Aids é uma manifestação da vacuidade, câncer é uma manifestação da vacuidade. O câncer que acreditamos ser real, e não meramente rotulado pela mente, é completamente vazio. Assim, o que é o câncer? Câncer é meramente rotulado pela mente sobre sua base.

Apenas meditar sobre a natureza última da Aids, câncer e outras doenças traz uma cura poderosa, pois extirpa a mente alucinada da ignorância e também elimina o medo, depressão e outras emoções negativas. Entender como tudo vem da mente é em si meditação sobre a vacuidade, porque transpassa direto nossas alucinações habituais; rompe o nosso sólido conceito de que tudo existe por conta própria. Esse conceito alucinado, que contradiz a realidade, é a doença fundamental. Tocamos a realidade ao entender que tudo vem da mente.

Morte também é um rótulo

Até mesmo a morte vem de nossa mente. Morte é um conceito, algo que vem de nossa mente, ou seja, nossa mente cria a morte. Não existe uma morte real, uma morte por conta própria, como parece para nossa mente iludida. Essa morte real, que nos apavora, não existe; é uma completa alucinação.

Conforme expliquei anteriormente, a morte em si não é o problema, nosso conceito de morte é que é o problema. Temos um conceito de morte como algo que existe por conta própria, e é esse conceito ilusório que nos deixa com pavor da morte e não nos permite largar do apego a essa vida – a nosso corpo, nossa família e nossas posses. A morte se torna aterrorizante porque vemos os objetos à nossa volta como permanentes, de uma maneira em que eles absolutamente não existem, e então sentimos apego, raiva e outras emoções negativas em relação a esses objetos.

Enquanto a vida é definida como a associação de corpo e de mente, a morte é definida como a separação de mente e de corpo sob o comando do Karma e das delusões. Em outras palavras, aquilo que é chamado de "morte" é criado por nossa mente. A morte é meramente rotulada por nossa mente na dependência de sua base, que é a consciência abandonando o corpo. Isso é tudo que a morte é. Portanto, não há uma morte que exista por conta própria. Não há uma morte real no sentido de que exista de modo inerente. Isso é uma alucinação.

A morte existe, mas a morte que existe é aquela meramente rotulada por nossa mente, não a inerentemente existente que aparece para nós. A morte concreta e independente que aparece para nós é uma alucinação. Nossa mente é iludida porque o objeto em que acredita não existe. A morte criada por nosso conceito aparece-nos de modo falso como algo concreto e apavorante por conta própria. Acreditamos que esse conceito errado seja verdadeiro. O grande yogue Naropa disse: "Quando nascemos, nasce o conceito; quando estamos doentes, o conceito está doente; e até quando estamos morrendo, o conceito está morrendo". Em outras palavras, tudo é conceito. Quando analisamos de forma lógica o que a morte realmente é, verificamos que a forma como nos aparece e a maneira como aprendemos que ela existe são falsas. Nossa visão falsa e nossa ideia falsa da morte são o que nos apavora.

O grande yogue Saraha disse que, sem o conceito, não existem inimigos externos, nem tigres ferozes, nem cobras venenosas. Se temos raiva, encontramos inimigos externos; se não temos raiva, não conseguimos encontrar quaisquer inimigos externos. Se temos o conceito de um inimigo, vemos um inimigo; se não temos conceito de inimigo, não vemos inimigo algum. Se não temos raiva ou o conceito de inimigo, não podemos encontrar um inimigo, mesmo que todos estejam zangados conosco, que nos critiquem ou até que nos matem.

Em *Guia do estilo de vida do Bodissatva,* o grande bodhisattva Shantideva também menciona que subjugar o inimigo interno, a raiva, é como subjugar todos os inimigos externos porque, uma vez que esse inimigo interno seja destruído, jamais encontraremos um único inimigo externo. Para nos ajudar a entender esse ponto, Shantideva explica que, se tentássemos evitar que espinhos espetassem nossos pés cobrindo todos os espinheiros do mundo com couro, não teríamos couro suficiente para fazê-lo; mas, se usarmos calçados de couro, nenhum espinho vai espetar nossos pés.[11] Shantideva está abordando basicamente o mesmo ponto: extirpando o conceito, não encontraremos nada de apavorante externamente.

Se a morte em si fosse realmente o problema, seria um problema para todo mundo. Mas isso não é verdade. Muita gente até acha a morte agradável. A morte ser ou não um problema depende da mente da pessoa que está morrendo. A morte em si não é aterrorizante, mas o conceito de morte de uma pessoa pode ser aterrorizante.

Os ensinamentos budistas explicam que os melhores praticantes do Dharma se sentem alegres quando vão morrer, como se estivessem indo para casa ver a família após uma longa ausência, ou indo a um piquenique. A morte não os incomoda absolutamente. Praticantes menos aperfeiçoados ficam felizes e sossegados na hora da morte, plenamente confiantes de que terão um renascimento feliz. E mesmo os praticantes bem pouco aperfeiçoados morrem sem preocupação ou medo. Desfrutar da morte, assim como temer a morte, é criação de nossa mente; não existe por conta própria.

Se vivermos nossa vida com compaixão, não teremos arrependimentos no dia de nossa morte, pois tudo que tivermos feito terá se tornado Dharma, a causa de felicidade, e nada terá se tornado causa de sofrimento ou renascimento nos reinos inferiores. Portanto, mesmo quando estivermos morrendo, nossa mente estará feliz e contente. Pessoas que tenham vivido vidas compassivas, muito embora possam não ter seguido uma religião em particular, não terão medo quando morrer, mas morrerão com a mente em sossego e feliz.

Certas pessoas, embora rejeitem reencarnação e Karma, sentem-se inseguras quanto ao que acontecerá após a morte e experienciam muito medo na hora de sua morte. A resposta para isso é simples e lógica: se existe apenas uma vida, e vida nenhuma depois dessa, não há motivo de preocupação, porque depois da morte elas não terão mais problemas.

Enfermeiras que tomaram conta de pessoas prestes a morrer contaram-me que, pelo que viram, os alcoólicos são os que mais têm medo ao morrer. Por que os alcoólicos experienciam tanto medo na hora da morte? É importante a sociedade ocidental saber disso. Nem todo mundo morre no mesmo estado mental: certas pessoas morrem felizes e em paz, outras morrem com medo. Algumas pessoas experienciam mortes aterrorizantes, berrando, porque veem muitas coisas amedrontadoras atacando-as. A despeito de acreditar ou não em reencarnação, pessoas que praticaram muitas ações negativas durante a vida experienciam medo na hora da morte. As marcas deixadas pelas ações negativas do passado produzem alucinações aterrorizantes, suas próprias criações mentais. Assim como não podemos ver os sonhos das outras pessoas, mesmo de alguém dormindo ao nosso lado, não podemos ver as alucinações de uma pessoa que está morrendo. Tais aparências apavorantes são resultado do Karma negativo e um sinal de que a pessoa vai reencarnar em um dos reinos inferiores.

O momento próximo da morte é crucial. Se acreditamos em reencarnação, não temos dúvida de que haverá outra vida depois da atual, e que a qualidade da vida futura é amplamente determinada pelo modo como morremos. A forma como pensamos na hora da morte é a causa imediata de nossa vida futura. Pensar de modo positivo resulta em uma vida feliz; pensar de modo negativo resulta em uma vida com mais problemas do que a atual. Quer acreditemos em reencarnação ou não, é essencial estabelecer uma atitude positiva no fim da vida, antes que a consciência grosseira seja absorvida, e morrer com a mente feliz e em paz. Devemos usar a meditação e quaisquer outros métodos que tenhamos para reduzir nosso apego, raiva, ansiedade e medo e para transformar nossa mente.

Uma forma de evitar uma morte amedrontadora é purificar sua causa, que é nosso Karma negativo e as marcas deixadas por ele em nossa mente. Uma vez que o tenhamos purificado, a perspectiva da morte não nos incomodará. A morte não será grande coisa, pois significará apenas uma mudança de corpo. Reencarnar será como trocar de roupa. Assim como deixamos nossas roupas velhas e sujas para trás e colocamos um conjunto novo e limpo, simplesmente deixaremos nosso corpo atual, que esgotou seu potencial, e pegaremos um corpo novo e jovem em uma família e local, onde teremos todas as oportunidades para desenvolver nossa mente e gerar realizações do caminho para a iluminação. Se tivermos criado a causa, poderemos pegar um corpo melhor a fim de continuar a praticar o caminho e servir os outros seres vivos.

Outra forma de evitar uma morte apavorante é parar de fazer mal aos outros, o que significa abandonar ações negativas tanto quanto pudermos. Mesmo que não possamos abandoná-las por completo, devemos reduzi-las tanto quanto possível.

Se aplicarmos essas soluções, a morte, em vez de nos apavorar, pode tornar-se um desafio agradável. Se pudermos gerar compaixão, paciência, fé ou percepção da natureza última dos fenômenos, poderemos usar nossa morte como uma meditação, como uma prática espiritual. Poderemos até usar nossa morte para desenvolver realizações do caminho para a iluminação e para levar todos os seres a esse estado. Em vez de a morte cavalgar sobre nós, nós cavalgaremos sobre a morte. Em vez de ficarmos apavorados com a morte, poderemos usar a morte para obter a felicidade última, pondo fim à causa dos problemas. Esse é o desafio real.

A resposta é praticar bodhichitta, que traz uma poderosa purificação do nosso Karma negativo do passado e dos obscurecimentos, e automaticamente detém a criação de futuro Karma negativo. Com bodhichitta, natural e alegremente abandonamos o Karma negativo. Essa prática é a melhor preparação para a morte e assegura uma morte feliz e pacífica. Com um bom coração, se ficamos doentes, experienciamos nossa doença em favor de todos os seres vivos; mesmo se morrermos, experienciamos nossa morte em favor de todos os seres vivos. Experienciamos tudo que nos acontece pelos outros seres vivos. Isso nos proporciona uma vida repleta de paz, felicidade e satisfação. E não temos arrependimentos, nem agora, nem no futuro.

10. Tudo vem da mente por meio do Karma

Uma explicação mais profunda sobre como tudo, inclusive a doença, vem da mente está relacionada ao Karma. Fatores externos afetam o corpo e a mente, mas isso não acontece sem causas e condições. Tudo que nos acontece é resultado, ou efeito, de modo que sua causa tem de existir de antemão. Em outras palavras, nada acontece sem motivo, o que dá no mesmo que dizer que nada acontece sem causas e condições.

De onde vem o motivo? Vem de nossa própria mente. O efeito, seja positivo ou negativo, é causado por nossa própria mente. Se é um efeito negativo, é uma criação de nossa mente negativa; se é um efeito positivo, a causa foi criada por nossa mente positiva. Isso é Karma. Toda nossa vida vem de nossa mente, nossa felicidade e nosso sofrimento estão vindo constantemente de nossa mente.

Sem a mente, nada aparece, e a pureza ou impureza do que nos aparece depende da pureza ou impureza de nossa mente. Guerra, enchentes, seca, fome e outros desastres são aparências negativas, e todas essas aparências são produtos de marcas negativas deixadas na mente por ações passadas motivadas por atitudes negativas. Essas aparências são as projeções ou criações de marcas negativas.

Considere-se o exemplo da Etiópia, onde muitos milhões de pessoas morreram por causa da seca, da fome, da doença e da guerra civil. A certa altura, a Etiópia teve uma drástica redução na água potável por causa da seca prolongada. Quando a água potável foi escoada de um país vizinho, tornou-se impotável ao chegar na Etiópia. Embora a água fosse potável em seu país de origem, na Etiópia pareceu impotável. A aparência impura teve a ver com a mente dos etíopes.

Um meio ambiente saudável na Etiópia tem de vir da mente dos etíopes, de seus pensamentos positivos. Do contrário, mesmo quando outros países tentam ajudar, enviando água ou dando auxílio financeiro, as coisas dão errado. Discutimos como tudo vem da mente por meio de nosso rotulamento de modo específico, mas aqui estamos falando de um processo mais longo e mais complexo. Ações passadas negativas deixam marcas em nossa mente, e essas marcas negativas manifestam-se como situações negativas.

Ao contrário dos etíopes e muitos outros, vivemos em uma utopia. Temos casas limpas e confortáveis, desfrutamos de alimentos deliciosos, vemos flores lindas. E todos os objetos bonitos que nos aparecem são projeções de nossa mente positiva, surgem das marcas positivas deixadas por nossas ações passadas, ações executadas com atitudes positivas. Em outras palavras, todos esses objetos dos sentidos são criações de nossa própria mente.

Qualquer ação praticada com uma motivação não maculada por egocentrismo, por ignorância, por raiva, por apego ou por qualquer um dos outros pensamentos perturbadores torna-se virtude, a causa da felicidade. A ação mais pura é aquela feita com uma motivação não maculada por pensamentos egocêntricos. Qualquer ação praticada com uma motivação de egocentrismo, de ignorância, de raiva, de apego ou de qualquer um dos outros pensamentos perturbadores torna-se não virtude, a causa do sofrimento.

Enquanto o cristianismo tem os dez mandamentos, o budismo tem o abandono das dez não virtudes: três ações negativas de corpo (matar, roubar e má conduta sexual), quatro ações negativas de fala (mentira, calúnia, fala rude e fofoca) e três ações negativas de mente (cobiça, má vontade e visões errôneas). O ponto que temos de entender é o que torna as três ações de corpo e as quatro ações de fala negativas. É a mente. Essas ações tornam-se negativas quando são motivadas pela ignorância, pela raiva, pelo apego ou por qualquer outra delusão. Não existe ação negativa por si mesma, uma ação negativa existente de modo inerente. Não existe ação negativa que não tenha sido criada ou rotulada por nossa mente. Embora as ações negativas pareçam-nos existir por conta própria, e nós acreditemos que elas existam dessa forma, na realidade não existem ações negativas desse tipo.

Tome-se a ação de matar, em geral considerada negativa. Na realidade, o ato de matar é negativo dependendo da mente da pessoa que o pratica. Se a ação de matar é motivada por pensamento de egocentrismo ou qualquer outra delusão, torna-se Karma negativo e causa de sofrimento. Mas, se o ato de matar é motivado por bodhichitta, sabedoria ou algum outro pensamento positivo, torna-se bom Karma e causa de felicidade. Lembre a história que contei sobre a vida passada do Buddha como um capitão bodhisattva. O capitão bodhisattva matou o negociante que planejava matar todos os outros comerciantes, mas, como o capitão foi motivado por compaixão insuportável, seu ato de matar tornou-se apenas bom Karma.

No Ocidente, as pessoas acham difícil decidir sobre o que é certo ou errado, seja na questão dos pais disciplinarem os filhos ou dos governos introduzirem leis sobre armas. Uma ação é certa ou errada dependendo da atitude do indivíduo que a executa e de seu propósito. Essa é a única maneira lógica de determinar se uma ação é certa ou errada.

Nenhuma das ações físicas e verbais que mencionei é negativa se feita com uma motivação pura, por exemplo, trazer felicidade aos outros ou protegê-los do perigo. Uma ação não se torna Karma negativo se a fizermos com forte compaixão e com a sabedoria que podemos ver que ela definitivamente beneficiará os outros; ela torna-se uma ação positiva e causa apenas de felicidade.

As leis do Karma

O Guru Buddha Shakyamuni explicou as quatro leis do Karma. A primeira é que o Karma é definido. Isso significa que uma ação, definitivamente, traz seu próprio resultado a menos que encontre um obstáculo; uma ação positiva trará seu resultado próprio de felicidade, e uma ação negativa trará seu resultado próprio de sofrimento. Se alguém criou uma causa negativa, a menos que faça algo para purificá-la, a causa certamente trará seu próprio resultado negativo, assim como uma semente que é plantada resulta em um broto, contanto que não seja comida por pássaros ou algo assim. Uma vez que haja uma causa, contanto que não haja um obstáculo para essa causa, é natural experienciar-se seu resultado. Os resultados de ações negativas são definidos, a menos que purifiquemos nossas ações passadas negativas e removamos suas sementes, efetivando o remédio do caminho para a iluminação em nossa mente.

Vajrasattva, os 35 Buddhas e vários outros Buddhas manifestam-se, especificamente, para nos ajudar a purificar ações negativas, que são obstáculos às realizações e causas de problemas nesta vida e em vidas futuras. Mesmo que sejamos incapazes de gerar o caminho em nossa mente, pelo menos podemos purificar completamente nossas ações negativas ao fazer as práticas de tais divindades e, com isso, tornar impossível experienciarmos os problemas resultantes.

O Karma também é expansível. A partir de uma única sementinha plantada no solo, pode crescer uma árvore enorme, com muitos galhos, folhas, frutos e sementes. Entretanto, esse exemplo externo não pode ser comparado à expansibilidade do fenômeno interno do Karma. De uma pequena ação negativa podemos experienciar problemas por centenas ou milhares de vidas. De acordo com o ensinamento do grande pandit Nagarjuna, se enganamos um ser senciente, seremos enganados por outros seres sencientes por mil vidas.

Como o Karma é expansível, temos de ter cuidado para evitar cometer até pequenas ações negativas. Podemos começar a experienciar nessa vida até mesmo os resultados de pequenas ações negativas cometidas contra objetos poderosos, desde nossos atuais pais até nossos gurus, e depois experienciar problemas em muitas vidas subsequentes. Não devemos cometer uma ação negativa de modo descuidado por pensarmos que é tão pequena que não importa. Protegermo-nos do Karma negativo, mesmo que seja pouco importante, nos ajudará nessa vida e em muitas vidas futuras; seremos saudáveis, ricos, teremos vida longa e experienciaremos poucos problemas.

Embora estejamos fazendo práticas de purificação, se criarmos Karma negativo continuamente, seremos como um elefante que entra em um lago para se lavar e depois sai para rolar na sujeira. A menos que paremos de criar Karma negativo, nossa prática de purificação jamais terminará.

As outras duas leis do Karma consistem em não experienciar um resultado sem ter criado sua causa; e, uma vez criado, o Karma jamais é perdido.

Ações negativas de corpo

Matar. Qualquer ação completa de matar motivada por egocentrismo ou qualquer outra delusão é não virtuosa e resulta em quatro tipos de sofrimento. Para um ato de matar ser completo, deve envolver quatro fatores: base, pensamento, ação e meta.[12] Se qualquer um desses quatro estiver faltando, a ação de matar é incompleta.

O primeiro tipo de sofrimento, chamado resultado amadurecido, significa que renascemos em um dos reinos inferiores, como um ser do inferno, um fantasma faminto ou um animal. Em geral, Karma negativo mais pesado provoca renascimento no inferno, Karma menos pesado provoca renascimento no reino dos fantasmas famintos, e Karma mais leve provoca renascimento no reino dos animais.

Depois de um incrível período de tempo, quando o Karma de estar nos reinos inferiores é esgotado, e o Karma positivo de outras vidas passadas torna-se mais forte, renascemos no reino humano. Como humano, experienciamos então os três outros tipos de sofrimento. A segunda forma de sofrimento, conhecida como experienciar resultado semelhante à causa, significa que devemos ter uma vida curta, talvez morrendo no ventre ou ainda criança. Também somos prejudicados ou mortos por outros seres humanos, espíritos ou doenças.

A terceira forma de sofrimento, o resultado que se possui, tem a ver com o ambiente. Nascemos em um local perigoso, com muitas guerras ou doenças. O lugar em que nascemos também é muito árido e miserável. Comida e bebida são pobres em proteína, difíceis de digerir e podem até causar doença. Medicamentos também são ineficazes. Embora alimento e medicamentos em geral sejam condições que sustentam a vida, devido à nossa ação passada negativa de matar, tornam-se obstáculos à nossa vida e podem até causar nossa morte.

O quarto tipo de sofrimento, criar resultado semelhante à causa, significa que, devido às marcas deixadas em nossa mente pela ação passada de matar, executamos de novo a ação de matar quando renascemos como ser humano. É um hábito do passado. Completar outra vez a ação negativa de matar resulta em experienciarmos os quatro tipos de sofrimento dessa causa particular. E, a menos que mudemos nossa atitude e paremos de cometer a ação negativa de matar, criaremos infindavelmente a causa de nossos problemas e experienciaremos sofrimento de modo contínuo.

Entretanto, podemos parar o processo, uma vez que transformemos nossas atitudes e ações e façamos o voto de não matar. A ação completa de manter um voto de não matar resulta em quatro tipos de felicidade. Uma vez que saibamos os resultados das dez ações negativas de corpo, fala e mente, prontamente entenderemos os resultados dos dez tipos de ações positivas.

O resultado amadurecido de ter mantido um voto de não matar é nascermos como um bom ser humano. Experienciar resultado semelhante à causa significa termos uma vida longa. O resultado é nascermos em um local onde haja pouco medo ou perigo, com água e comida abundantes, onde os alimentos são ricos em proteína, fáceis de digerir e não causam doença, e onde os medicamentos são potentes. Todas essas condições levam a uma vida longa. Atualmente, estamos desfrutando os resultados de nossas ações passadas positivas de ter mantido votos de não matar.

Criar resultado semelhante à causa significa mais uma vez mantermos o voto de não matar. E, a partir de cada ação completa de não matar, desfrutaremos outra vez de quatro tipos de felicidade em vidas futuras. Como o Karma é expansível, podemos experienciar resultados positivos por centenas ou mesmo milhares de vidas por manter o voto de não matar, mesmo que por um único dia. Fazer uma ação positiva por apenas um dia em nossa vida pode resultar em felicidade em milhares de vidas.

Roubar. A segunda ação negativa de corpo, roubar, torna-se Karma negativo quando é feita devido ao egocentrismo ou a qualquer outra delusão, e a ação completa de roubar também resulta em quatro tipos de sofrimento.

O resultado amadurecido é renascer nos reinos inferiores. Experienciar resultado semelhante à causa significa que, mesmo quando renascemos no reino humano, somos pobres, sem os meios de sustento. Mesmo que tenhamos alguns bens, não temos pleno uso deles, mas temos de compartilhar com outros. Nossos bens também são confiscados ou roubados por outras pessoas. Perder nossos bens, ou tê-los roubados, é resultado de nosso Karma passado negativo de roubar e não necessariamente em uma vida passada.

O resultado que se possui por roubar é vivermos em um local que experiencia muitas secas ou muitas enchentes. As lavouras que crescem são comidas por vermes, insetos ou animais.

Temos de reconhecer que nossa experiência de pobreza e esses outros desastres provêm de nosso Karma passado negativo de roubar. A verdadeira forma de desenvolver a economia de um país e transformar o ambiente é modificar as mentes das pessoas daquele país. Apenas mudando para atitudes positivas é que as pessoas podem executar ações positivas, como dar aos outros de modo generoso e fazer votos de não roubar; e é por meio dessas ações positivas que podem ser abastadas nesta vida e em vidas futuras. Apenas essa mudança de atitude dá a elas a possibilidade de criar a causa para o desenvolvimento econômico e para um melhor padrão de vida.

A menos que mudem suas atitudes e suas ações, os problemas vão continuar. Devido à sua vida árdua, resultado das ações negativas passadas, elas vão roubar e causar mal aos outros de novo a fim de sobreviver. Vão pensar que estão se ajudando ao roubar, mas na realidade estão criando a causa do mesmo problema outra vez.

Criar resultado semelhante à causa significa que, tendo roubado, roubamos de novo; e a partir de cada ação completa de roubo vamos experienciar outra vez os quatro tipos de sofrimento. A menos que transformemos nossa mente e façamos os votos de não roubar, o processo vai continuar indefinidamente.

Conforme já expliquei a respeito do voto de não matar, algo positivo tem início uma vez que transformemos nossas atitudes e ações mantendo o voto de não roubar. O resultado amadurecido é experienciarmos o renascimento como deus ou humano. Experienciar resultado semelhante à causa significa sermos abastados. O resultado que se possui é vivermos em um local onde a chuva cai na hora certa, as colheitas são abundantes e não há escassez de alimentos. E criar resultado semelhante à causa significa mantermos de novo o voto de não roubar.

Má conduta sexual. Assim como em relação a matar e roubar, a ação negativa de má conduta sexual não surge por conta própria, mas da mente. Má conduta sexual torna-se Karma negativo, a causa de sofrimento, por causa da mente; torna-se Karma negativo se é motivada por egocentrismo, que então causa o surgimento de apego e outros pensamentos perturbadores.

Má conduta sexual cometida por egocentrismo é uma ação negativa e resulta apenas em problemas. Se a má conduta sexual é motivada por compaixão e praticada puramente para trazer felicidade aos outros, é uma ação virtuosa e resulta apenas em felicidade. Se praticada com uma motivação pura, a má conduta sexual pode beneficiar tanto a pessoa que a pratica quanto outros seres vivos. Pode purificar muitos obscurecimentos e encurtar o sofrimento da pessoa no samsara. Pode levar a pessoa para mais perto da iluminação.

Uma ação negativa completa de má conduta sexual também resulta em quatro tipos de sofrimento. O resultado amadurecido é renascermos nos reinos inferiores, e a quantidade de tempo que experienciamos esse sofrimento corresponde ao peso da ação negativa.

Quando nascemos no reino humano outra vez, experienciamos o resultado semelhante à causa, o que significa que experienciamos desarmonia em nossos relacionamentos, com nosso parceiro, frequentemente, nos deixando por outra pessoa.

O resultado que se possui por má conduta sexual é termos que viver em lugares imundos ou lamacentos, onde há doenças nocivas e coisas assim. Se no geral, vivemos em um lugar limpo, ainda assim temos de viajar por locais imundos ou lamacentos ocasionalmente, e devemos, então, lembrar que esse é o resultado que se possui por má conduta sexual.

Criar resultado semelhante à causa significa que cometemos má conduta sexual de novo por causa de nosso hábito passado. As marcas deixadas por nossas ações negativas passadas de má conduta sexual significam que desempenhamos má conduta sexual outra vez, e cada ação completa resulta, novamente, nos quatro tipos de sofrimento.

Ações negativas de fala

Mentir. Contar uma mentira por egocentrismo ou qualquer outra delusão é uma ação negativa, e uma ação completa de mentir também resulta em quatro tipos de sofrimento. O resultado amadurecido é renascermos nos reinos inferiores. Quando nascemos como ser humano de novo, experienciamos o resultado semelhante à causa: outras pessoas mentem para nós. Quando encontramos gente que mente para nós, precisamos reconhecer que é o resultado de nosso próprio Karma negativo passado de contar mentiras para os outros.

O resultado que se possui por mentir é nascermos em um lugar onde há muito medo e logro, e onde somos incapazes de ter sucesso. Se somos um fazendeiro, nossas colheitas fracassam. Se temos um restaurante ou negócio varejista, não temos clientes. Se dirigimos um táxi, não conseguimos pegar passageiros. Todos os fracassos desse tipo são o resultado que se possui pelo Karma negativo de contar mentiras no passado. Criar resultado semelhante à causa de mentir significa que contaremos mentiras de novo, e, assim, continuaremos o ciclo de sofrimento.

Calúnia. Motivada por egocentrismo ou qualquer outro pensamento perturbador, a calúnia é uma ação negativa, e cada ação completa de calúnia resulta nos quatro tipos de sofrimento. O resultado amadurecido é renascermos nos reinos inferiores. Quando experienciamos o resultado semelhante à causa, outras pessoas nos caluniam e causam desunião entre nós e os outros, nossos parceiros, nossos pais, nossos filhos ou nossos professores espirituais.

O resultado que se possui é vivermos em um local nada atraente, com montanhas escarpadas e vales. Também há muito medo e perigo em nossa vida. Criar resultado semelhante à causa significa que nos engajamos de novo no ato de caluniar, e ação completa de calúnia significa que temos de experienciar outra vez os quatro tipos de sofrimento. Isso torna o processo infindável.

Fala rude. Falar de modo rude por causa do egocentrismo ou qualquer outra delusão é uma ação negativa, e cada ação completa de fala rude resulta em quatro tipos de sofrimento. O resultado amadurecido é renascermos nos reinos inferiores. Experienciar resultado semelhante à causa significa que outras pessoas falarão de modo rude conosco. Quando experienciamos isso em nossa vida, precisamos reconhecer que é produto de nosso Karma passado negativo de falar rudemente com os outros. Mesmo que digamos palavras que parecem doces, elas constituem fala rude se magoam a pessoa a quem nos dirigimos.

O resultado que se possui da fala rude é vivermos em um lugar rústico e feio, sem verde ou água, cheio de pedras, espinheiros ou árvores calcinadas, um lugar perigoso onde ocorrem pesadas ações negativas. Criar resultado semelhante à causa significa cometermos novamente a ação negativa de falar de modo rude com os outros.

Fofoca. Fofocar motivado por egocentrismo ou qualquer outra delusão é mais uma ação negativa, e cada ação completa de fofocar resulta nos quatro tipos de sofrimento. Como os anteriores, o resultado amadurecido é renascermos nos reinos inferiores. Experienciar resultado semelhante à causa significa que nossa fala não tem poder. Quando falamos com as outras pessoas, elas não nos escutam e não fazem o que dizemos. Quando pedimos ajuda às outras pessoas, ninguém nos ouve ou nos ajuda. O resultado que se possui por fofocar é vivermos em um local onde as árvores ou não produzem frutos, ou não os produzem no tempo certo. E, mesmo que os frutos pareçam bons por fora, por dentro estão verdes ou cheios de vermes. Se as plantações crescem, não duram muito. O lugar também é cheio de medo e perigo. Criar resultado semelhante à causa significa que nos veremos fofocando continuamente.

Ações negativas de mente

Cobiça. Uma ação completa de cobiça resulta em sofrimento da mesma forma. O resultado amadurecido é renascermos nos reinos inferiores. Experienciar resultado semelhante à causa de cobiça significa que ficamos muito descontentes, não conseguimos achar satisfação. Além disso, não obtemos os bens materiais que queremos. Se queremos comprar um objeto específico, quando vamos à loja, verificamos que alguém já o comprou. Ou, se conseguimos comprar, ele estraga logo.

O resultado que se possui da cobiça é que a qualidade e disponibilidade das colheitas e outras fruições do local onde vivemos decrescem de modo constante. As lavouras não crescem, são esparsas ou são comidas por animais. Um exemplo de resultado que se possui da cobiça é verificar que a comida tem gosto ruim mesmo quando parece boa por fora, embora isso também possa ser resultado de outro Karma negativo. E criar resultado semelhante à causa significa que continuamos a sentir cobiça.

Má vontade. O resultado amadurecido da má vontade, o desejo de fazer mal aos outros, é renascer nos reinos inferiores. Experienciar resultado semelhante à causa significa que outras pessoas terão má vontade conosco. O resultado que se possui do Karma negativo da má vontade é vivermos em um lugar onde há muita briga, doenças contagiosas e danos por parte de espíritos, cobras venenosas, escorpiões ou insetos que picam. Quando experienciamos tais condições de tempos em tempos, precisamos reconhecer que são resultado de nossa má vontade no passado, que deixou marcas negativas em nossa mente. Essas marcas negativas resultaram na aparição desses problemas no lugar onde vivemos. Essas aparências são criações de nossa mente. Criar resultado semelhante à causa significa que continuamos a sentir má vontade em relação aos outros e agimos de maneira que lhes cause mal.

Visões errôneas. Gerar uma visão errônea significa negar a existência de reencarnação, Karma, vacuidade ou alguma outra coisa que de fato exista. O resultado amadurecido de visões errôneas é renascimento nos reinos inferiores. Experienciar resultado semelhante à causa significa que é difícil entendermos o Dharma. Não importa o quão logicamente o Dharma nos seja explicado, temos dificuldade até para compreender as palavras. Também agimos com dissimulação, escondendo nossas faltas e enganando os outros.

O resultado que se possui de visões errôneas é nascermos em um lugar sujo. Se petróleo, ouro ou pedras preciosas foram ali produzidos certa vez, já não são mais. Também vemos sofrimento como prazer, coisas sujas como limpas, e assim por diante. Quando temos problemas, não conseguimos achar ninguém que nos ajude. Criar resultado semelhante à causa significa gerarmos visões errôneas outra vez.

Se queremos ser saudáveis e ter uma vida longa, agora e em todas as nossas vidas futuras, temos de mudar nossa mente e nossas ações, fazendo votos de abandonar esses dez tipos de Karma negativo. Essa é a solução essencial. A felicidade em nossas vidas futuras só pode vir se abandonarmos essas ações negativas.

Buddha ensinou que somos nosso próprio guia e nosso próprio inimigo. Quando criamos bom Karma, a causa de felicidade, somos nosso próprio guia; quando criamos a causa de problemas pela geração de pensamentos negativos, somos nosso próprio inimigo. Como somos os criadores tanto de nossa felicidade quanto de nosso sofrimento, temos incrível liberdade. Com tamanha liberdade para tornar nossa vida melhor, podemos ficar cheios de esperança. Entendendo os ensinamentos de Buddha sobre Karma, sabemos as causas de felicidade e como criá-las, e sabemos as causas de sofrimento e como eliminá-las. Temos livre-arbítrio, porque podemos criar a causa para obter qualquer felicidade que desejemos e podemos cessar nosso sofrimento eliminando ou reduzindo suas causas. Quanto mais entendermos o Karma, mais livre-arbítrio teremos. Entender o Karma não nos aprisiona, libera-nos da prisão do sofrimento, da prisão das delusões. Entender o Karma nos dá a chave para escaparmos da prisão das emoções negativas em que estamos presos.

A filosofia fundamental do Buddha é que somos os criadores de nossa felicidade e de nossos problemas, que não existe um criador externo. Tudo que fazemos, inclusive ler este livro, é nossa decisão pessoal, não foi decidido por outro alguém. Tudo que experienciamos, a cada momento do dia, é criação de nossa própria mente.

11. Transformando enfermidade em felicidade

A principal meditação na transformação do pensamento é olhar para tudo como positivo em vez de negativo, e temos a incrível liberdade para fazer isso porque tudo vem de nossa própria mente. Sermos felizes ou infelizes, saudáveis ou enfermos, é determinado por nossa mente, pelo modo como pensamos.

Transformando nossos problemas em felicidade, os usamos para beneficiar a nós e todos os seres vivos. Em outras palavras, usamos nossos problemas para desenvolver nossa mente e trazer felicidade aos outros. Se conseguimos transformar nossos problemas em felicidade, especialmente no caminho para a iluminação, experienciar uma doença pode tornar-se um medicamento em si. Esse é o verdadeiro medicamento, porque não apenas detém nosso sofrimento, como remove as causas de doença e de todos os outros sofrimentos – Karma negativo, delusões e marcas negativas em nossa mente. A psicologia da transformação do pensamento é essencial na cura, pois nos permite usar a doença não só para pôr fim a todo sofrimento, como para obter a iluminação.

Recordando o propósito de nossa vida, que somos responsáveis por libertar todos os seres vivos do sofrimento e lhes trazer felicidade, devemos experienciar cada problema com os quais deparamos – seja câncer, Aids, ou mesmo a morte – para o benefício dos outros seres vivos. Quando temos um problema, como uma doença específica, devemos experienciá-lo em favor dos outros seres vivos que têm o mesmo problema e em favor daqueles que têm mais e piores problemas. Devemos dedicar nossa experiência do problema para libertar os inumeráveis outros seres de todos os problemas e suas causas e lhes trazer a felicidade última.

Experienciar nossos problemas em favor dos outros não só purifica a causa de nossos problemas como nos traz satisfação. Transformar nossos problemas no caminho para a iluminação purifica obscurecimentos inimagináveis e acumula extenso mérito. Dessa maneira, encontraremos satisfação, não importa o problema que tenhamos. Mesmo que experienciemos depressão, com essa atitude podemos desfrutar dela. Na verdade, a depressão desaparece quando praticamos a transformação do pensamento.

Podemos transformar todos os nossos problemas em felicidade, a felicidade dessa vida e além dessa vida. Podemos transformar todos os nossos fracassos, seja nos negócios, estudos ou prática espiritual. Podemos fazer o mesmo com as críticas, com a má reputação – e até com a morte, da qual estivemos tentando nos proteger desde o nascimento. Em vez de rejeitar a morte, muitos praticantes tântricos aceitam-na alegremente e a usam como meio hábil para gerar realizações do caminho para a iluminação e para renascer na terra pura de um ser plenamente iluminado. Muitos meditantes rezam durante a vida para renascer em uma terra pura e usam a morte como meio de atingir essa meta, porque é um jeito rápido de chegar à iluminação. Uma terra pura, onde não existe absolutamente nenhum sofrimento, é como uma utopia. Durante muitos anos confundi as palavras "utopia" e "Etiópia", pensando que Utopia fosse um lugar com seca, lutas e muitos outros problemas. Estava vendo uma terra pura como inferno, e o inferno como uma terra pura.

Podemos transformar qualquer problema, até a morte, em felicidade. O ponto não é tanto deter a experiência dos problemas, mas fazer que as condições que chamamos de "problemas" parem de perturbar nossa mente, e, em vez disso, usá-los como apoio para o caminho espiritual que praticamos. Nossa meta principal é não permitir que os problemas tornem-se obstáculos para o desenvolvimento de nossa mente no caminho para a iluminação plena.

Aprendendo a não desgostar dos problemas

Quando temos um problema, transformá-lo em felicidade é algo realizado por meio de dois pensamentos. Primeiro, temos de eliminar o pensamento que olha para a situação como um problema e estabelece o pensamento de não gostar. Segundo, temos de gerar o pensamento que olha para o problema como positivo e estabelece o pensamento de gostar dele. Quando somos capazes de olhar para os problemas como uma fonte de felicidade, o pensamento de gostar deles surge naturalmente.

De que forma eliminamos o pensamento que interpreta uma situação como um problema e sente desagrado? Temos de perceber que, se dermos atenção a esse pensamento, nossa mente se habituará a ver as situações como problemas, até vermos quase tudo que nos acontece como um problema. Uma vez que estejamos acostumados a ver situações indesejáveis como problemas e sentir desagrado, mesmo coisas menores vão se tornar problemas enormes para nós. Dessa maneira, nossa preocupação, medo e dor emocional vão aumentar, e será difícil nos sentirmos felizes ou relaxados um dia.

Mesmo algo insignificante como encontrar alguns ratos ou insetos minúsculos – uns mosquitos ou pulgas – em nosso quarto vão se tornar um problema enorme em nossa mente. Não seremos capazes de suportar e teremos que nos mudar para outro local. Se nossa comida estiver fria ou não for preparada exatamente do jeito que gostamos, essa coisa menor vai virar um problema enorme e nos deixar muito zangados. Coisas minúsculas vão nos levar à loucura.

Quando estamos habituados a esse padrão de comportamento, somos perturbados por quase tudo que vemos, ouvimos, cheiramos, provamos ou tocamos. Quase tudo com que nos deparamos torna-se um problema e nos leva a gerar pensamentos negativos e a realizar ações negativas. Tudo que surge nos parece um inimigo. Então, é muito difícil encontrarmos qualquer felicidade na vida.

Temos de reconhecer que todos os problemas em nossa vida vêm de nossa própria mente. Existem duas maneiras de olhar para qualquer situação, inclusive a de ter uma doença: pode ser um problema ou pode não ser um problema. Com uma interpretação vemos um problema, com a outra não. Quando sentimos desagrado por uma situação específica, nós a interpretamos como um problema, aplicamos o rótulo de "problema" nela, e, então, a vemos como um problema. Uma vez que tenhamos aplicado esse rótulo, aparece um problema para nós. Se não rotulamos uma coisa como problema, não a vemos como tal.

Em resposta a fatores externos, experienciamos sensações agradáveis, desagradáveis e indiferentes – e precisamos entender que mesmo os fatores externos que afetam nossas sensações vêm de nossa mente. Quando encontramos algo desejável, interpretamos como agradável. Assim, aquilo nos parece agradável, e estabelecemos o pensamento de gostar da situação e de experienciar felicidade. Quando temos de nos separar daquele objeto desejável, nossas sensações mudam de agradáveis para desagradáveis. Interpretamos a separação do objeto como ruim e estabelecemos o pensamento de sentir desagrado. Também experienciamos sensações desagradáveis quando nos deparamos com um objeto indesejável. O que torna a experiência desagradável? Interpretamos a situação como ruim, rotulamos como "ruim", e, então, estabelecemos o pensamento de sentir desagrado.

Vamos pegar o exemplo de alguém que consideramos nosso inimigo. Não nos sentiremos zangados com a pessoa a menos que pensemos: "Ela é ruim porque não gosta de mim e está tentando me prejudicar". É muito claro que não é a pessoa, mas nosso conceito acerca da pessoa que nos aborrece. Criamos o conceito, e o conceito nos deixa zangados.

Quando encontramos essa pessoa que consideramos nosso inimigo, não pensamos em suas qualidades positivas ou nos benefícios que podemos obter dela. Podemos aprender muito sobre a natureza de nossa mente a partir de alguém que não gosta de nós e se contrapõe a nossos desejos de apego e egoísmo. Essa pessoa pode nos ajudar a desenvolver paciência, bondade amorosa, compaixão, sabedoria e outras preciosas qualidades da mente. Pode nos ajudar a desenvolver o caminho para a iluminação.

Do mesmo modo que usar veneno como remédio, podemos obter infinito benefício de nosso inimigo se o considerarmos como objeto de meditação dessa maneira. Se mentalizarmos nosso inimigo de modo negativo, teremos apenas um resultado negativo. No entanto, ao mentalizarmos a mesma pessoa de forma positiva, teremos apenas benefício. Depende de nós; tudo depende de como olhamos e consideramos nosso inimigo.

Se não percebermos que nossos problemas são simplesmente nossas próprias interpretações das situações, vamos culpar outras pessoas, o tempo ou algum outro fator externo como causa de cada problema com o qual nos deparamos. Nossas alucinações sobre as causas de nossos problemas vão inflamar-se como uma fogueira e aumentar os problemas em nossa vida. Nossos pensamentos e ações negativos vão atiçar as chamas.

Vejamos os esquizofrênicos paranoicos, que enxergam e ouvem coisas estranhas que as outras pessoas não. Por exemplo, eles ouvem pessoas criticando-os na sala ao lado, embora não haja ninguém ali. Criam sua própria realidade e, então, torturam-se com a crença naquela realidade. A ansiedade e o medo que sofrem podem causar muitos problemas, inclusive assassinato ou suicídio. Em vez de acreditar cegamente em suas próprias percepções, eles deveriam checar imediatamente se elas são ou não verdadeiras. Caso verificassem se de fato há alguém na sala ao lado e não encontrassem ninguém lá, isso lhes permitiria reconhecer que a percepção era falsa, o que facilitaria a veracidade de suas percepções em outras ocasiões. No futuro, teriam alguma dúvida quanto à realidade do que experienciassem. A experiência inicial iria ajudá-los a reconhecer como apenas alucinação o que pensam que está acontecendo. Mas eles só vão entender a verdadeira situação se não confiarem completamente em sua percepção. Fé completa na percepção bloqueará qualquer oportunidade de descobrir o que está realmente acontecendo.

Nossa mente é como um bebê, e somos como o pai que a protege do perigo. Um grande problema dos esquizofrênicos é que eles não assumem a responsabilidade por sua mente. Não vigiam suas mentes e não analisam seus pensamentos. Acreditam, cegamente, nas sugestões de suas mentes. Não podemos seguir, cegamente, os impulsos de nossa mente. Temos de considerar nossa mente como um bebê, e verificar, constantemente, o que ela está fazendo. Escutamos a mente quando ela quer fazer algo benéfico, mas a ignoramos quando quer fazer algo prejudicial ou insensato. Pode ser perigoso escutar tudo que a mente sugere. Antes de colocarmos nossas ideias em prática, temos de analisá-las com cuidado. O resultado de nossa análise deve ser descartarmos os pensamentos que trazem problemas e pôr em prática os que beneficiam a nós e aos outros.

A esquizofrenia também é bastante comum no Oriente. Na medicina tibetana, a esquizofrenia é classificada como doença do *lung*, ou vento, embora haja muitos outros tipos de doenças do vento. Estresse é um tipo de doença do vento, e estresse severo pode levar à esquizofrenia. Algumas enfermidades encontradas no Ocidente não são comuns no Oriente, mas vários tipos de doença do vento são comuns. Na filosofia oriental, a esquizofrenia é facilmente explicada em termos de sua causa interna e de suas condições externas. A causa principal é uma ação negativa motivada por uma forte delusão, como ignorância, como raiva ou como apego, que prejudica outros seres vivos ou seres sagrados. A pessoa então teme as consequências da ação negativa que praticou, fica ansiosa porque sente que corre risco de ser criticada ou até fisicamente ferida.

Executar uma ação negativa abre a porta para ser vítima de danos provocados por outros seres, humanos e não humanos. A pessoa se torna um alvo. A esquizofrenia paranoica ocorre quando a causa interna do Karma negativo e das delusões forja uma conexão com a condição externa dos espíritos. Os espíritos são capazes de nos fazer mal apenas depois de termos criado condições negativas motivadas pela delusão. Se estamos livres de tais faltas, não há jeito de podermos sofrer mal provocados por outros seres. Isso é ilustrado pela história da iluminação do Buddha em Bodhgaya, na Índia. Na manhã do dia em que o Buddha tornou-se iluminado, dez milhões de espíritos atacaram-no com raios trovejantes e com todos os tipos de arma em um esforço para evitar sua iluminação. Porém, quando as armas aproximaram-se do Buddha, transformaram-se todas em flores, que choveram sobre o corpo sagrado do Buddha. Se a mente é pura, não há motivo para sofrer dano provocado por ninguém.

Certa vez vi um programa sobre esquizofrenia na TV que apresentou um albergue onde gente esquizofrênica morava junto. Uma mulher que chorava e suplicava por socorro disse que os médicos não sabiam explicar a causa da esquizofrenia, nem qual a cura. Ocorreu-me o pensamento de que enquanto certos tratamentos médicos, como operações cirúrgicas, são melhores no Ocidente, o Oriente tem mais a oferecer no caso da esquizofrenia. O budismo oferece uma variedade de métodos para tratá-la.

As melhores soluções são transformação do pensamento e práticas de purificação, que purificam os pensamentos e ações negativos que são a causa do problema. É melhor para as pessoas com esquizofrenia fazerem elas mesmas as práticas, mas outros mais qualificados também podem ser solicitados a executar certos pujas e meditações para controlar os seres externos que estejam causando o problema. Alguns desses pujas envolvem mandar os espíritos liberar a pessoa de seu malefício.

Muitos Lamas que moram no Ocidente estão qualificados a fazer essas práticas para beneficiar pessoas com esquizofrenia. Mesmo sem fazer quaisquer pujas adicionais, esses Lamas ajudam outras pessoas, simplesmente fazendo suas práticas diárias de meditação e preces. Curar alguém de dano por espírito em geral exige mais do que conhecimento sobre a meditação ou sobre o mantra apropriado, e muitas das qualificações são bastante raras. Por exemplo, uma pessoa que vive com moralidade pura tem maior poder de curar e de controlar espíritos. Quando tais praticantes pedem ajuda de seres iluminados ou protetores, sua conduta moral pura obriga os seres iluminados e protetores a assisti-los. Tais praticantes trabalham junto com esses seres superiores para controlar os espíritos.

Recuperar-se da esquizofrenia depende de vários fatores, inclusive o peso da causa. Se a esquizofrenia é causada por pesado Karma negativo, é exigido um remédio poderoso. Nem todo mundo pode ser curado pelos métodos que mencionei, mas no Oriente é uma experiência comum em que alguns podem ser ajudados.

O ponto a ser entendido é que tudo que vemos e ouvimos vêm de nossa própria mente. Se reconhecermos isso, quaisquer coisas estranhas que vejamos ou escutemos não vão nos incomodar ou causar mal. Se percebermos que elas são causadas por doença do vento, não confiaremos nelas. E, quando não confiarmos nelas, mas, em vez disso, as reconhecermos como alucinações, elas não vão nos incomodar. Entretanto, se não as relacionarmos com nossa mente, mas acreditarmos que sua fonte é unicamente externa, ficaremos assustados e poderemos até ir à loucura.

Aceitar os problemas

Quando deparamos com uma situação indesejável, devemos nos recordar de que não existe benefício em olhar para ela como um problema que causa preocupação e pavor em nós. Em *Guia do estilo de vida do Bodissatva*, o grande bodhisattva Shantideva adverte que, se um problema pode ser resolvido, não há sentido em ficar infeliz por causa dele.[13] Se há solução para o problema, você simplesmente aplica a solução. É ridículo ficar infeliz por causa de uma situação se você tem um jeito para resolvê-la. Se há uma solução, use-a. Faça e pronto!

Shantideva acrescenta que, se um problema não pode ser resolvido, qual o sentido de ficar infeliz a respeito? Mesmo que não consigamos dar jeito de resolver o problema, não há sentido em ficar infeliz por causa da situação. Por exemplo, ficar aborrecido porque não podemos fazer nossa casa virar ouro, ou o céu virar terra não ajuda em nada. Existem alguns problemas que não podemos evitar, seja uma enfermidade incurável ou o rompimento irrevogável de uma relação. No caso de um problema inevitável que simplesmente temos de aguentar, não ajuda ficar infeliz a respeito. Precisamos aceitar a situação, em vez de rejeitá-la.

Durante um retiro que fiz em Adelaide, costumava ouvir rádio à tarde. Certa tarde, o programa era sobre depressão, e a convidada era uma psicóloga que havia escrito livros sobre o tema. Ela parecia ter uma filosofia controversa, que diferia da maioria dos outros psicólogos. Seu conselho essencial para pessoas com depressão era que deviam aceitar sua depressão em vez de rejeitá-la. Ela aconselhava-as a dizerem para si mesmas: "Eu mereço ter depressão porque sou fraco".

Seu conselho era bastante inteligente. Parece que ela havia analisado outros métodos de lidar com a depressão e considerado insatisfatórios, ao passo que aceitar a depressão reduzia de imediato os problemas emocionais associados de preocupação e pavor, e trazia paz. Seu conselho de aceitar a depressão em vez de rejeitá-la é controverso porque opõe-se por completo à nossa maneira usual de pensar. Nossa mente egoísta quer ficar livre da depressão, não aceitá-la. A conclusão a que ela chegou representa uma mudança radical de conceito, mas está de acordo com a filosofia da transformação do pensamento.

Contudo, o conselho da psicóloga não mencionava como lidar com a depressão a longo prazo. Aceitamos a depressão hoje e a depressão neste mês, mas o que fazer a respeito da depressão no futuro todo? Existe uma solução que assegure que jamais tenhamos que experienciar depressão de novo? A ideia inicial da psicóloga era boa, mas carecia de uma solução definitiva.

Está claro que existem muitas desvantagens em olhar as situações como problemas e, se ficamos habituados com esse jeito de pensar, vamos interpretar até os menores desconfortos como problemas enormes. Temos de lembrar dessas imperfeições e manter a determinação de que quando qualquer coisa indesejável nos acontecer, não a olharemos como um problema, mas, em vez disso, a saudaremos como algo agradável. Temos de ser corajosos e gerar uma forte intenção de fazer isso no começo de cada dia. Se conseguirmos parar de interpretar condições miseráveis como problemas e, em vez disso, olharmos para elas como prazerosas, até mesmo desastres imensos vão se tornar insignificantes e parecer leves como algodão.

A seguir, temos de considerar como ver os problemas de modo agradável, pois, uma vez que o façamos, o pensamento de gostar deles irá se seguir naturalmente. Para ver os problemas como agradáveis e gostar deles, temos de meditar sobre os benefícios dos problemas.

12. Os benefícios da doença

Para transformar nossos problemas em felicidade, temos de aprender a vê-los como agradáveis. Em vez de perturbar, nossos problemas vão, então, ajudar-nos a efetuar as realizações do caminho para a iluminação, que é a cura definitiva da mente e do corpo. Podemos então curar não só nossa mente e nosso corpo, mas a mente e o corpo de cada um dos demais seres vivos que sofrem.

Não existe benefício em assumir que uma certa situação seja necessariamente um problema. Isso apenas nos tortura e nos deixa na miséria. É errado ser pessimista e viver em uma nuvem negra, pensando que tudo que temos são problemas, pois essa é a visão de apenas uma de nossas muitas mentes. Na visão dessa mente, existe um problema em nossa vida. Mas, na visão de outra mente, não existe problema nenhum. Em função de nossa ignorância e preguiça, escolhemos uma visão sombria das coisas, mas podemos escolher outras visões. Na visão da mente positiva, não existem problemas.

Em vez de tornar uma situação mais dolorosa, podemos escolher vê-la como positiva e até desfrutá-la, sabendo que está nos apoiando na efetivação do caminho para a iluminação. A psicologia básica da transformação do pensamento é romper nosso conceito errado dos problemas e, em vez dele, gerar uma mente feliz que olha cada problema como positivo. Esse processo básico pode eliminar depressão, solidão e todos os outros problemas que parecem não ter solução.

Para desfrutar dos problemas, temos de refletir sobre seus benefícios tão extensa e efetivamente quanto possível. Devemos considerar esses benefícios a partir de muitos ângulos diferentes. Vários benefícios são mencionados nos versos do *Guia do estilo de vida do Bodissatva* e em outros textos sobre transformação de pensamento, e podemos nos estender no tema recorrendo à nossa sabedoria e experiência pessoais.

Usando a doença para treinar a meditação

Os problemas podem nos trazer alegria ao nos encorajar a gerarmos o caminho para a iluminação, que nos liberta por completo de todo sofrimento e suas causas por remover as sementes das delusões e suas marcas. Uma vez que as delusões tenham cessado, não mais precisamos executar ações motivadas por elas, de modo que não mais criamos as causas de sofrimento. Somos, então, capazes de guiar todos os outros seres para a felicidade inigualável da iluminação plena.

As situações que chamamos de "problemas" na verdade obrigam-nos a meditar, a desenvolver nossa mente. Devido a doenças ou outro problema, praticamos meditação e desenvolvemos nossas qualidades interiores. Em outras palavras, ao nos forçar a praticar meditação, nossa enfermidade nos dá a chance de pôr fim a todos os nossos problemas e as suas causas. Realmente, ajuda-nos a dar fim não apenas na doença, mas em cada um dos problemas e suas causas. Obtemos esse benefício definitivo de nossa enfermidade se praticamos meditação, que transforma venenos em néctar. De acordo com nossa capacidade pessoal, nossas habilidades em meditação, transformamos o veneno de nossa enfermidade em néctar, de modo que ela nos ajude em vez de nos fazer mal. Como nossa enfermidade apoia nosso desenvolvimento do caminho para a iluminação, devemos vê-la como uma fonte de alegria.

Usando a doença para eliminar o orgulho

Um dos benefícios da doença é que podemos usá-la para destruir o orgulho, que possui muitas imperfeições. Cada vez que o orgulho surge, deixa uma marca na mente, e, quando a marca se torna densa, é muito difícil libertar a mente dos obscurecimentos e obter a iluminação plena. Isso também se aplica à raiva, ao apego e a todas as outras delusões.

Nos ensinamentos dos sutras, o Buddha explica os resultados do orgulho da seguinte forma: "Os ignorantes sob o domínio do orgulho vão renascer em reinos desafortunados, onde não há oportunidade de praticar o Dharma. Vão renascer na pobreza e achar difícil se sustentarem. Vão renascer nas castas inferiores. Vão nascer cegos ou muito fracos. Também terão um aspecto feio ou uma cor ruim".

Como resultado do orgulho, renasceremos nos reinos inferiores, onde não teremos oportunidade de praticar o Dharma; e mesmo que eventualmente nasçamos como ser humano outra vez, ainda não teremos oportunidade de praticar o Dharma e desenvolver nossa mente rumo à liberação ou iluminação. Podemos nascer em uma das duas castas inferiores, por exemplo. No Oriente, nascer em uma casta inferior significa que a pessoa não é respeitada, de modo que tem pouco poder de beneficiar outras pessoas.

Em *Guia do estilo de vida do Bodissatva*, Shantideva explica que ser contrariado pelo sofrimento elimina a arrogância e causa o surgimento da compaixão naqueles que circulam.[14] O termo *aqueles que circulam* refere-se aos outros seres vivos presos no ciclo do samsara. Os problemas nos fazem desenvolver compaixão por outros seres que circulam nos reinos de sofrimento. Como diz Shantideva, ficar contrariado quando falhamos em algo elimina nosso orgulho, que é o que dificulta desenvolvermos nossa mente. Podemos transformar nosso fracasso em felicidade ao refletir que, se tivéssemos sido bem-sucedidos, teríamos desenvolvido ainda mais orgulho e teríamos que experienciar todas as imperfeições do orgulho vida após vida. Sentir-se contrariado quando fracassamos na verdade ajuda a obtermos maior sucesso, porque nos permite efetuar o caminho para a iluminação.

Os gueshes Kadampas explicam que muitos problemas ocorrem devido ao orgulho. Os Kadampas foram grandes meditantes que praticaram o caminho gradual para a iluminação, na tradição passada adiante por Lama Atisha, grande pandita e yogue indiano. Eles viam cada palavra de quaisquer ensinamentos do Buddha como uma instrução pessoal para atingir a iluminação e eram renomados como grandes praticantes da transformação do pensamento.

Existe um ditado Kadampa: "Ser louvado infla nossa mente e faz surgir orgulho maior. Ser criticado elimina instantaneamente nossas falhas". Desenvolver nossa mente no caminho para a iluminação acontece por meio do reconhecimento e eliminação de nossas falhas; só então as ações de nosso corpo, fala e mente podem tornar-se causa constante de felicidade. Um dos benefícios da crítica é que pode ajudar a nos livrarmos de nossas falhas.

Quando somos louvados, nos sentimos por cima; um pouco depois, quando alguém nos critica, ficamos por baixo de novo. Para nos protegermos desses altos e baixos emocionais e assegurar estabilidade mental, devemos lembrar dos problemas causados pelo louvor, especialmente o obstáculo que ele pode se tornar para o desenvolvimento de nossa mente. Não vamos nos agarrar ao louvor, uma vez que estejamos cientes dos problemas que experienciamos a partir disso. Dessa maneira, teremos paz contínua no coração, e o louvor não vai interferir em nossa efetivação do caminho para a iluminação.

Isso não significa, porém, que não devamos louvar os outros. Louvar os outros, sejam seres ordinários ou iluminados, é bom. O melhor de tudo é louvarmos alguém de quem não gostamos, pois isso opõe-se diretamente a nosso egocentrismo e orgulho, e torna-se assim um meio poderoso de desenvolvermos nossa mente. Quando louvamos nosso inimigo diante de outras pessoas, estamos oferecendo uma vitória a ele e tomando a derrota para nós. Louvar alguém de quem não gostamos ou não respeitamos é um desafio direto a nosso orgulho, porque em geral agimos de modo arrogante em relação a pessoas que não respeitamos. Requer muita coragem, mas é uma forma poderosa de destruirmos nosso orgulho. Claro que depende de nossa motivação. Ao discutir a não virtude da fala rude, Sua Santidade o Dalai Lama explicou que proferir palavras doces é fala rude se nossas palavras pretendem ferir a outra pessoa.

Quando louvamos os outros, especialmente nossos inimigos, devemos fazê-lo sinceramente, de coração, lembrando de sua bondade. Devemos recordar que toda nossa felicidade passada, presente e futura é recebida por meio da bondade de nosso inimigo. Visto que seres sagrados como os Buddhas sentem apenas amor e compaixão infinitos por nós, não nos dão oportunidade de praticar a paciência. Como nos amam, nossos amigos e nossa família também não dos dão oportunidade de praticar a paciência. Estranhos não gostam nem desgostam de nós, de modo que, igualmente, não nos dão oportunidade de praticar a paciência.

Entre todos os inumeráveis seres vivos, nosso inimigo é o único que nos dá oportunidade de praticar a paciência. Ninguém mais nos dá qualquer oportunidade. Nosso inimigo é o único que nos ajuda a completar a realização da paciência, permitindo-nos assim alcançar a iluminação para o benefício de todos os seres vivos.

Chamamos alguém de inimigo porque não gosta de nós e manifesta raiva contra nós, e, quando não estamos tentando praticar a paciência, não queremos nada com uma pessoa dessas. Nós a consideramos um problema, e ela nos parece um problema. Porém, quando estamos tentando praticar a paciência, apreciamos a bondade de nosso inimigo. A raiva dele contra nós é um requisito essencial se vamos desenvolver nossa mente no caminho para a iluminação. Em vez de aparecer como um problema indesejado, nosso inimigo aparece como uma pessoa bem-vinda e útil, que apoia o desenvolvimento do caminho dentro de nossa mente. Ele não parece mais um problema, mas, sim, uma fonte de felicidade.

Devemos pensar profundamente sobre a bondade de qualquer pessoa que tenha raiva de nós. A bondade de nosso inimigo é tão infinita quanto o espaço porque, ao nos permitir a prática da paciência, não apenas nos traz paz e todas as realizações do caminho para a iluminação, como também nos permite levar cada ser vivo à felicidade incomparável da iluminação. Quando pensamos em sua bondade, sentimos alegria vinda do fundo do coração.

Mesmo que oferecêssemos montanhas de ouro ou todo o firmamento repleto de diamantes para nosso inimigo, não seria o bastante para retribuir sua bondade. Nada se compara ao valor da paz profunda que experienciamos, imediatamente em nosso coração, ao praticarmos a paciência com nosso inimigo. Não podemos retribuir essa paz mental, que dirá a iluminação. Isso torna nosso inimigo muito mais precioso que qualquer riqueza material.

Usando a doença para purificar o Karma negativo

Podemos usar nossos problemas para purificar o Karma negativo, a causa dos problemas, e, também, para nos tornar cautelosos em não criarmos ações negativas adicionais. A partir disso, segue-se, logicamente, o fato de que os problemas também nos deixam feliz para criarmos bom Karma, a causa da felicidade.

Quando experienciamos um problema e investigamos sua causa, descobrimos que a causa não é externa, mas está em nossa própria mente. Conforme já expliquei, nossos problemas são causados pelas marcas negativas deixadas em nossa mente pelas delusões e pelas ações motivadas por essas delusões. Como a continuidade da consciência não tem um começo, estamos acumulando as causas de problemas ao longo de renascimentos sem princípio. Descobrir isso inspira-nos a purificar as causas de problemas que já criamos tantas vezes nesta vida e em vidas passadas sem princípio, e, também, nos inspira a tomar cuidado para não criar causas adicionais de problemas.

Um texto de transformação do pensamento menciona que "doença é uma vassoura", pois varre Karmas negativos e obscurecimentos. Os meditantes do Tibete não tinham aspirador de pó – nem mesmo eletricidade – em seus eremitérios, mas hoje em dia podemos dizer que a doença é um aspirador de pó que remove o lixo mental. Ao experienciar nossa doença, esgotamos nossas ações negativas do passado, que são a causa não só de nossa doença, mas de todos os nossos problemas. Podemos, então, ver nossa doença com uma luz positiva, como uma fonte de felicidade.

O mesmo texto explica também que o "sofrimento é a bênção do guru". (Ou, se você acredita em Deus, poderia pensar que sua doença é a bênção de Deus.) O que isso significa? Quando nos deparamos com uma doença ou outras dificuldades, podemos pensar que seja a bênção de nosso guru, ou seja, nosso guru está nos ajudando a purificar nosso Karma negativo. Quer estejamos trabalhando, fazendo retiro ou estudando o Dharma, devemos reconhecer qualquer dificuldade que encontremos enquanto tentamos seguir o conselho do guru como sua bênção. Qualquer problema que experienciemos, inclusive doença, é a bênção do guru, que está nos ajudando a purificar nossos obstáculos. Em vez de experienciar um grande desastre, temos condições de purificar nosso Karma negativo por meio da experiência de um pequeno problema. O problema é uma bênção porque purifica muito Karma negativo e muitas delusões, as causas em potencial de muitos outros problemas.

Como podemos transformar pobreza em felicidade? Simplesmente, precisamos pensar nos benefícios de ser pobre e as imperfeições de ser rico. Isso vai nos inspirar a ver nossa pobreza como uma fonte de felicidade, pois apoia a efetivação do caminho para a iluminação.

Quando pensamos na vida das pessoas ricas, que, em geral, têm muitos problemas e muito sofrimento mental, nosso apego à riqueza desaparece rapidamente. Gente rica se preocupa em proteger sua riqueza e aumentá-la. Também se preocupa com fato de alguém ficar mais rico. A vida das pessoas ricas também é cheia de distrações. Ricos têm muitas coisas para fazer e muitos prazeres sensoriais aos quais se entregar, de modo que não acham tempo para meditar, e isso dificulta o alcance das realizações. Se somos pobres, no entanto, podemos ter êxito em nossa prática de meditação porque nossas privações ajudam-nos a cumprir nossa prática do Dharma.

Os gueshes Kadampas dizem que uma vida confortável esgota o mérito criado no passado, do mesmo modo que uma orgia consumista exaure o dinheiro poupado ao longo de muitos anos. Na realidade, viver uma vida confortável diminui nosso bom Karma. Embora possamos viver no luxo no presente, é apenas por pouco tempo. Quando nosso bom Karma do passado se esgotar, nossa riqueza vai desaparecer, e experienciaremos uma vida de pobreza outra vez.

Experienciar uma vida miserável significa que estamos esgotando nosso Karma negativo do passado, a causa de nossos problemas do presente e do futuro. Nesse sentido, podemos ver uma vida infeliz como algo positivo, podemos transformá-la em felicidade.

Usando a doença como inspiração para praticar a virtude

Problemas como doença também podem nos inspirar a executar ações positivas. Entender que os problemas são causados por nossas delusões encoraja-nos a transformar nossa mente e desenvolver bondade amorosa, compaixão, paciência, sabedoria e outras mentes positivas.

Os problemas também podem fortalecer nossa decisão de viver na moralidade e nos inspirar a fazer votos, a causa de felicidade agora e de um bom renascimento no futuro. Experienciar problemas pode nos encorajar a fazer votos de não realizar várias ações negativas, tais como matar, roubar e mentir, que causam mal a nós e a outros seres vivos.

Usando a doença para meditar sobre a vacuidade

Também podemos usar qualquer doença que experienciemos para meditar sobre a natureza última, ou vacuidade, da doença. Perceber a natureza última do eu é extremamente importante, porque essa compreensão elimina a ignorância que é a raiz de todos os problemas. Podemos perceber a natureza última da doença da mesma maneira.

O texto de transformação do pensamento que mencionei anteriormente também explica que "o sofrimento é uma manifestação da vacuidade". Discuti isso antes quando descrevi como "Aids" é um rótulo. Quando os médicos veem uma mudança específica nas células do corpo de uma pessoa, dão a isso o rótulo de "Aids". O médico não aplica o rótulo de Aids antes e nem mesmo no momento em que vê a mudança; ele o aplica apenas depois de ver a mudança. Portanto, o que o médico vê, inicialmente, não é Aids, mas a base a ser rotulada de Aids. Ver essa base é o motivo para ele aplicar o rótulo de "Aids" e, então, acreditar nesse rótulo. Em outras palavras, Aids é, simplesmente, um conceito, uma ideia. Aids não é nada mais do que aquilo que é meramente imputado pela mente do médico e pela mente do paciente.

Portanto, não há uma Aids com existência inerente. A Aids real que nos parece existir por si mesma é uma alucinação. Não existe. A Aids real que parece independente, existente de forma inerente e sem nada a ver com nossa mente é uma alucinação completa. É falsa, é completamente vazia. A Aids existente de modo inerente é o objeto a ser negado.

Meditar sobre a vacuidade de uma doença – seja Aids, câncer, ou uma simples dor de cabeça – pode trazer uma cura poderosa. Reconhecer a alucinação, que não há uma doença real que exista por si mesma, também reduz as emoções negativas de ansiedade e de medo. E meditar sobre a natureza última da doença pode nos ajudar a realizar a natureza última do eu, conduzindo-nos assim à iluminação.

Usando a doença para desenvolver a bondade amorosa

Podemos usar um problema como doença para desenvolver bondade amorosa ao pensar: "Assim como eu, inumeráveis outros seres vivos carecem de felicidade temporária, bem como da felicidade última da iluminação plena. Portanto, usarei meu problema para trazer essa felicidade a todos eles".

Usando a doença para desenvolver a compaixão

Um dos maiores benefícios de experienciar uma doença ou qualquer outro problema é podermos usá-la para desenvolver compaixão pelos outros seres que estão sofrendo no samsara. Para apreciar plenamente esse benefício, temos de perceber o quanto a compaixão é preciosa e importante. Do contrário, ao ouvirmos que problemas podem nos ajudar a gerar compaixão, podemos pensar que isso não seja importante.

A compaixão é incrivelmente importante e preciosa porque toda nossa felicidade, agora e no futuro, e a felicidade de todos os outros seres vivos, dependem de nossa compaixão. Uma vez que apreciamos o quanto a compaixão é preciosa, vemos o quanto é importante que nossos problemas sejam usados para desenvolver compaixão pelos outros. Vemos, então, nossa doença e outros problemas sob uma luz positiva.

Sentimos compaixão facilmente por outros que tenham um problema semelhante ao nosso. Se temos uma enxaqueca excruciante, por exemplo, naturalmente sentimos compaixão por qualquer outro com a mesma enxaqueca. O mesmo aplica-se a qualquer doença. Sentimos empatia e queremos ajudar outras pessoas com a mesma doença que temos porque sabemos como elas se sentem.

Se não tivéssemos a doença, não sentiríamos essa forte compaixão. Sentimos compaixão por essas pessoas naturalmente, e podemos expandir tal compaixão cada vez mais. Esse sentimento de compaixão e o desejo de ajudar os outros são benefícios de termos uma enfermidade.

Entretanto, temos de pensar sobre os problemas de uma forma mais ampla, e não apenas focar em um único problema, como uma enfermidade específica. Conforme mencionei antes, existem muitos diferentes níveis de problemas. Doença é apenas um problema minúsculo entre os milhares de problemas da categoria do *sofrimento do sofrimento*. Os seres vivos também experienciam o sofrimento da mudança e o sofrimento que tudo permeia. Do mesmo modo que os médicos tratam uma doença corretamente dependendo da extensão de seu conhecimento da doença, geramos compaixão corretamente dependendo da extensão de nosso conhecimento do sofrimento.

Temos de olhar não só nossa doença, mas todas as imperfeições de nosso samsara pessoal, nosso reino de sofrimento pessoal. Temos de olhar, então, os inumeráveis outros que têm a mesma doença que nós, bem como as muitas outras experiências do *sofrimento do sofrimento*, *sofrimento da mudança* e *sofrimento que tudo permeia*. Devemos pensar: "Eu não sou nada, meu problema não é nada. Inumeráveis outros estão experienciando não apenas esse sofrimento, mas sofrimento ainda pior. Como seria maravilhoso se eles ficassem livres de todo sofrimento. Vou libertá-los de todo sofrimento". É assim que usamos nossos problemas para desenvolver a grande compaixão.

Cada vez que usamos nossos problemas para gerar grande bondade amorosa e grande compaixão, acumulamos mérito infinito e purificamos obscurecimentos, a causa não só de doença, mas de todo sofrimento. Se temos grande bondade amorosa e grande compaixão, podemos desfrutar de qualquer problema que experienciamos. Podemos desfrutar ter câncer ou Aids; podemos desfrutar até a morte.

13. O benefício último da doença

A prática central é usar enfermidades e todos os nossos outros problemas para gerar bodhichitta, o pensamento altruísta de atingir a iluminação para o bem dos outros seres vivos. O pensamento amoroso e compassivo de bodhichitta é o coração do ensinamento do Guru Buddha Shakyamuni. Bodhichitta é o melhor medicamento, a melhor meditação, a melhor prática espiritual. Viver nossa vida com bodhichitta é o melhor jeito de cuidar de nossa saúde e a melhor forma de curar Aids, câncer e qualquer outra doença. Proporciona a melhor proteção para nossa vida.

Bodhichitta significa largar do eu e zelar pelos outros. O eu é a fonte de todos os nossos problemas emocionais e de todos os obstáculos para nosso sucesso e nossa felicidade, e para trazermos sucesso e felicidade para inumeráveis outros seres vivos. Os outros são a fonte de toda nossa felicidade, da felicidade temporária que experienciamos na vida cotidiana até a felicidade última da liberação e da iluminação plena. Visto que bodhichitta, a mente altruística que zela pelos outros e busca trazer felicidade para eles, é gerada na dependência da existência de seres sencientes sofredores, recebemos toda nossa felicidade por meio da bondade dos outros.

Bodhichitta também é nossa melhor amiga. Amigos externos podem mudar, mas bodhichitta é sempre a mesma. Nunca muda e nunca nos engana; jamais nos causa mal, mas sempre beneficia a nós e a outros seres vivos. É a melhor e mais confiável amiga.

Bodhichitta também é o melhor meio de se obter sucesso, nesta e em vidas futuras, especialmente sucesso em atingir a liberação e a iluminação plena. Sucesso é um surgimento dependente, depende de causas e condições. Sucesso em encontrar felicidade tem de vir de uma causa específica, do bom Karma, que tem de vir de uma intenção positiva. Com bodhichitta, o pensamento de beneficiar os seres vivos, reúne-se o mérito, ou bom Karma, mais extenso. Conforme diz Shantideva em *Guia do estilo de vida do Bodissatva*, mesmo sem realmente engajar-se em uma ação para beneficiar os outros, apenas desejando beneficiá-los, reúne-se mérito tão vasto quanto o espaço.[15] Visto que, simplesmente, desejar beneficiar os outros agrega céus de mérito, bodhichitta é o melhor meio de obter sucesso em encontrar felicidade. Esse é o raciocínio lógico que explica por que bodhichitta é a fonte de sucesso. O mesmo raciocínio aplica-se a encontrar riqueza.

Ao ter bodhichitta, tornamo-nos amigos de todos os seres vivos. Se nos sentimos distantes dos outros seres vivos, como se houvesse uma parede entre nós e eles, bodhichitta vai derrubar essa parede, de modo que nos sentiremos próximos de todos os seres vivos. Com a compreensão da bodhichitta, guardamos todos os seres vivos em nosso coração. Nossa bondade amorosa, compaixão e bodhichitta são a fonte de toda a felicidade e sucesso, nossa e de todos os inumeráveis outros seres vivos.

Quer sejamos doentes ou saudáveis, com o pensamento da bodhichitta nossa vida sempre será benéfica para os outros; tudo que fizermos será sempre benéfico para os outros seres sencientes. Nossa vida será útil o tempo inteiro, porque será vivida para os outros seres sencientes. Dessa maneira, o propósito de nossa vida será preenchido.

Desenvolver bodhichitta é a forma mais rápida e mais poderosa de purificar obstáculos à felicidade e de acumular mérito, a causa de felicidade, especialmente a felicidade última da iluminação plena. Sem bodhichitta, não podemos atingir a iluminação ou efetivar a meta mais elevada da vida – levar cada um dos demais seres sofredores à iluminação. O desejo de praticar bodhichitta, de trocar o eu pelos outros, é o melhor de todos os desejos.

Como podemos usar os nossos problemas para gerar esse pensamento de iluminação? Temos de considerar a fonte de todos os nossos problemas. Todos os nossos problemas provêm basicamente de zelar pelo eu, de modo que o eu é o objeto a se renunciar para sempre. Toda a nossa felicidade vem da bondade dos outros, de modo que os outros seres vivos são o objeto a ser zelado para sempre. Por esse motivo, devemos renunciar ao eu e zelar pelos outros seres vivos. Para treinar nossa mente em trocar o eu pelos outros, precisamos analisar em detalhe as imperfeições do egocentrismo e os infinitos benefícios de zelar pelos outros. Destruir o egocentrismo permite-nos desenvolver a mente altruísta de bodhichitta, que nos conduz à felicidade mais elevada da iluminação plena e nos capacita a conduzir todos os demais à iluminação. Ao mesmo tempo, sem qualquer expectativa de nossa parte, bodhichitta nos traz recompensas temporárias de felicidade, sucesso, fama, riqueza e poder naturalmente.

As imperfeições do egocentrismo

Por que situações de nossa vida tornam-se problemas? Porque, equivocadamente, nos identificamos com nosso egocentrismo. Vamos tomar como exemplo os problemas de relacionamento. É o apego que surge do egocentrismo que nos deixa insatisfeitos com nosso atual parceiro e nos faz rejeitá-lo por causa de alguém novo. Podemos ver, claramente, que o problema não aconteceria se não seguíssemos nosso egocentrismo. Além disso, se vivemos nossa vida nos identificando com nosso egocentrismo, é doloroso quando nosso parceiro deixa de nos amar. Por quê? Porque isso machuca nosso egocentrismo. Ao vermo-nos como unos com nosso egocentrismo, qualquer coisa que o machuque nos afeta. Essa maneira de nos identificarmos é completamente errada, é completamente diferente da realidade daquilo que somos. Quando analisamos os problemas que experienciamos em nosso cotidiano, vemos que estão diretamente relacionados a nosso pensamento de egocentrismo. A prova disso é que, quando nos separamos do pensamento de egocentrismo, não temos problemas em nossa vida; não nos incomodamos se nosso parceiro nos abandona, por exemplo.

Quando temos uma doença, se somos amigos do egocentrismo, nossa enfermidade nos incomoda. Se nos separamos do egocentrismo, não. Embora a situação externa seja a mesma, o modo como lidamos com ela faz uma enorme diferença. Quando estamos cientes dos problemas causados por nosso egocentrismo, vamos culpá-lo como causa de nossa enfermidade, em vez de apontar uma causa externa. Separar o eu do pensamento de egocentrismo nos dá espaço para ver o egocentrismo como nosso verdadeiro inimigo.

Embora vejamos o eu como existente de modo inerente, como não tendo nada a ver com nossa mente, esse eu não existe. O eu real que nos aparece – "real" no sentido de existente por si mesmo – é uma alucinação. Anteriormente, discuti como o corpo não é o eu, a mente não é o eu, e até mesmo a associação de corpo e de mente não é o eu. Embora exista – ele executa todas as atividades de dormir, comer, andar, sentar, experienciar felicidade e problemas –, o eu não existe em lugar nenhum dessa associação de corpo e de mente.

O eu, que é meramente imputado pela mente, aparece-nos como existente de modo inerente. Acreditamos nesse eu existente de modo inerente e o zelamos como o mais precioso e importante de todos os inumeráveis seres vivos. Pacificar os problemas desse eu e obter felicidade para ele torna-se a coisa mais importante do mundo. Na realidade, contudo, estamos zelando por uma alucinação. Quando analisamos o objeto que é a base de nosso egocentrismo, não encontramos nada pelo que zelar ali, é vazio. Quando não verificamos, mas, simplesmente, acreditamos na alucinação, parece existir um eu real digno de ser zelado. Essa é a natureza de nosso egocentrismo.

Visto que a mente não é o eu, como o pensamento de egocentrismo poderia ser o eu? O eu não é o pensamento de egocentrismo; o pensamento de egocentrismo não é o eu. São diferentes. O pensamento de egocentrismo, simplesmente, é uma das bases a ser rotuladas de "eu". Temos de entender esse ponto claramente.

Por não termos gerado sabedoria por meio do entendimento da natureza convencional e última dos fenômenos, ficamos com as visões falsas da ignorância, que identificam o pensamento de egocentrismo como o eu, e acreditamos que não exista jeito de o eu existir sem o egocentrismo. Muitos equívocos se seguiriam caso o pensamento de egocentrismo fosse de fato o eu. Visto que existem 84 mil delusões, haveria 84 mil eus. Nesse caso, teríamos de comprar passagens para milhares de eus sempre que viajássemos. Também teríamos milhares de mães e pais. Visto que cada pai tem centenas de pensamentos positivos e negativos, cada um desses pensamentos também seria um eu. E, quando casássemos, não haveria essa coisa de monogamia, pois casaríamos com milhares de esposas ou maridos. Obviamente, isso é completamente contraditório à nossa experiência.

Além disso, se o pensamento de egocentrismo fosse o eu, o eu teria de cessar quando o pensamento de egocentrismo cessasse. Isso significaria existir um eu que não efetivaria bodhichitta e não poderia experienciar a iluminação plena.

Com nossos conceitos ignorantes, identificamos o pensamento de egocentrismo com o eu e pensamos que não existe jeito de o eu existir sem o pensamento de egocentrismo. Mas o pensamento de egocentrismo não é independente. Ele existe na dependência de causas e condições, e isso significa que pode ser eliminado por outras causas e condições. Por exemplo, podemos eliminá-lo treinando nossa mente em trocar o eu pelos outros, aprendendo a renunciar ao eu e a zelar pelos outros.

Como podemos trocar nós mesmos pelos outros? Como é possível zelar pelos outros em vez de zelarmos por nós mesmos? Considere-se o fato de termos recebido nosso corpo atual de nossos pais. Nosso corpo, originalmente, fazia parte dos corpos de nossos pais, cujos corpos também vieram dos corpos de outras pessoas. Então rotulamos de "eu" esse corpo e zelamos por ele, embora originalmente fosse parte dos corpos de nossos pais. Do mesmo modo, visto que aquilo que chamamos de "outros" é, meramente, um rótulo que nossa mente dá aos corpos de outras pessoas, nossa mente pode alternar entre zelar pelo eu e zelar pelos outros. Esse é o raciocínio lógico que explica como podemos mudar do zelo pelo eu para o zelo pelos outros.

Existem duas formas de meditar a fim de perceber como todos os nossos problemas vêm do pensamento de egocentrismo. Uma análise envolve ver como os nossos problemas vêm do Karma negativo executado a partir do egocentrismo. A meditação sobre as imperfeições do pensamento de egocentrismo também é uma meditação sobre Karma; é um jeito extensivo e eficiente de pensar sobre a causa do sofrimento. Muitos de nossos problemas estão relacionados às dez ações não virtuosas, e essas ações tornam-se não virtuosas por nossa atitude egocentrada. Não existe Karma negativo, a causa de nosso sofrimento, por si mesmo. Ele é criado por nossa mente.

A outra análise, mais resumida, envolve ver como nossos atuais problemas estão diretamente relacionados a nosso egocentrismo, como todos os problemas que experienciamos têm um relacionamento imediato com nosso egocentrismo. Se somos amigos do pensamento de egocentrismo, temos problemas em nossa vida. Mas, no momento em que reconhecemos o pensamento de egocentrismo como ele é, e nos separamos dele, não temos problemas em nossa vida.

Quando não analisamos a realidade de nossa vida, podemos achar que o pensamento de egocentrismo é nosso amigo. A cultura ocidental, em particular, avisa que o egocentrismo nos ajuda e nos protege. Porém, se usarmos nossa sabedoria para checar a verdade disso, veremos que é uma alucinação. Na realidade, o egocentrismo nos causa mal constantemente, destrói a nós e a nossa felicidade. Não nos permite alcançar sucesso temporário e, especialmente, definitivo.

Criamos cada problema que acontece em nossa vida. Todos os nossos problemas vêm de nosso egocentrismo, não de outras pessoas. A causa principal de nossos problemas, e não só de doença, é nossa mente. É óbvio que pessoas com forte egocentrismo têm pouca paz e felicidade e causam muitos problemas para os outros. Tais pessoas causam desarmonia aonde quer que vão.

Enquanto estamos sob controle do egocentrismo, sentimos inveja de qualquer um que tenha mais riqueza, educação ou poder que nós. Sentimo-nos competitivos com pessoas que consideramos iguais a nós e arrogantes em relação àquelas que consideramos inferiores. O egocentrismo nos faz gerar pensamentos perturbadores e criar Karma negativo com todos que encontramos. Nosso egocentrismo tortura-nos constantemente. Nunca nos deixa em paz, e ocasiona muita preocupação e medo. Também traz a dor proveniente da raiva, do apego, da inveja, do orgulho e de todas as outras delusões.

É essencial nos curarmos do egocentrismo, porque nossa atitude egoísta quanto à vida é fonte de muita infelicidade, depressão, solidão e estresse. Se fizermos coisas porque buscamos somente nossa própria felicidade, e apenas nesta vida, nossa motivação egoísta ocasiona estresse. O egocentrismo também nos faz tomar a vitória para nós e dar a derrota aos outros, o que significa que, na verdade, força-nos a criar a causa de fracasso. Ocasiona fracasso e perda em muitas milhares de vidas e cria obstáculos à iluminação.

É o egocentrismo que nos impede de gerar compaixão pelos outros e de ajudá-los. Também nos impede de desenvolver a sabedoria. O egocentrismo não nos permite praticar meditação e pôr fim a todo nosso sofrimento; não nos permite alcançar a felicidade última da iluminação plena.

Devemos usar cada problema que experienciamos como uma arma para destruir o pensamento de egocentrismo, nosso verdadeiro inimigo. Devemos devolver cada problema que nos é dado pelo pensamento de egocentrismo a ele mesmo, a fim de destruí-lo. Quando somos criticados, por exemplo, em vez de tomar a crítica para nós, devemos trocar de objeto e usar a crítica como uma arma para destruir nosso egocentrismo. Devemos pensar imediatamente: "É exatamente disso que preciso para destruir meu egocentrismo, que me tortura constantemente. Ele interfere na minha felicidade, tanto temporária quanto definitiva, e causa todos os meus problemas. Meu egocentrismo também prejudica todos os outros seres, direta ou indiretamente, e vida após vida". Se meditarmos dessa maneira, de fato veremos as críticas e outras coisas indesejáveis como úteis e necessárias, pois nos ajudam a desenvolver nossa mente e a levar uma vida melhor. Egocentrismo é uma doença, e a crítica é o remédio que cura essa doença crônica da mente.

    Devemos reconhecer o egocentrismo como nosso verdadeiro inimigo, e a doença, a crítica e todos os demais problemas como as armas que podem destruí-lo. Devemos saudar o problema e devolvê-lo ao pensamento de egocentrismo, a fim de destruir esse inimigo que nos prejudica constantemente. Nos prejudicou no passado, está nos prejudicando agora, e vai nos prejudicar no futuro. O conceito de que nossos problemas nos são prejudiciais vai desaparecer quando devolvermos os problemas ao nosso pensamento de egocentrismo. Nossos problemas não irão mais nos incomodar, porque veremos que estão apenas nos beneficiando ao permitir a destruição de nosso egocentrismo, o inimigo que ocasiona todos os nossos problemas e nos deixa, constantemente, infelizes e insatisfeitos.

Os benefícios de zelar pelos outros

    Os outros seres vivos são a fonte de toda nossa felicidade. Recebemos toda nossa felicidade passada, presente e futura por meio da bondade dos outros seres vivos. Por exemplo, outros seres vivos são responsáveis por termos um renascimento humano precioso e por sermos capazes de viver por tanto tempo em um ambiente seguro e pacífico. Essas condições são os resultados de nossas ações positivas do passado, de viver com o voto de não matar ou fazer mal aos outros. Conforme já expliquei, experienciamos quatro diferentes tipos de felicidade a partir da ação positiva de viver dessa maneira. Uma felicidade é possuirmos um corpo humano precioso. Outra é vivermos uma vida longa, que é experienciar resultado semelhante à causa. O resultado que se possui é vivermos em um local com pouco medo ou perigo, de modo que temos vidas confortáveis, relaxadas. O quarto resultado é que nesta vida praticamos outra vez a moralidade de não matar outros, que é criar resultado semelhante à causa.

    Cada uma das dez ações virtuosas resulta em felicidade de tipo semelhante, e toda felicidade que experienciamos em nossa vida diária está relacionada, basicamente, às ações virtuosas que praticamos no passado. O que estou assinalando é que recebemos toda essa felicidade pela bondade de outros seres vivos. Tome-se o exemplo de nosso renascimento humano perfeito, que nos dá oportunidade de desenvolver a mente e alcançar qualquer felicidade temporária ou definitiva que desejemos, bem como nos permite libertar todos os outros seres vivos do sofrimento e de suas causas e trazer-lhes felicidade. Recebemos nosso renascimento humano perfeito e até mesmo suas causas (ter mantido o voto de não matar, praticado caridade e dedicado méritos para um renascimento humano perfeito) por meio da bondade de outros seres vivos. Se não existissem outros seres vivos, não teríamos oportunidade de praticar moralidade. Quando fazemos o voto de não matar, por exemplo, fazemos o voto em relação a cada ser vivo. Nosso renascimento humano perfeito depende da bondade de cada ser vivo até em existir, assim como todo mérito que somos capazes de acumular e toda felicidade que somos capazes de oferecer aos outros enquanto possuímos um renascimento humano perfeito. Cada vez que geramos uma motivação de bodhichitta, por exemplo, reunimos mérito infinito – e isso pela bondade de cada ser vivo.

Também alcançamos bons renascimentos em nossas vidas futuras pela bondade de cada ser vivo, porque a criação das causas de um bom renascimento depende da existência de seres vivos.

Também alcançaremos a felicidade última e duradoura da liberação, com a cessação de todo sofrimento e de suas causas, por meio da bondade de cada ser vivo. Como? O caminho fundamental que nos permite alcançar isso também é a moralidade. Dependendo do treinamento superior em moralidade, alcançamos a concentração. Dependendo da concentração perfeita, atingimos o grande *insight*. Assim, também alcançamos os caminhos fundamentais para a liberação na dependência da bondade de cada ser vivo.

Alcançaremos até mesmo a felicidade inigualável da iluminação plena, com a cessação de todos os obscurecimentos e a consumação de todas as realizações, por meio da bondade de cada ser vivo. A própria raiz do Caminho Mahayana, cuja meta última é a iluminação plena, é bodhichitta, e bodhichitta depende da bondade dos seres vivos. Sem a existência de seres sencientes sofredores, não há como podermos efetuar bodhichitta. Portanto, cada ser senciente é extremamente precioso e bondoso.

Além disso, todos os confortos e gozos de nossa vida cotidiana dependem da bondade dos seres vivos. Inúmeros insetos tiveram de sofrer e de morrer para que pudéssemos morar em uma casa confortável, e muitos outros seres vivos tiveram de criar as ações negativas de feri-los e de matá-los. Recebemos o conforto de uma casa para nos proteger dos elementos por meio do sofrimento e da matança de inúmeros seres vivos.

Com nossa roupa é a mesma coisa. Muitos seres vivos tiveram de sofrer e de morrer para que pudéssemos desfrutar do conforto de nossas roupas, especialmente se foi feita de seda ou pele, e muitos outros seres tiveram de feri-los e de matá-los.

Também recebemos o prazer de nossa comida e bebida na dependência da bondade de seres vivos. Até mesmo para desfrutarmos de uma xícara de chá ou de uma tigela de sopa, inúmeros seres microscópicos têm de sofrer e de morrer. Inúmeros insetos têm de sofrer e de morrer no campo para que possamos comer um grão de arroz, e muitos outros seres têm de criar Karma negativo por causar-lhes mal. E cada grão de arroz veio de um grão de arroz anterior, e aquele grão de um grão anterior, e assim por diante. Quando pensamos na continuidade de um grão de arroz, não podemos sequer imaginar o número de seres que sofreram e morreram na longa história daquele grãozinho, nem podemos calcular o número de seres humanos que criaram Karma negativo por causar-lhes mal.

Visto que dependemos da bondade de outros seres vivos para todos os confortos e os gozos de nossa vida, não há como podermos usar essas coisas, unicamente, com o pensamento de nossa própria felicidade. Tal atitude seria muito cruel com os outros seres vivos. Como os inumeráveis seres vivos são a fonte de todos os nossos deleites, temos de fazer algo para beneficiá-los.

Cada um dos seres vivos é, inacreditavelmente, precioso e pode nos beneficiar muito. Zelar até mesmo por um único ser vivo e servi-lo leva-nos à iluminação porque purifica muitos obscurecimentos e acumula muito mérito. Zelar, até mesmo por um único ser vivo – seja nossa mãe, nosso pai, nosso filho ou mesmo nosso inimigo – permite-nos desenvolver nossa mente rapidamente no caminho para a iluminação. Eles são nossos verdadeiros professores. Mostrando compaixão até mesmo por um único ser vivo, podemos alcançar todas as realizações do Caminho Mahayana, desde bodhichitta até a iluminação.

Não zelar por um ser vivo – por alguém que não gosta de nós, por exemplo – bloqueia nossa iluminação. É um obstáculo fundamental para que alcancemos a felicidade inigualável da iluminação plena porque bloqueia a porta do Caminho Mahayana, bodhichitta.

Já expliquei como todos os nossos problemas vêm de se zelar pelo eu. Enquanto existe o egocentrismo, não existe iluminação, e o egocentrismo é o maior obstáculo, até mesmo para nossa felicidade temporária. É o motivo para não conseguirmos encontrar paz mental em nossa vida cotidiana. Visto que zelar por nós mesmos é a porta para todos os problemas, temos de renunciar a nós mesmos e zelar pelos outros, mesmo que por apenas um único ser vivo. Até mesmo um único ser vivo é mais precioso do que nós, porque toda nossa felicidade e sucesso vêm desse ser vivo, e todos os nossos problemas vêm do eu.

Visto que até mesmo um único ser vivo é mais importante e precioso que nós, daí decorre que dois seres vivos são ainda mais preciosos e importantes, de modo que devemos zelar por eles e servi-los. Uma centena de seres vivos são muito mais preciosos e importantes que nós, de modo que devemos zelar por eles e trabalhar para eles. Agora, os seres vivos são inumeráveis, de modo que os inumeráveis seres vivos são, inacreditavelmente, preciosos e importantes; por serem tão mais preciosos e importantes do que nós, devemos zelar por eles. Quando consideramos os inumeráveis seres vivos, tornamo-nos completamente insignificantes; tornamo-nos nada.

Agora, podemos ver que nossos problemas não são nada. Quando estamos preocupados apenas conosco, pensamos ter muitos problemas. Entretanto, meditando sobre trocar o eu pelos outros, podemos ver que, não importa quantos problemas tenhamos, eles são insignificantes. Não há nada mais importante em nossa vida do que zelar pelos inumeráveis outros seres vivos e trabalhar para eles. Trabalhar em algo que não seja isso é vazio, sem sentido.

14. O coração da cura: receber e dar

A prática de bodhichitta de receber e dar, ou Tonglen, é a maneira mais rápida e mais poderosa de nos curarmos. Na meditação de receber e dar, ao gerar grande compaixão tomamos o sofrimento e as causas de sofrimento dos inúmeros outros seres vivos para nós e os usamos para destruir nosso pensamento de egocentrismo, a fonte de todos os nossos problemas. Ao gerar grande bondade amorosa, damos então aos outros seres tudo que temos: nosso corpo, nossos parentes e nossos amigos, nossos bens, nosso mérito e nossa felicidade. Executamos essa prática de trocar a nós mesmos pelos outros após meditarmos sobre as deficiências do egocentrismo e sobre a bondade dos outros seres e os benefícios de zelar por eles. Devemos fazer a prática de receber e dar sempre que temos um problema, seja Aids, câncer, alguma outra doença, o rompimento de uma relação, fracasso nos negócios ou dificuldade em nossa prática espiritual.

A meditação de receber e dar é uma prática profunda e poderosa, na qual usamos nossa dor para desenvolver compaixão por outros seres vivos. Por meio dessa meditação, experienciamos nossa doença e todos os nossos outros problemas em favor de todos os seres vivos. Fazer a meditação corretamente ajuda a deter nossa dor e, não raro, até mesmo cura a doença. Contudo, o ponto principal de receber e dar é que purifica as causas de uma doença, que estão em nossa mente.

Trocar o eu pelos outros é uma prática corajosa, e muito mais importante do que visualizar luz vindo de divindades de cura ou qualquer outra meditação. Tomando para nós todo sofrimento dos outros e dando toda nossa felicidade a eles, usamos nossa doença para gerar o bom coração definitivo de bodhichitta. Esse é o coração da cura.

Receber

Para fazer a prática de trocar o eu pelos outros, primeiro gere compaixão pensando em como os seres vivos experienciam sofrimento constantemente, embora não desejem fazê-lo, por ignorarem suas causas ou, embora conhecendo as causas do sofrimento, por serem preguiçosos demais para abandoná-las. Pense: "Como seria maravilhoso se todos os seres vivos pudessem ficar livres de todo sofrimento e das causas do sofrimento, Karma e delusões". A seguir gere grande compaixão pensando: "Eu mesmo irei libertá-los de todo sofrimento e de suas causas".

Então você relaciona a meditação à sua respiração. Enquanto inspira, imagine acolher todo o sofrimento e causas do sofrimento dos outros seres vivos pelas narinas na forma de uma fumaça negra. Se você tem uma doença ou algum outro problema, enfoque primeiro todos os inúmeros outros seres com o mesmo problema, depois pense em todos os outros problemas experienciados pelos seres vivos, bem como suas causas. Enquanto inspira a fumaça negra lentamente, acolha todo esse sofrimento e suas causas. Como se arrancasse um espinho da carne deles, você imediatamente liberta todos os inúmeros seres vivos de todo sofrimento.

A seguir, tome todos os obscurecimentos sutis dos arhats e bodhisattvas mais elevados. Não há nada a tomar dos gurus e Buddhas, tudo que você pode fazer é dar-lhes oferendas.

A fumaça negra entra por suas narinas e absorve o pensamento de egocentrismo em seu coração, destruindo-o por completo. Seu egocentrismo, criador de todos seus problemas, torna-se inexistente. Como se mirasse um míssil direto no alvo, mire direto no pensamento de egocentrismo, o alvo dessa meditação.

O egocentrismo é baseado na ignorância que se agarra ao conceito de um eu verdadeiramente existente. Embora não exista um eu verdadeiramente existente, zelamos por esse falso eu e o consideramos o mais precioso e mais importante de todos os seres.

Ao mesmo tempo em que seu egocentrismo torna-se completamente inexistente, o falso eu que a ignorância considera existir também se torna completamente vazio, como ele na realidade o é. Medite tanto quanto possível sobre essa vacuidade, a natureza última do eu. Meditar sobre a vacuidade dessa maneira traz uma poderosa purificação, purificando a causa real das doenças, que é a melhor forma de curá-las.

Para fazer a meditação de forma mais elaborada, você pode receber dos outros todos os ambientes indesejáveis que experienciam. Inspire por suas narinas, na forma de fumaça negra, todos os locais indesejáveis que os seres experienciam. Por exemplo, imagine estar inspirando o solo vermelho e ardente dos infernos quentes, o gelo dos infernos gelados, os ambientes inóspitos dos fantasmas famintos e animais, e os locais sujos dos seres humanos. A fumaça negra entra por suas narinas e desce para o coração, onde absorve o pensamento de egocentrismo e o destrói por completo. Seu egocentrismo torna-se inexistente. Até mesmo o objeto que seu egocentrismo entesoura, o eu real que parece existir por conta própria, torna-se completamente vazio.

Como os seres vivos são inumeráveis, tomar dos outros o sofrimento e as causas de seu sofrimento acumula mérito infinito. Cada vez que recebemos para nós o sofrimento dos outros seres, reunimos céus de mérito, céus de bom Karma. Isso também ocasiona incrível purificação, purificando não só a causa de doenças, mas de todos nossos problemas. Pode purificar também todos os obstáculos para o desenvolvimento de nossa mente. Meditar sobre a vacuidade também é uma forma poderosa de acumular mérito e purificar obscurecimentos. Executando a meditação de acolher dessa maneira, combinamos a prática de bodhichitta convencional, o pensamento altruístico de alcançar a iluminação, com a prática de bodhichitta absoluta, a percepção direta da vacuidade. Embora possamos não ter a sabedoria da bodhichitta absoluta, nossa prática de bodhichitta de receber e dar é integrada à meditação sobre vacuidade.

Dar

A seguir, geramos bondade amorosa pensando que, embora queiram ser felizes, os seres vivos carecem de felicidade porque ignoram suas causas ou têm preguiça para criá-las. E, mesmo que alcancem certa felicidade temporária, ainda carecem da felicidade última da iluminação plena. Pense: "Como seria maravilhoso se todos os seres vivos tivessem felicidade e as causas da felicidade". Então gere grande bondade amorosa pensando: "Eu mesmo vou trazer a felicidade e suas causas para eles".

Visualize seu corpo como uma joia que realiza desejos, que pode atender todos os desejos dos seres vivos. Então, dê tudo que você possui para cada ser vivo. Dê todo seu bom Karma dos três tempos e toda felicidade que daí resulta, até a iluminação, seus bens, sua família e amigos, e seu corpo, visualizado como uma joia que realiza desejos. Também faça oferendas a todos os seres iluminados.

Cada vez que damos nosso corpo para todos os seres vivos, reunimos céus de mérito, céus de bom Karma, a causa de toda felicidade, inclusive da felicidade inigualável da iluminação. Ao dar todo nosso bom Karma a todos os seres vivos, também reunimos céus de mérito, do mesmo modo que quando damos toda nossa felicidade, resultado desse mérito, para os outros. É uma meditação incrivelmente poderosa.

Os seres vivos recebem tudo que querem, inclusive todas as realizações do caminho para a iluminação. Aqueles que querem um amigo, acham um amigo; aqueles que querem um guru, encontram um guru perfeito; aqueles que querem um trabalho, acham um trabalho; aqueles que querem um médico, acham um médico qualificado; aqueles que querem medicamento, encontram medicamento. Para aqueles com doença incurável, você torna-se o medicamento que os cura.

Visto que o principal problema humano é a dificuldade para encontrar meios de subsistência, imagine que cada ser humano é banhado por milhões de dólares provenientes de seu corpo, que é uma joia que realiza desejos. Você também pode pensar que o ambiente torna-se uma terra pura – a terra pura de Amitabha ou do Buddha da Compaixão, por exemplo. Você concede a todos seres humanos tudo que eles querem, inclusive uma terra pura com desfrutes perfeitos. Todos esses desfrutes fazem apenas que eles gerem o caminho para a iluminação dentro de suas mentes, e se tornem todos iluminados.

Ao visualizar essa prática extensiva de caridade, você, incidentalmente, cria a causa de sua riqueza e sucesso pessoais nesta vida e em vidas futuras. Você encontrará trabalho facilmente e jamais será pobre. Somado a esses benefícios temporários, você receberá o benefício último da iluminação. Ser generoso com os outros cria a causa de seu sucesso pessoal e, com o qual, você pode, então, beneficiar ainda mais os outros.

De modo semelhante, dê aos deuses mundanos, os *asuras* e *suras*, tudo de que precisam, como armaduras protetoras. Eles então também se tornarão iluminados.

Quando você faz a prática de dar a todos os seres dos infernos, pode transformar o ambiente deles por completo em uma terra pura de beatitude, com gozos perfeitos e absolutamente nenhum sofrimento. Visualize os infernos como reinos puros, tão belos quanto possível. Todas as casas de ferro dos seres infernais, que são como fogo, tornam-se palácios e mandalas de joias. Todos os seres infernais recebem tudo que querem e então tornam-se iluminados.

Faça o mesmo pelos fantasmas famintos. Transforme o ambiente deles em um reino puro e dê-lhes milhares de alimentos diferentes, todos com sabor de néctar. Os fantasmas famintos recebem tudo de que precisam, mas o ponto definitivo é que se tornam todos iluminados.

Visto que os animais precisam, principalmente, de proteção, manifeste-se como Vajrapani ou outra divindade irada para protegê-los de serem atacados por outros animais. Eles recebem tudo que querem, e tudo que recebem torna-se causa para efetuarem o caminho e se tornarem iluminados.

Dê também aos arhats e bodhisattvas. Dê-lhes quaisquer realizações de que necessitem para completar o caminho para a iluminação.

Depois que todos tiverem se tornado iluminados dessa maneira, rejubile-se pensando: "Como é maravilhoso eu ter iluminado cada um dos seres vivos".

Integrando o receber e dar em nossa vida

Faça a meditação de receber e dar algumas vezes pela manhã e novamente à noite, e lembre-se dela durante o restante do dia, especialmente quando pensar em seus problemas. Ficar simplesmente ruminando: "Eu tenho Aids", ou: "Eu tenho câncer", deixará você mais deprimido e ansioso, e, então, enfraquecerá seu corpo. Entretanto, você será capaz de transformar seu problema em felicidade se conseguir usar o pensamento acerca da Aids ou do câncer para desenvolver bondade amorosa e compaixão por meio da meditação de receber e dar.

Em vez de ficar obcecado por seu problema e se deprimir, e assim criar mais problemas, lembre-se da prática de receber e dar. Pense imediatamente: "Rezei para assumir os problemas dos outros, e agora os recebi. Vou experienciar esse problema em favor de todos os seres vivos". Você fez a visualização e, agora, recebeu o que solicitou. Em vez de ficar insistindo no problema e simplesmente aguentá-lo, lembre-se, imediatamente, de que você está experienciando-o em nome dos outros.

Pense que você está experienciando o sofrimento de todos os seres vivos, que sua enfermidade é a enfermidade de todos os seres vivos. Em vez de pensar que você tem um problema, experiencie o problema pelos outros. Visto que você tem de experienciar a enfermidade, pode muito bem usá-la para desenvolver o bom coração definitivo de bodhichitta. Como se faz isso? Você precisa estar ciente de todas as enfermidades e de todos os outros sofrimentos experienciados pelos outros seres vivos. Você, então, experiencia sua enfermidade em favor de todas as outras pessoas com a mesma doença, em favor de todas as pessoas com doenças de qualquer tipo, e em favor de todos os inumeráveis outros seres vivos com problemas. Pense que sua enfermidade representa todas as doenças e todos os outros problemas de todos os seres vivos, e que você está experienciando sua enfermidade de modo que os outros possam ficar livres de todo sofrimento e de suas causas, e desfrutar da felicidade inigualável da iluminação plena. No passado, você rezou para ser capaz de experienciar os problemas dos outros e para que eles experienciassem sua felicidade. Agora suas preces foram atendidas.

Se você tem uma dor de cabeça, mesmo que tome remédio para ela, deve fazer a experiência de dor de cabeça valer a pena pensando: "Estou experienciando essa dor de cabeça em nome de todos os seres vivos. Estou experienciando-a em nome dos inumeráveis outros seres que criaram a causa para experienciar uma dor de cabeça agora ou no futuro. Possa todo seu sofrimento ser pacificado. Possam eles ter a felicidade que vem da ausência desse problema, e possam eles em especial ter a felicidade última".

Relacione-se do mesmo modo com qualquer doença que tenha, até mesmo Aids ou câncer. Quando vem o pensamento: "Tenho Aids", ou: "Tenho câncer", antes que a ansiedade, o medo ou qualquer outra emoção negativa tenha chance de surgir, pense imediatamente: "Estou experienciando esse problema em nome de todos os seres vivos". E então tente manter essa noção. Se permitir que sua mente fique aborrecida e deprimida, você não será capaz de fazer nenhuma prática espiritual. Além disso, quando a mente estiver deprimida, você não vai querer se comunicar com os outros, nem ajudá-los. Não haverá espaço para ajudar os outros.

Use sua experiência no caminho para a iluminação. Se você a dedica aos outros, sua experiência se torna o caminho para libertar os outros dos problemas e lhes trazer felicidade, especialmente a felicidade última.

Você pode acumular mérito infinito cada vez que se dedica aos outros, experienciando seu problema em nome de todos os seres vivos. Cada vez que usa sua doença para desenvolver bodhichitta, você acumula mérito infinito, e cada vez que experiencia sua doença em nome dos outros seres vivos, você realiza uma grande purificação. Sentir forte e sinceramente que está experienciando sua doença pelos outros purifica obscurecimentos inimagináveis. Um minuto de prática de bodhichitta pura, experienciando sua doença ou qualquer outro problema para o bem dos outros seres vivos, pode ocasionar uma purificação mais poderosa do que recitar cem mil mantras de Vajrasattva com pensamento de egocentrismo.

Como os seres para quem você está experienciando os sofrimentos são inumeráveis, você acumula mérito infinito e purifica não só a causa da doença, mas a de todos os outros problemas. Cada vez que pensa assim, você chega mais perto da felicidade superior da iluminação plena. Dessa forma, ter um problema como Aids ou câncer pode ser um caminho rápido para a iluminação, como o tantra.

O objetivo de meditar sobre receber e dar pela manhã é desenvolver a capacidade de ser realmente capaz de trocar o eu pelos outros durante o restante do dia. Mesmo que não possa meditar o dia inteiro, mantenha a essência da meditação em mente. Quer seu problema envolva sua saúde, seus relacionamentos, ou seu trabalho, se é algo que você tem de aguentar, pode muito bem fazer que valha a pena. Tome todos os problemas dos inúmeros outros seres vivos – especialmente o mesmo problema que você tem – e as causas de seus problemas, o Karma e os pensamentos perturbadores. Tome todos os problemas e todas as causas de problemas em seu coração e use-os para destruir seu egocentrismo.

Quando lhe pedirem para fazer uma tarefa difícil, aceite em vez de empurrar o problema para outra pessoa. Se alguém está carregando um fardo pesado, carregue-o para a pessoa, contanto que você tenha força. Se seu patrão acusa-o erroneamente de ter cometido um equívoco, em vez de permitir que alguém sofra provando que a falta não foi sua, aceite a acusação e permita que a outra pessoa escape impune. Se há um trabalho duro a ser feito, pegue-o para você e permita às outras pessoas a felicidade e conforto de não ter de fazer o trabalho.

Se você tiver a escolha entre vitória e derrota, dê a vitória aos outros e assuma a derrota. Na realidade, ao trocar o eu pelos outros, você é aquele que ganha, porque isso torna-se um caminho rápido para a iluminação. Quanto mais você se sacrificar pelos outros e experienciar sofrimento em nome deles, mais rapidamente atingirá a iluminação. Assim como a prática tântrica, a prática de bodhichitta de receber e dar é um atalho para a iluminação plena.

Praticando receber e dar, você transforma seu problema em felicidade e tem felicidade em seu coração constantemente. Enquanto o problema está acontecendo, você ainda é capaz de manter a mente em um estado de paz e felicidade. Os pensamentos negativos não surgirão, e você não se envolverá em Karma negativo, que prejudica não só você mesmo, mas os outros. O pensamento de bodhichitta é uma proteção incrível.

Além disso, quando você é capaz de manter a mente em estado de felicidade constante, sente-se muito livre e alegre, e tem então mais espaço para se comunicar com os outros e ajudá-los. Com sua mente nesse estado de abertura e alegria, você não tem choques de personalidade com outras pessoas. Você também tem inspiração e energia para a prática espiritual.

Em vez de ver seu problema como algo de que não precisa, veja-o como necessário, porque, se não tivesse o problema, não teria a chance de usá-lo para purificar seus obscurecimentos e acumular mérito extensivo. Seu problema só o apoia, ajudando a purificar a causa do sofrimento e a atingir a iluminação. Cada vez que se dedica a todos os seres sencientes, você chega mais perto da felicidade, da felicidade inigualável da iluminação plena.

Integrando o receber e dar com nossa morte

Podemos usar a meditação de receber e dar até mesmo na hora de nossa morte. O momento anterior à morte é crucial, e se conseguimos usar essa meditação para transformar nossa mente em bodhichitta naquela hora, é melhor do que ganhar um milhão de dólares na loteria. Em vez de rejeitar a morte como algo a se temer, podemos usá-la para desenvolver a mente no caminho para a iluminação. Se não conseguimos praticar essa meditação na hora de nossa morte, perdemos uma incrível oportunidade de beneficiar a nós mesmos e a outros seres vivos.

Mesmo quando estamos morrendo, devemos tentar tornar nossa morte benéfica a todos os outros seres vivos. Na hora da morte, devemos pensar: "No passado, rezei para tomar para mim o sofrimento da morte dos outros seres vivos; agora estou experienciando minha morte em nome de todos os outros seres vivos que estão morrendo nesse momento e que terão de morrer no futuro. Como seria maravilhoso para todos eles ficarem livres do sofrimento da morte, e que apenas eu o experienciasse. Que eles tenham essa felicidade última".

Morrer com o pensamento altruístico de que estamos experienciando nossa morte em nome de todos os seres vivos é a melhor *powa*, o melhor jeito de transferir nossa consciência para uma terra pura do Buddha. Tal terra pura não tem o sofrimento de nascimento, velhice, doença ou morte. Embora não tenhamos essa expectativa, nosso desejo de experienciar o sofrimento dos outros torna-se a melhor powa, permitindo-nos atingir a iluminação rapidamente.

Gueshe Tchekawa, da tradição Kadampa, orava todos os dias para nascer no inferno em lugar dos seres vivos que já estavam lá e daqueles que teriam de nascer lá no futuro. No dia em que Gueshe Tchekawa estava morrendo em seu eremitério, embora ainda estivesse orando para isso, ele teve a visão de um reino puro em vez de um reino infernal. Gueshe Tchekawa disse então ao discípulo que o atendia que suas preces haviam falhado.

Até atingirmos controle completo sobre nossa morte e renascimento, a meditação de receber e dar nos permite usar a morte como um caminho para a iluminação. Ela pode nos ajudar a reencarnar na melhor condição para continuarmos o desenvolvimento de nossa mente no caminho – por exemplo, em uma família com todas as condições necessárias à nossa prática espiritual. Podemos então seguir de felicidade em felicidade, até a felicidade inigualável da iluminação plena.

A meditação de receber e dar pode nos ajudar a nascer em uma terra pura, onde podemos receber ensinamentos diretamente do Buddha daquela terra pura, e assim completar o caminho para a iluminação. Podemos então nos manifestar em bilhões de formas e revelar os vários métodos adequados ao nível da mente dos seres vivos, e guiá-los para a felicidade mais elevada da iluminação plena. Enquanto o espaço existir, ou pelo tempo que for necessário para se levar cada um dos seres vivos à iluminação, iremos trabalhar, constantemente, e sem esforço para os outros seres vivos.

Parte Dois

Práticas da cura

15. Meditações curativas simples

Embora o aspecto psicológico, a transformação da mente, seja muito mais importante na cura, a visualização de Buddhas, stupas e outros objetos sagrados poderosos têm o poder de curar. Apenas ver um objeto sagrado tem muito poder para beneficiar a mente e traz grande purificação. É, por isso, que recomendo o uso de uma stupa ou Buddha como objeto de meditação na meditação curativa da luz branca.

Nos ensinamentos dos Sutras, o Guru Buddha Shakyamuni explica que mesmo olhar com raiva para uma imagem do Buddha faz que a pessoa, eventualmente, encontre dez milhões de Buddhas. Isso se dá, principalmente, por meio do poder da mente sagrada de um Buddha. A figura de um Buddha simboliza um ser sagrado com uma mente pura, completamente livre de obscurecimentos grosseiros e até mesmo sutis, e que possui compaixão infinita por todos os seres vivos. O único pensamento na mente de um ser como esse é beneficiar todos os seres vivos. Tal mente sagrada tem poder curativo porque sua sabedoria onisciente está ligada à compaixão infinita. Devido ao poder do objeto, olhar para um desenho de um Buddha, mesmo com raiva ou motivação impura, purifica muitos obscurecimentos, e a purificação do obscurecimento permite à pessoa por fim ver muitos Buddhas.

Os obscurecimentos turvam nossa mente assim como as nuvens obscurecem o sol temporariamente. Do mesmo modo que as nuvens, nossos obscurecimentos são temporários, podem ser purificados. As nuvens tornam-se cada vez mais tênues à medida que se desfazem, revelando o sol radiante em um límpido céu azul. De modo semelhante, nossos obscurecimentos tornam-se cada vez mais tênues, revelando-nos mais e mais fenômenos. Embora não sejam realmente fenômenos novos, são novos para nós, visto que antes não podíamos vê-los devido a nossos obscurecimentos. Somos, então, capazes de ver seres plenamente iluminados em sua forma pura, ouvir ensinamentos e receber orientações diretas deles, conforme descrito nas histórias sobre as vidas de praticantes avançados.

Se você não pode aceitar a visualização de um Buddha devido à fé em sua própria religião, pode, em vez disso, visualizar Jesus Cristo ou seu objeto específico de fé. Fé religiosa é como um supermercado com ampla variedade de alimentos. Você pode comprar qualquer alimento de que goste.

O ponto principal é que, ao visualizar seu objeto de fé – Jesus Cristo, por exemplo –, você deve acreditar que Jesus tem as qualidades de um ser iluminado:

mente onisciente, compaixão por todos os seres vivos e o poder de trabalhar com perfeição para todos os seres. Embora rotule a figura de "Jesus Cristo" em vez de "Buddha", você deve imaginar que Jesus tem as mesmas qualidades de Buddha. Você, então, está tomando refúgio em um objeto inequívoco. Visto que meditar sobre qualquer objeto com essas qualidades é o mesmo que meditar sobre Buddha, você recebe as bênçãos de um ser iluminado quando faz as visualizações de purificação. Isso é muito mais significativo do que olhar seu objeto de fé como um ser ordinário. Nesse caso, sua meditação será igual a vizualizar luz ou néctar vindo de uma vaca ou de uma árvore.

Mesmo que você não aceite religião alguma, ainda pode fazer as meditações curativas de luz branca, compaixão e receber e dar. Na meditação curativa da luz branca, é usada uma stupa como objeto de meditação porque a stupa em si tem poder curativo. A forma da stupa é significativa. Desde a base até o topo, ela retrata todo o caminho para a iluminação. Contém a base (as duas verdades, relativa e absoluta), o caminho (método e sabedoria) e o resultado (obtenção do corpo sagrado completamente puro e da mente sagrada de um Buddha).

Entretanto, se preferir, você pode visualizar o poder de cura universal vindo na forma de luz branca de todas as dez direções para curá-lo de sua doença e de suas causas, as marcas negativas em sua mente. Simplesmente concentre-se no poder de cura universal iluminando seu corpo e purificando você. Seu corpo é transformado na natureza da luz, e sua mente torna-se completamente pura. Se você tem câncer, também pode visualizar a luz atingindo o ponto onde o câncer está localizado e curando-o imediatamente.

De modo alternativo, você pode visualizar a luz curativa vindo de um cristal. Inicialmente, visualize que o poder universal de cura na forma de luz branca impregna o cristal. Depois a luz branca irradia-se do cristal para curar sua doença por completo.

1. Meditação curativa da luz branca

Durante a meditação curativa da luz branca,[16] quatro coisas são purificadas: doença, dano por espíritos, ações negativas e marcas das ações negativas. Dano por espíritos é uma condição para doença, mas não a causa principal. A causa principal de doenças – e de todos os outros problemas que experienciamos – são as marcas negativas deixadas em nosso *continuum* mental pelos pensamentos e ações negativos. Essas marcas negativas materializam-se então como problemas. As marcas são deixadas na mente de modo semelhante às imagens deixadas no negativo de um filme. As cenas de um filme são registradas como marcas no negativo do filme, o filme é colocado no projetor, a eletricidade é ligada e as cenas do filme são projetadas na tela. A felicidade e os problemas de nossa vida vêm de nossa própria mente de modo semelhante. A felicidade provém de nossos pensamentos positivos, e os problemas decorrem de nossos pensamentos negativos. Todos os nossos pensamentos e ações positivos e negativos provêm basicamente de marcas deixadas em nosso *continuum* mental, ou consciência.

Existem seis consciências: consciência do olho, do ouvido, do nariz, da língua e do corpo, mais a consciência mental. Essa sexta consciência, a consciência mental, é a que vai de vida para vida, que reencarna. As cinco consciências dos sentidos cessam na hora da morte, mas a sexta consciência continua, carregando todas as marcas deixadas por nossos pensamentos e ações passados. A consciência mental carrega todas as marcas de ontem para hoje, do ano passado para o atual, de nossa infância até agora, e de outras vidas até esta vida. Devido à consciência mental, conseguimos lembrar agora das coisas que fizemos nessa manhã, ontem, no ano passado ou quando éramos crianças.

Pensamentos e ações negativos e as marcas que deixam em nosso *continuum* mental são causa não só de doença, mas de todos os problemas em nossa vida. Portanto, para nos purificarmos da causa de doença, temos de purificar nossa mente desses três fatores. Mas não devemos pensar em nos purificarmos apenas de doença, porque esta é somente um dos milhares de problemas no samsara. Samsara refere-se a nossos agregados, nossa atual associação de corpo e de mente. Também é conhecido como existência cíclica, porque nossos agregados giram de uma vida para outra.

Como lavouras a crescer no campo, muitos problemas decorrem de nossa atual associação de corpo e de mente: renascimento, doença, velhice, morte, separação dos objetos desejáveis, encontro com objetos indesejáveis, não achar satisfação mesmo depois de achar objetos desejáveis. Por que nossa atual associação de corpo e de mente produz tantos problemas? Porque provêm de causas impuras, do Karma e da ignorância a respeito da natureza última do eu e dos outros fenômenos. Porque sua causa é impura, a atual associação de corpo e de mente é sofrimento por natureza e produz muitos problemas, um dos quais é doença. Aqui estamos concentrados particularmente em nos purificarmos da causa de doença, mas ao mesmo tempo estamos purificando a causa de todos os muitos outros problemas em nossa vida.

Motivação

Antes da meditação, gere primeiro uma motivação positiva. Pergunte a si mesmo: Qual o propósito de minha vida? O propósito de minha vida não é apenas resolver meus próprios problemas e encontrar felicidade apenas para mim mesmo. O propósito de minha vida é libertar todos que estão sofrendo por quaisquer problemas e suas causas e, portanto, lhes trazer felicidade, em especial a felicidade última e duradoura da iluminação plena. *Esse* é o propósito de minha vida. *Esse* é o sentido de eu estar vivo.

O propósito de minha vida é tão vasto quanto o espaço é infinito. É minha responsabilidade libertar todo mundo de todos os problemas e suas causas e trazer felicidade temporária e, especialmente, última para todos.

Para oferecer esse extenso serviço a todos os outros seres vivos, preciso desenvolver sabedoria e compaixão por todos os seres. Portanto, preciso ser saudável e ter uma vida longa. É por esse motivo que farei a meditação curativa da luz branca.

Meditação

Relaxe em qualquer posição em que se sinta confortável fisicamente. Se precisar, pode até se deitar. O mais importante não é a postura física, mas que sua mente esteja meditando.

Primeiro inspire lentamente, depois expire lentamente. Ao expirar, visualize que toda sua doença presente e futura e todas as causas de problemas – suas ações e pensamentos negativos e as marcas deles em sua mente – saem por suas narinas na forma de fumaça negra, como se da chaminé de uma fábrica. Toda sua doença, dano por espíritos, pensamentos e ações negativos e as marcas deles saem na forma de fumaça negra, que desaparece por completo muito longe dessa terra. Sinta que você tornou-se totalmente saudável, tanto física quanto mentalmente.

Ao inspirar, visualize luz vindo como raios de sol de uma stupa,[17] que simboliza a mente pura e sagrada de um Buddha. Pense que a mente onisciente de um ser plenamente iluminado tomou a forma da stupa.

A forte luz branca emitida pela stupa vai direto para seu coração e ilumina seu corpo por completo. Pense que toda doença, dano por espíritos, pensamentos e ações negativos e suas marcas são purificados instantaneamente. Em especial, pense que qualquer doença que você tenha se foi. Todo seu corpo fica da natureza da luz branca. Você não tem absolutamente nenhum sofrimento. Sinta muita alegria. Do topo da cabeça à ponta dos pés, todo seu corpo é preenchido de beatitude.

Pense também que sua vida foi prolongada e que sua energia positiva, causa de felicidade e sucesso, aumentou. Sabedoria, compaixão, o entendimento e as realizações do caminho para a iluminação estão, plenamente, desenvolvidos dentro de você.

Faça novamente a meditação para se purificar e a seguir receber a luz da stupa. Expire e se purifique, inspire, receba a luz branca curativa e se liberte de todos os problemas e de suas causas. Seu corpo fica preenchido por luz e beatitude. Repita essa meditação várias vezes.

Dedicação

Agora dedique, sinceramente, à felicidade de todos os seres vivos a energia positiva que você criou ao fazer essa meditação:

Devido às ações e às marcas positivas que criei agora, àquelas que criei no passado e também àquelas que criarei no futuro, possa eu desenvolver o bom coração definitivo de bodhichitta e alcançar a felicidade inigualável da iluminação plena. Possa eu então conduzir cada ser vivo à paz mental completa da iluminação plena.

Devido a todo mérito criado por gerar uma motivação positiva e por fazer a ação positiva de meditar, possa qualquer ser vivo apenas por me ver, ouvir, tocar, lembrar ou por falar ou lembrar de mim ser libertado de todos os obstáculos à felicidade: doença, dano por espíritos, ações negativas e obscurecimentos, e rapidamente alcançar a felicidade superior da iluminação plena.

2. Uma meditação sobre compaixão

Visto que meditar sobre compaixão é a prática mais importante para a cura, esteja ciente dessa meditação em sua vida cotidiana.[18] Quando vir outras pessoas e mesmo animais, lembre-se que o propósito de sua vida é libertar todos eles do sofrimento e lhes trazer felicidade. Ao ver os membros de sua família ou mesmo estranhos na rua, pense: "Estou aqui para trazer felicidade a eles". Tente sentir essa grande compaixão.

É excelente praticar dessa maneira na vida cotidiana, pois vai lhe trazer felicidade e satisfação e dar sentido à sua vida. Com essa atitude você vai desfrutar da vida.

Meditação

Todos os bodhisattvas têm grande compaixão, e seu propósito em vir para esse mundo é salvar outros seres do sofrimento e lhes trazer felicidade. Visualize toda a compaixão dos bodhisattvas entrando em seu corpo na forma de luz branca.

Mesmo que não tenha fé na existência dos bodhisattvas, você sabe que algumas pessoas têm mais compaixão que outras. Algumas pessoas têm pouca compaixão, algumas têm uma quantidade média, e outras têm muita. Todo mundo tem compaixão por pelo menos uma pessoa.

Seres iluminados têm compaixão universal, compaixão por todos os seres vivos. Imagine-se atraindo toda essa compaixão para dentro de sua mente, que fica preenchida de compaixão universal. Sinta compaixão pelos seres vivos, desejando que todos fiquem livres do sofrimento e de suas causas, que estão em suas mentes. Estenda essa compaixão a cada ser humano – todas as pessoas nas ruas, lojas, casas, restaurantes, escritórios – e a cada animal, incluindo os insetos.

Agora medite sobre a grande compaixão pensando: "Vou tomar para mim a responsabilidade de libertar cada ser vivo do sofrimento e trazer felicidade a ele". Compaixão torna-se grande compaixão quando você assume essa responsabilidade.

Dedicação

Devido a todas as minhas ações positivas passadas, presentes e futuras, e àquelas feitas por outros, possa a compaixão – fonte de toda cura e felicidade – ser gerada em minha mente e nas mentes de todos os seres vivos, em especial daqueles que estão experienciando câncer, Aids e outras doenças. Visto que falta de compaixão e de sabedoria faz da doença um problema para a mente, possam a compaixão e a sabedoria ser geradas, e possam todas as doenças ser imediatamente curadas.

3. Meditação sobre receber e dar

Recite as preces preliminares usuais.[19] A seguir recite o seguinte verso com total sinceridade e um profundo desejo de realmente fazê-lo. (Você pode recitar em tibetano ou português, contanto que entenda e sinta o que está fazendo.)

DE-NA DJE-TSÜN LA-MA TUG-DJE-CHAN
MA-GYUR DRO WÄ DIG-DRIB DUG-NGÄL-KÜN
MA-LÜ DA-TA DAG-LA MIN-PA-DANG
DAG-GI DE-GE ZHÄN-LA TANG-WA-YI
DRO-KÜN DE-DANG DÄN-PAR JIN GYI LOB

Possam as sementes de não virtude, obscurecimentos e sofrimento
De todos os seres sencientes maternos amadurecer em mim agora,
E, ao doar toda minha felicidade e virtudes,
Por favor abençoe-me para dar alegria a todos os seres sencientes.[20]

Imagine seu vírus (doença) e sua preocupação consigo mesmo e egoísmo como uma bola escura em seu coração.

Agora imagine todos os seres dos seis reinos ao seu redor em forma humana, especialmente aqueles com doença semelhante à sua. Pense no sofrimento deles – o sofrimento daqueles que ou estão doentes como você ou potencialmente doentes, e no sofrimento dos outros reinos da existência.

Agora imagine tirar todo o sofrimento dos seres na forma de um fluxo negro de luz que sai da narina direita deles e entra pela sua narina esquerda. Ele vai direto para a bola negra em seu coração e a destrói por completo.

Imagine que você libertou completamente todos aqueles seres do sofrimento. Reze para que seu sofrimento possa substituir o deles, e depois imagine que a bola negra, que é seu vírus (doença) e seu egoísmo, foi completamente destruída.

A seguir imagine dar sua felicidade, corpo, bens e energia positiva para eles. Eles o deixam na forma de um fluxo de luz branca a partir da narina direita. A luz branca entra pela narina esquerda dos seres, preenchendo-os de felicidade.

Essa é a prática de meditação que acompanha a prece. É uma prática muito elevada e, quando feita com sinceridade, pode ter efeito notável sobre a pessoa que a faz.

16. Buddha da Medicina

Meditação da divindade

A melhor divindade de cura para uma pessoa em particular é determinada pelo Karma individual e deve ser verificada junto a um Lama qualificado. A pessoa deve então receber a iniciação ou permissão para praticar aquela divindade, o que também inclui uma transmissão oral do mantra da divindade. Como a transmissão oral do mantra descende de uma linhagem ininterrupta, carrega as bênçãos da divindade e de toda a linhagem de Lamas altamente qualificados até o guru de quem a linhagem é recebida. O propósito de se receber a linhagem da bênção é dar mais poder à meditação da divindade e à recitação do mantra da divindade.

Quando fazemos a meditação da divindade e a recitação do mantra, o poder de cura principal vem de nossa motivação de bondade amorosa, de compaixão e de bodhichitta. A motivação é o fator importante; a recitação de mantras e outras práticas são secundárias. Claro que os fatores adicionais de visualizar objetos sagrados e recitar mantras aumentam o poder de cura da prática. Meu conselho às pessoas que se recuperaram de uma doença grave foi não só fazer práticas de meditação e recitação de mantras, mas também gerar uma motivação positiva, altruística. Entretanto, parece que algumas pessoas recuperaram-se de câncer apenas visualizando luz branca e tendo uma firme fé de que aquilo estava curando-as.

Às vezes, as pessoas recuperam-se fazendo práticas de meditação por si mesmas e, às vezes, tendo alguém que faça as práticas para elas. É melhor que o doente faça a meditação. A cura demora mais quando outra pessoa faz a meditação, mas não deixa de ser ajudada. Uma aluna italiana que recebeu a iniciação de Kalachakra trabalhava na ala de câncer de um hospital. Uma de suas pacientes tinha câncer de mama, e, quando sentava-se com ela, a aluna visualizava-se com o aspecto de Kalachakra e mandava luz curativa para o seio da mulher. Depois de fazer isso por cerca de três meses, o câncer dela ficou reduzido à metade do tamanho original.

Podemos fazer meditações de cura para pessoas que não podem fazer por si mesmas – crianças e idosos, por exemplo, muitas vezes não conseguem concentrar-se ou acham difícil entender ou aceitar a visualização e a recitação de mantras. Podemos ajudar essas pessoas fazendo a meditação por elas ou abençoando a água com mantras do Buddha da Medicina, Tchenrezig, Tara ou outro Buddha (ver Capítulo 21).

Para curar os outros devemos usar a prática de uma divindade com quem tenhamos forte conexão kármica, porque nosso relacionamento íntimo com a divindade ocasiona sucesso mais rápido. Mas o poder de cura provém mais de nossa fé do que da clara visualização da divindade ou de recitar o mantra corretamente. O ponto mais importante é sentir que a divindade de cura possui uma mente onisciente, compaixão infinita por você e por todos os outros seres vivos, e poder perfeito para guiá-lo. Essa é a essência da prática. Visualizar o aspecto corretamente não faz muita diferença, mas você não deve perder a essência da prática.

Gerar uma forte fé acreditando que você foi completamente purificado de sua doença e das causas dela é extremamente importante porque essa mente de fé é a verdadeira mente de cura. Sabedoria e compaixão são importantes em outras práticas, mas nas práticas envolvendo meditação sobre uma divindade ou sobre a recitação de mantras, a cura tem muito a ver com a geração de uma forte fé de que você foi purificado. Essa mente de fé é o curador real.

Antes de usarmos mantras para curar os outros, devemos primeiro fazer o retiro da divindade, com a recitação de muitos mantras, visto que isso gera poder de cura. E, quanto mais recitarmos mantras como prática diária, mais poder de cura desenvolveremos.

Antes de recitar os mantras, motive-se para ser capaz de efetivar o significado do mantra da divindade de cura – que contém o caminho completo para a iluminação – em sua mente tão rápido quanto possível, para o benefício de todos os seres. Pense:

Por meio desse mantra, possa eu ser capaz de curar cada ser vivo de doença e qualquer outro problema. Possa qualquer um que ouvir esse mantra recuperar-se imediatamente da doença. Possa ser imediatamente libertado de todo sofrimento e suas causas, e ser purificado de todos os obscurecimentos. Possa imediatamente efetivar todo o caminho contido no mantra.

Dedicar dessa maneira pode criar poder de cura em nós. Nosso corpo, fala e mente terão então poder de curar os outros, libertando-os, imediatamente, não só da doença, mas de todos os problemas e de suas causas.

Uma motivação de bodhichitta pura por parte do curador é realmente o fator mais importante na cura, embora para o paciente possa parecer que seja a meditação, o mantra ou o medicamento. Se executarmos pujas ou recitarmos mantras para pessoas doentes, nossa recitação será mais poderosa se tivermos um bom coração. Embora mantras e medicamentos possam curar doenças, o maior benefício que um curador pode oferecer é a geração de um bom coração. E esse é o fator mais importante para o curador, porque assegura que suas ações de meditar e recitar mantras tornam-se Dharma puro e a causa de iluminação.

Os benefícios da prática do Buddha da Medicina

Por que apareceram as manifestações específicas dos sete Buddhas da Medicina? A mente plenamente iluminada possui a onisciência que vê todo o passado, o presente e o futuro, tem grande compaixão por todos os seres vivos e possui poder perfeito para guiar todos os seres rumo à iluminação. Como a sabedoria pura da mente onisciente está ligada à compaixão infinita pelos seres vivos, manifestando-se em vários aspectos, inclusive naqueles dos sete Buddhas da Medicina, a fim de pacificar os obstáculos experienciados pelos seres vivos e lhes trazer felicidade temporária e definitiva, especialmente a felicidade inigualável da iluminação plena.

O motivo para a prática do Buddha da Medicina ser tão poderosa para trazer sucesso, tanto temporário quanto definitivo, é que no passado, quando os Buddhas da Medicina ainda eram bodhisattvas, fizeram preces extensivas pelos seres vivos e prometeram atender todas as preces dos seres vivos dos tempos degenerados, quando os ensinamentos do Buddha Shakyamuni estivessem em declínio. Geraram uma intenção muito firme de se tornar iluminados por esse motivo; essa foi a razão de meditarem e efetivarem o caminho para a iluminação.

Estamos vivendo em uma época na qual as cinco degenerações (degenerações da mente, da duração da vida, dos seres sencientes, da época e da visão) florescem. Todas as demais degenerações vêm basicamente da primeira, a *degeneração da mente*. Ignorância, raiva, desejo e outras delusões aumentaram porque os seres vivos não desenvolveram a mente em caminhos espirituais.

Isso resultou na *degeneração da duração da vida,* com a expectativa média de vida tornando-se menor. Há poucos milhares de anos, a maioria das pessoas vivia cem anos, e antes disso por muito mais tempo. Os primeiros seres humanos viveram por muitos milhares de anos em relativa paz e felicidade. Hoje em dia, a maior parte das pessoas vive apenas sessenta ou setenta anos. A degeneração da duração da vida vem da degeneração da mente.

A degeneração da mente também levou à *degeneração dos seres sencientes,* cujas mentes tornaram-se muito teimosas e difíceis de subjugar; é muito difícil para eles praticar paciência, bondade amorosa, compaixão e assim por diante. Mesmo que recebam as explicações necessárias, ou são incapazes de praticar o Dharma, ou acham muito difícil fazê-lo. Devido às mentes perturbadas e insubjugadas, eles não conseguem entender o Dharma quando este lhes é explicado.

A *degeneração da época* é mostrada pela crescente frequência de disputas e de guerras entre nações e de desastres naturais como terremotos, seca, fome e doenças epidêmicas.

A degeneração da mente também levou à *degeneração da visão,* com poucas pessoas acreditando na verdade e mais gente acreditando em mentiras e explicações erradas. Quando as pessoas falam a verdade sinceramente, de coração, os outros acham difícil de entender ou de acreditar; mas, quando as pessoas falam mentiras, os outros acham muito fácil de acreditar. Aqui estamos falando sobre verdade convencional, não verdade última. As pessoas também sustentam visões erradas, como, por exemplo, que a virtude não é causa de felicidade, e que a não virtude não é causa de sofrimento. Elas prontamente aceitam explicações erradas sobre as causas da felicidade e do sofrimento, mas acham difícil entender ou acreditar em explicações sobre as causas inequívocas de felicidade e de sofrimento. As pessoas também acham muito difícil entender a verdade última.

Devido ao florescimento das cinco degenerações, também emergiram novos padrões de doença, e o diagnóstico das enfermidades mudou. Os médicos têm dificuldade em reconhecer as novas doenças e não sabem como tratá-las. Esses padrões são exatamente o que Guru Padmasambhava previu há mais de mil anos.

Devido à mente dos seres sencientes ter se tornado mais degenerada, tudo se tornou mais degenerado. O poder dos alimentos e medicamentos está diminuindo, e até mesmo o poder do mantra degenerou-se. É por isso que, ao fazermos a prática da divindade, geralmente temos de recitar mais mantras do que antes. Contudo, devido ao poder das promessas feitas no passado pelos Buddhas da Medicina, o mantra do Buddha da Medicina na verdade torna-se mais poderoso à medida que os tempos degeneram-se. Por esse motivo é importante recitar o mantra do Buddha da Medicina.

No passado, os Buddhas da Medicina prometeram garantir o sucesso das preces feitas pelos seres nos tempos degenerados. Cada um dos Buddhas da Medicina fez muitas preces para ser capaz de resolver os problemas dos seres sencientes, e você pode entender a extensão das preces a partir das versões longas e médias do texto do puja do Buddha da Medicina. (Ver o Apêndice.)

No *Sutra dos Raios de Lápis-Lazúli,* o Guru Buddha Shakyamuni pergunta a sua criada: "Ananda, você acredita em minha explicação sobre as qualidades do Buddha da Medicina?". Ananda responde: "Eu não duvido de seus ensinamentos, Buddha". Quando o Buddha então pergunta a Ananda seu motivo para acreditar nele, ela responde: "O Buddha possui qualidades inconcebíveis. A mente onisciente do Buddha pode ver diretamente tudo que existe, inclusive o nível da mente e o Karma de cada ser vivo. É por isso que não tenho dúvidas a respeito do que o Buddha diz". O Buddha então aconselhou: "Ananda, mesmo aqueles que escutam o nome sagrado ou o mantra desse Buddha não renascerão nos reinos inferiores". Portanto, é garantido que, se recitarmos o nome ou mantra do Buddha da Medicina todo dia, jamais renasceremos nos reinos inferiores.

Rezar para o Buddha da Medicina traz sucesso de modo poderoso e rápido, não apenas na cura, mas em outras atividades. Por isso, é importante rezar todo dia para o Buddha da Medicina, não apenas pela cura da doença, mas também pelo sucesso de nossa prática espiritual e outras atividades. Devido ao poder da compaixão do Buddha da Medicina e à sua intenção altruística de beneficiar os seres vivos, teremos sucesso se fizermos a sua meditação-recitação e se pedirmos ajuda aos Buddhas da Medicina. De sua parte, os Buddhas da Medicina fizeram muitas preces pelos seres senscientes, em especial aqueles dos tempos degenerados, e prometeram atender nossas preces. Se rezarmos para o Buddha da Medicina, seremos capazes de obter rapidamente tudo que desejarmos. O benefício último que eles podem nos trazer é a iluminação.

Beneficiando os que estão morrendo e os mortos

Os sete Buddhas da Medicina são poderosos não só em curar doenças, mas em purificar obscurecimentos kármicos tanto dos vivos quanto dos mortos. É excelente, com a motivação de bodhichitta, recitar o nome sagrado e o mantra do Buddha da Medicina no ouvido de uma pessoa ou animal que está morrendo, porque evitará o seu renascimento nos reinos inferiores. Se a pessoa que está morrendo já não consegue ouvir, você pode recitar os mantras do Buddha da Medicina e a seguir soprar sobre o corpo dela, ou sobre talco ou perfume, que então será aplicado no corpo dela.

Se a pessoa está muito próxima da morte, você pode usar a prática do Buddha da Medicina para praticar powa, ou transferência da consciência. Para fazer isso, visualize o Buddha da Medicina acima da coroa da cabeça do moribundo. Um raio em formato de tubo é emitido do coração do Buddha da Medicina e forma um canal dentro da pessoa moribunda. O canal tem o formato de um cabo de guarda-chuva, oco por dentro, mas sem abertura na extremidade, e se estende até logo abaixo do umbigo. Visualize a consciência da pessoa como um ponto de luz branca, do tamanho de uma semente de mostarda, no coração dela. Não é concreta ou pesada, mas extremamente leve.

Raios vermelhos em forma de gancho emanam do coração do Buddha da Medicina e fisgam a consciência da pessoa, que voa canal acima até o seu coração. Depois de ser absorvida no coração do Buddha da Medicina, a consciência emerge em um lótus no seu reino puro. A pessoa então recebe ensinamentos do Buddha da Medicina, bem como previsões sobre sua iluminação.

Se você tiver forte compaixão e concentração estável durante essa meditação, poderá ajudar a impedir que a pessoa renasça nos reinos inferiores.

Você também pode usar pílulas de powa na hora da morte. As pílulas que fiz em Dharamsala contêm outras pílulas de powa abençoadas por Pabongka Detchen

Nyingpo. As pílulas também foram abençoadas por Sua Santidade o Dalai Lama, que as manteve em seu quarto por vários dias, e por Kirti Tsenshab Rinpoche e outros Lamas. Além dos ingredientes essenciais, essas pílulas contêm muitas substâncias preciosas, como magnetita e relíquias abençoadas pelo próprio Guru Buddha Shakyamuni, da famosa estátua do Buddha Shakyamuni no Templo Ramoche, em Lhasa.

Quando a pessoa moribunda para de respirar, coloque a pílula de powa sobre a coroa de sua cabeça e a deixe ali por um tempo. O poder das substâncias da pílula, especialmente das relíquias dos grandes yogues, afeta a consciência da pessoa moribunda e ocasiona um bom renascimento. Quando o corpo da pessoa está prestes a ser removido, puxe o cabelo da coroa com firmeza para ajudar a consciência a sair pelo canal central da coroa. Se a consciência sai pela coroa, a pessoa geralmente renasce no reino da não forma ou em um reino puro.

A prática do Buddha da Medicina pode purificar até aqueles que já morreram, e pode liberá-los do sofrimento. É benéfico recitar o mantra do Buddha da Medicina e soprar sobre a carne que você come, e até sobre cadáveres ou ossos velhos, porque purifica os obscurecimentos kármicos e permite que o ser renasça em um reino puro ou nos reinos superiores. Se você come carne, deve fazer que isso seja benéfico para o animal que foi morto, recitando esse poderoso mantra purificante antes de comer a carne e dedicá-lo firmemente para que o animal seja transferido imediatamente dos reinos inferiores para um reino puro ou um reino mais elevado, e para que jamais nasça nos reinos inferiores outra vez.

Mesmo que o animal ou o ser humano tenha morrido há centenas ou até milhares de anos e sua consciência esteja nos reinos inferiores, recitar o mantra do Buddha da Medicina e soprar sobre os ossos pode transferir a consciência para um reino puro ou um reino superior. Após recitar os mantras do Buddha da Medicina, também podemos soprar sobre água, areia, ou talco e borrifar sobre os ossos ou pele de um animal ou de uma pessoa morta. No mínimo, isso vai encurtar a duração de seu sofrimento nos reinos inferiores.

O puja do Buddha da Medicina também é muito benéfico para aqueles que estão morrendo ou já morreram. Quando alguém está gravemente enfermo, com frequência se faz um elaborado puja do Buddha da Medicina, que contém os propósitos dedicados de cada um dos Buddhas da Medicina. Em geral, verifica-se que esse puja decide se a pessoa vai viver ou morrer. Ou ela se recupera imediatamente, ou morre dentro de um ou dois dias com uma mente pacífica, em vez de viver em dor por um longo período. Embora o puja do Buddha da Medicina seja muito eficiente em casos de doença grave, também é executado para trazer sucesso geral nos negócios, na prática espiritual ou em outras atividades.

O Buddha da Medicina usualmente também é a prática de meditação ou puja feito para alguém em coma. Claro que a recuperação é um surgimento dependente; depende de quão pesado é o Karma da pessoa. Se o Karma não é muito pesado, fazer a prática mesmo por um curto período pode ocasionar a cura. Mas, se o Karma é pesado, pode ser preciso fazer o puja do Buddha da Medicina muitas vezes – até mesmo dez, vinte, trinta ou quarenta vezes. Quando os obstáculos são grandes, a recuperação não vai ocorrer a menos que se coloque muito esforço nos pujas e nas práticas de meditação.

Gueshe Lama Köntchog contou-me que certa vez ele deu uma imagem do Buddha da Medicina para alguém em Taiwan que estava em coma, um amigo de um de seus alunos. Creio que Gueshe-la também fez o puja elaborado do Buddha da Medicina para a pessoa. A imagem do Buddha da Medicina foi colocada ao lado da cama da pessoa certa noite, e na manhã seguinte ela acordou do coma.

Abençoando medicamento

Recitando o mantra do Buddha da Medicina, também podemos aumentar o poder do medicamento que estamos tomando ou dando a outros. Coloque o medicamento em uma tigela na sua frente e visualize um disco de lua acima dele. Sobre o disco da lua está um OM azul cercado pelas sílabas do mantra do Buddha da Medicina, OM BEKANDZE BEKANDZE MAHA BEKANDZE RANDZE SAMUNGATE SOHA, em sentido horário. Enquanto recita o mantra, visualize néctar a fluir de todas as sílabas do mantra e a ser absorvido pelo medicamento. As sílabas e a lua então dissolvem-se no medicamento, que se torna muito poderoso e capaz de curar todas as doenças e dano por espíritos, bem como suas causas, o Karma negativo e as delusões. Se você está tratando alguém com câncer, imagine que o medicamento tem o poder específico de curar câncer. Quanto mais fé você tiver e mais mantras recitar, mais poder terá o medicamento.

Depois de fazer o medicamento, os médicos tibetanos usam a meditação e os mantras do Buddha da Medicina para abençoá-lo. O medicamento então fica mais eficiente porque, além do poder de todas as plantas medicinais e outras substâncias que contém, tem o poder espiritual adicional que pode ajudar a trazer purificação da mente e uma rápida recuperação.

Se você é um curador, é bom fazer um retiro do Buddha da Medicina por um ou dois meses e recitar o nome ou mantra do Buddha da Medicina todo dia. Dizem que, se você faz isso, as deusas e protetores medicinais vão ajudá-lo a fazer diagnósticos corretos das enfermidades de seus pacientes e a prescrever os tratamentos certos. Praticando esses métodos, você pode obter até clarividência. Um sinal da obtenção disso é que, antes dos pacientes chegarem a você em pessoa, eles aparecem em seus sonhos e você diagnostica suas enfermidades; no dia seguinte eles, realmente, vão vê-lo, e você pode prescrever o exato tratamento de que necessitam. Outro sinal da obtenção é que, quando se concentra no pulso de um paciente, você pode reconhecer a doença de imediato e prescrever o tratamento correto. Além disso, enquanto você examina o pulso, podem aparecer deusas no espaço ao seu redor e dizer a natureza da doença e seu tratamento.

O significado do mantra do Buddha da Medicina

Existem versões longa, média e curta do mantra do Buddha da Medicina. O mantra longo do Buddha da Medicina, mencionado no Sutra do Buddha da Medicina, encontra-se em ambas as práticas do Buddha da Medicina que se seguem, bem como o mantra curto, OM BEKANDZE BEKANDZE MAHA BEKANDZE RANDZE SAMUNGATE SOHA.

Na presença dos oito Buddhas da Medicina, Manjushri solicitou: "Conforme vocês prometeram no passado, por favor concedam um mantra especial que traga sucesso rapidamente aos seres sencientes da época degenerada, que têm pouco mérito e são subjugados por muito sofrimento, inclusive doenças e dano por espíritos. Possam esses seres sencientes ser capazes de ver todos os Buddhas e consumar todos seus desejos". Unidos em uma só voz, os oito Buddhas da Medicina conferiram então o mantra do Buddha da Medicina em resposta ao pedido de Manjushri. (Quando nos referimos aos oito Buddhas da Medicina, estamos incluindo o Guru Buddha Shakyamuni; do contrário, são sete Buddhas da Medicina.)

Se recitamos esse mantra como prática diária, todos os Buddhas e bodhisattvas prestam atenção em nós, assim como uma mãe presta atenção em seu filho querido, e sempre nos orientam. Além disso, Vajrapani, a personificação do poder de todos os Buddhas, os Quatro Guardiões e outros protetores sempre nos protegerão e guiarão. O mantra também purifica todo nosso Karma negativo e pacifica doenças e dano por espíritos rapidamente. Também traz sucesso; tudo se sucede exatamente de acordo com nossos desejos.

No mantra do Buddha da Medicina, BEKANDZE significa eliminação da dor, e MAHA BEKANDZE significa grande eliminação da dor. Uma explicação do significado do primeiro BEKANDZE é que se refere à eliminação da dor do sofrimento verdadeiro, a dor não apenas da doença, mas de todos os problemas de corpo e mente. Também elimina a dor da morte e do renascimento causados pelo Karma e pelos pensamentos perturbadores.

O segundo BEKANDZE elimina todas as causas verdadeiras de sofrimento, que não são externas, mas estão dentro da mente. Isso refere-se ao Karma e aos pensamentos perturbadores, as causas internas que permitem que fatores externos, como alimentos ou exposição à luz do sol, tornem-se condições para doenças. Os cientistas afirmam que banho de sol causa câncer de pele; entretanto, conforme já expliquei, é a causa interna que permite que fenômenos externos tornem-se condições para doenças. Sem a causa na mente, não há nada que faça fatores externos tornarem-se condições para uma doença.

A terceira frase, MAHA BEKANDZE, ou grande eliminação da dor, refere-se a eliminar até mesmo as marcas sutis deixadas na consciência por pensamentos perturbadores.

O mantra do Buddha da Medicina, na verdade, contém o remédio do caminho gradual para a iluminação no todo, desde o início até a felicidade inigualável da iluminação plena. O primeiro BEKANDZE contém o caminho gradual dos seres de capacidade inferior em geral; o segundo BEKANDZE, o caminho gradual dos seres de capacidade média em geral; e MAHA BEKANDZE, o caminho gradual dos seres de capacidade superior. Recitar o mantra deixa marcas na mente, de modo que somos capazes de efetuar o caminho contido no mantra. Estabelece a bênção de todo o caminho dentro de nosso coração; podemos então gerar todo o caminho gradual para a iluminação, conforme expresso por BEKANDZE BEKANDZE MAHA BEKANDZE.

O OM é composto por três sons separados, "AH", "O" e "MA", o que significa o corpo sagrado, a fala sagrada e a mente sagrada completamente puros do Buddha da Medicina. Efetuar o conjunto do caminho para a iluminação purifica nosso corpo, fala e mente impuros e os transforma no corpo sagrado, na fala sagrada e na mente sagrada puros do Buddha da Medicina. Podemos então nos tornar um guia perfeito para os seres vivos. Com nossa mente onisciente, somos capazes de ver sem esforço, direta e inequivocamente, o nível da mente de cada ser vivo e todos os métodos que se ajustam a eles para levá-los de felicidade em felicidade até a felicidade inigualável da iluminação plena. Também temos o poder perfeito de nos manifestarmos em várias formas para nos adequarmos a cada ser vivo e revelar os métodos necessários para guiá-los, seja dando ajuda material, educação ou ensinamentos do Dharma. Sempre que uma marca deixada por uma ação positiva do passado amadurece em um ser, podemos revelar no mesmo instante os vários meios para guiar aquele ser à iluminação.

1. Prática do Buddha da Medicina

Introdução

Quando você fizer a prática do Buddha da Medicina para uma pessoa ou animal que esteja doente ou morrendo, visualize os sete Buddhas da Medicina, um acima do outro, no alto da pessoa ou animal.[21] Visualize que o néctar emitido pelo primeiro Buddha da Medicina, bem no alto, o Célebre e Glorioso Rei dos Sinais Excelentes, purifica o ser de todo seu Karma negativo e obscurecimentos. Recite o nome do Célebre e Glorioso Rei dos Sinais Excelentes sete vezes, depois deixe que seja absorvido pelo Buddha da Medicina abaixo dele. Da mesma maneira, recite o nome de cada Buddha da Medicina sete vezes, deixando que seja absorvido pelo Buddha da Medicina abaixo dele.

No último Buddha da Medicina, recite tantos mantras quanto desejar e visualize uma forte purificação outra vez. Pense que a pessoa ou animal foi completamente purificado, que não existe absolutamente nenhum Karma negativo em seu *continuum* mental. Seu corpo se tornou tão sereno e límpido quanto um cristal.

O Buddha da Medicina, então, dissolve-se em luz, é absorvido pela pessoa ou animal e abençoa seu corpo, sua fala e sua mente para que se torne um ser vivo com o corpo sagrado, a fala sagrada e a mente sagrada do Buddha da Medicina. Sua mente é transformada na mente sagrada do Buddha da Medicina. Medite firmemente sobre essa unidade.

A seguir você pode pensar que também são emitidos raios do Buddha da Medicina para purificar todos os outros seres sencientes, especialmente aqueles doentes com câncer, Aids e outras enfermidades. Ou pode visualizar os sete Buddhas da Medicina acima da coroa da cabeça de cada ser senciente e purificá-lo da mesma forma. Enfoque, particularmente, a pessoa ou animal para quem está rezando, mas pense que também há sete Buddhas da Medicina acima da coroa da cabeça de cada um dos demais seres senscientes.

Motivação

Comece gerando uma motivação pura para fazer da prática da meditação a mais benéfica, ao torná-la a causa para que você alcance a iluminação plena. Dessa maneira, você poderá então libertar cada um dos demais seres vivos de todo sofrimento e de suas causas, e levá-los à iluminação plena.

Pense: "O propósito de minha vida é não só resolver meus próprios problemas e encontrar felicidade para mim, mas libertar cada ser vivo de todo sofrimento e suas causas, e levá-los à felicidade inigualável da iluminação plena. Por esse motivo, preciso desenvolver minha mente, desenvolver minha sabedoria e minha compaixão. Efetivando esse caminho de cura mental, liberto minha mente de todos os obscurecimentos grosseiros e sutis. Para ter êxito nisso, preciso ter uma vida longa e ficar livre de obstáculos externos, como doença, e de obstáculos internos, pensamentos e ações negativos e suas marcas em minha mente. Portanto, para beneficiar cada ser vivo e lhes trazer felicidade, vou fazer essa meditação sobre os sete Buddhas da Medicina".

Visualização

A cerca de dez centímetros acima da coroa de sua cabeça há uma flor de lótus. No centro do lótus há um disco de lua branco, e sentado em cima do disco de lua está seu guru de raiz, a essência do Dharmakaya de todos os Buddhas, na forma do Buddha da Medicina. Ele é azul, e seu corpo irradia luz azul. Sua mão direita, no mudra que concede realizações sublimes, repousa em seu joelho direito e segura o caule de uma planta *arura* entre os dedos polegar e indicador. A mão esquerda, no mudra da concentração, segura uma tigela de lápis-lazúli cheia de néctar. Sentado na posição *vajra*, ele veste os três mantos de um monge. Tem todos os sinais e qualidades de um Buddha.

Tomando refúgio e gerando bodhichitta
Busco refúgio até estar iluminado,
No Buddha, no Dharma e na Assembleia Suprema.
Pelos méritos virtuosos que reuni ao praticar a generosidade e as outras perfeições,
Possa eu rapidamente atingir o Estado de Buddha para conduzir todos os seres vivos a esse Estado iluminado. (3x)

Gerando os quatro pensamentos incomensuráveis
Como seria maravilhoso se todos os seres vivos permanecessem em equanimidade, livres de apego e ódio, sem manter alguns perto e outros distantes.
Possam eles permanecer em equanimidade.
Eu mesmo farei que permaneçam em equanimidade.
Por favor, Guru-Buddha, conceda-me bênçãos para eu ser capaz de fazer isso.

Como seria maravilhoso se todos os seres sencientes tivessem felicidade e a causa da felicidade.
Possam eles ter felicidade e sua causa.
Eu mesmo lhes trarei felicidade e sua causa.
Por favor, Guru-Buddha, conceda-me bênçãos para eu ser capaz de fazer isso.

Como seria maravilhoso se todos os seres sencientes ficassem livres do sofrimento e da causa do sofrimento.
Possam eles ficar livres do sofrimento e sua causa.
Eu mesmo vou libertá-los do sofrimento e sua causa.
Por favor, Guru-Buddha, conceda-me bênçãos para eu ser capaz de fazer isso.

Como seria maravilhoso se todos os seres sencientes jamais fossem separados da felicidade do renascimento elevado e da liberação.
Possam eles jamais estar separados dessa felicidade.
Eu mesmo farei que eles jamais sejam separados dessa felicidade.
Por favor, Guru-Buddha, conceda-me bênçãos para eu ser capaz de fazer isso. (3x)

Cultivando bodhichitta especial
Especialmente para o benefício de todos os seres sencientes mães, rapidamente, muito

rapidamente, atingirei a condição preciosa do perfeito e completo Estado de Buddha. Por esse motivo, praticarei o método da yoga do Guru-Buddha da Medicina.

Prece dos Sete Ramos
*Prostro-me ao Guru-Buddha da Medicina.
Faço nuvens de oferendas, tanto de fato quanto mentalmente transformadas.
Confesso todas as ações negativas acumuladas ao longo de tempo sem princípio.
Regozijo-me com as ações virtuosas de todos os seres sagrados e ordinários.
Por favor, Guru-Buddha da Medicina, permaneça como nosso guia,
E gire a Roda do Dharma até o samsara acabar.
Por meio dos méritos, meus e dos outros, possam as duas bodhichittas amadurecer.
E o Estado de Buddha ser recebido para o benefício de todos os seres sencientes.*

Oferenda do mandala (opcional)
*Esse solo, ungido com perfume, juncado de flores,
Adornado com o Monte Meru, quatro continentes, o sol e a lua:
Imagino-o como um campo de Buddha e o ofereço.
Possam todos os seres vivos desfrutar dessa terra pura.*
IDAM GURU RATNA MANDALAKAM NIRYATAYAMI

Preces de pedido
*Suplico a ti, Bhagawan Buddha da Medicina, cujo corpo sagrado da cor do céu de lápis-lazúli significa sabedoria onisciente e compaixão tão vasta quanto o espaço ilimitado: por favor, conceda-me suas bênçãos.
Suplico a ti, Guru-Buddha da Medicina, O Compassivo, que segura na mão direita o rei dos medicamentos, simbolizando seu voto de ajudar os lamentáveis seres migratórios afligidos pelas 424 doenças: por favor, conceda-me suas bênçãos.*

Suplico a você, Guru-Buddha da Medicina, O Compassivo, que segura na mão esquerda uma tigela de néctar, simbolizando seu voto de dar o glorioso néctar imortal do Dharma para eliminar as degenerações da doença, velhice e morte: por favor, conceda-me suas bênçãos.

*Visto que vocês, os sete Buddhas da Medicina, fizeram preces extensivas no passado e prometeram que todas essas preces seriam atendidas na época degenerada, por favor, mostrem a verdade disso diretamente para mim e para todos os outros seres sencientes.
O Guru-Buddha Shakyamuni louvou exaltadamente as práticas de fazer oferendas e pedidos a vocês, os sete Buddhas da Medicina, como sendo muito rápidas em ocasio-*

nar bênçãos. Por compaixão, por favor mostrem esse poder para mim e para todos os outros seres sencientes.

Visualização
Acima da coroa do Guru Buddha da Medicina há uma joia que realiza desejos, que em essência é o seu guru.
Acima dela, em um lótus e disco de lua, está o Buddha Rei Encantador do Conhecimento Claro, cujo corpo é vermelho. Sua mão direita está no mudra da concessão de realizações sublimes, e a mão esquerda está no mudra da concentração.
Acima dele, em um lótus e disco de lua, está o Buddha Oceano Melodioso do Dharma Proclamado, cujo corpo é amarelo e cujas mãos estão nos mesmos mudras.
Acima dele, em um lótus e disco de lua, está o Buddha Glória Suprema Livre de Pesar, cor-de-rosa e com ambas as mãos no mudra da concentração.
Acima dele, em um lótus e disco de lua, está o Buddha Excelente Ouro Puro, de cor amarelo-clara, com a mão direita no mudra da exposição do Dharma e a esquerda no mudra da concentração.
Acima dele, em um lótus e disco de lua, está o Buddha Rei do Som Melodioso, de cor amarelo-avermelhada, com as mãos nos mesmos mudras.
Acima dele, em um lótus e disco de lua, está o Buddha Célebre e Glorioso Rei dos Sinais Excelentes, de cor amarela, com as mãos nos mesmos mudras.

Pedidos aos Buddhas da Medicina
Com as mãos unidas em prostração, recite sete vezes o verso com o nome de cada Buddha da Medicina e tome, de coração, firme refúgio no Buddha para garantir o rápido sucesso de suas preces, quer esteja rezando para que alguém se recupere de uma enfermidade, ou para o sucesso de um negócio ou de um projeto no Dharma.
Se estiver fazendo a prática do Buddha da Medicina para alguém que esteja morrendo ou tenha morrido, mantenha no coração o pedido para o renascimento em uma terra pura ou reino superior.
Após a sétima repetição, enquanto recita o verso do pedido, o Buddha da Medicina é absorvido por aquele que está abaixo dele.
Ao plenamente realizado destruidor de todas as máculas, que vê a verdadeira natureza das coisas, o perfeito Buddha Célebre e Glorioso Rei dos Sinais Excelentes,[22] eu me prostro, fazendo oferendas e buscando refúgio. (7x)
Possam todas as preces que você fez no passado e as preces que estou fazendo agora ser atendidas, imediatamente, para meu bem e de todos os outros seres sencientes.
Pense que o Buddha Célebre e Glorioso Rei dos Sinais Excelentes, deleitado, aceita seu pedido e envia raios de néctar que purificam seu corpo e mente de toda doença, dano por espíritos, Karma negativo e obscurecimento. O Buddha Célebre e Glorioso Rei de Sinais Excelentes, então, dissolve-se em luz e é absorvido pelo Buddha Rei do Som Melodioso, que está abaixo.

Ao plenamente realizado destruidor de todas as máculas, que vê a verdadeira natureza das coisas, Buddha Rei do Som Melodioso, Radiância Brilhante de Sabedoria, Adornado com Joias, Lua e Lótus, eu me prostro, fazendo oferendas e buscando refúgio. (7x)

Possam todas as preces que você fez no passado e as preces que estou fazendo agora ser atendidas, imediatamente, para meu bem e de todos os outros seres sencientes.

Ao plenamente realizado destruidor de todas as máculas, que vê a verdadeira natureza das coisas, o perfeito Buddha Excelente Ouro Puro, Grande Joia que Realiza Todos os Votos, eu me prostro, fazendo oferendas e buscando refúgio.(7x)

Possam todas as preces que você fez no passado e as preces que estou fazendo agora ser atendidas, imediatamente, para meu bem e de todos os outros seres sencientes.

Ao plenamente realizado destruidor de todas as máculas, que vê a verdadeira natureza das coisas, o perfeito Buddha Glória Suprema Livre de Pesar, eu me prostro, fazendo oferendas e buscando refúgio. (7x)

Possam todas as preces que você fez no passado e as preces que estou fazendo agora ser atendidas, imediatamente, para meu bem e de todos os outros seres sencientes.

Ao plenamente realizado destruidor de todas as máculas, que vê a verdadeira natureza das coisas, o perfeito Buddha Oceano Melodioso do Dharma Proclamado, eu me prostro, fazendo oferendas e buscando refúgio. (7x)

Possam todas as preces que você fez no passado e as preces que estou fazendo agora ser atendidas, imediatamente, para meu bem e de todos os outros seres sencientes.

Ao plenamente realizado destruidor de todas as máculas, que vê a verdadeira natureza das coisas, o perfeito Buddha Rei Encantador do Conhecimento Claro, Suprema Sabedoria de um Oceano de Dharma, eu me prostro, fazendo oferendas e buscando refúgio. (7x)

Possam todas as preces que você fez no passado e as preces que estou fazendo agora ser atendidas, imediatamente, para meu bem e de todos os outros seres sencientes.

Ao plenamente realizado destruidor de todas as máculas, que vê a verdadeira natureza das coisas, o perfeito Guru Buddha da Medicina, Rei da Luz de Lápis-Lazúli, eu me prostro, fazendo oferendas e buscando refúgio. (7x)

Possam todas as preces que você fez no passado e as preces que estou fazendo agora ser atendidas, imediatamente, para meu bem e de todos os outros seres sencientes.

Visualização para a recitação do mantra

Para atender seus pedidos, infinitos raios de luz branca são emitidos do coração e do corpo sagrado do Guru-Buddha da Medicina e preenchem seu corpo da cabeça aos pés. Os raios de luz purificam-no por completo de todas as doenças e dano por espíritos, bem como suas causas, todo seu Karma negativo e obscurecimentos. Seu corpo fica tão límpido quanto um cristal.

A luz se derrama sobre você uma segunda e uma terceira vez, preenchendo seu corpo com grande beatitude. Após a terceira vez, o Guru-Buddha da Medicina se dissolve em luz branca ou azul e é absorvido por você através da coroa. Seu *continuum* mental é purificado, e você se torna o Buddha da Medicina.

(Aqueles que não receberam uma grande iniciação do Tantra da Ação ou do Yoga Tantra Superior devem visualizar que o Buddha da Medicina se dissolve em luz, que é absorvida entre suas sobrancelhas, abençoando assim seu corpo, sua fala e sua mente.)

Em seu coração aparece um lótus e um disco de lua. Pousada no centro da lua está a sílaba semente azul OM, cercada pelas sílabas do mantra do Buddha da Medicina.

Enquanto recita o mantra, visualize os raios de luz a se irradiar em todas as direções a partir das sílabas em seu coração e preencher e iluminar completamente todos os seres sencientes dos seis reinos. Por meio de seu grande amor, que deseja que eles tenham felicidade, e de sua grande compaixão, que deseja que eles fiquem livres de todo sofrimento, você os purifica de todas as doenças e dano por espíritos, bem como de suas causas, Karma negativo e obscurecimentos.

Mantra longo do Buddha da Medicina
OM NAMO BHAGAWATE BEKANDZE / GURU BENDURYA PRABHA RANDZAYA / TATHAGATAYA / ARHATE SAMYAKSAM BUDDHAYA / TAYATHA / OM BEKANDZE BEKANDZE / MAHA BEKANDZE RANDZA / SAMUNGATE SOHA

Mantra curto do Buddha da Medicina
(TAYATHA)[23] / OM BEKANDZE BEKANDZE / MAHA BEKANDZE RANDZA / SAMUNGATE SOHA

Ao término da recitação do mantra, visualize que todos os seres sencientes estão transformados no aspecto do Buddha da Medicina. Sinta grande alegria por ter sido capaz de conduzir todos os seres sencientes à iluminação do Buddha da Medicina.

Visualização simplificada
Visualize o Guru-Buddha da Medicina acima da coroa de sua cabeça e faça o pedido que se segue.

Ao plenamente realizado destruidor de todas as máculas, que vê a verdadeira natureza das coisas, o perfeito Guru Buddha da Medicina, Rei da Luz de Lápis-Lazúli, eu me prostro, fazendo oferendas e buscando refúgio. (7x)

Possam todas as preces que você fez no passado e as preces que faço agora ser atendidas, imeditamente, para meu bem e de todos os outros seres sencientes.

A seguir, recite o mantra e visualize raios purificantes de luz que são emitidos do coração e do corpo sagrado do Guru Buddha da Medicina. Sua doença e dano por espíritos, bem como suas causas, seu Karma negativo e obscurecimentos, são eliminados. Seu corpo é completamente preenchido de luz e fica tão límpido quanto um cristal. Os raios, então, irradiam-se em todas as direções para curar as doenças e aflições de todos os seres sencientes maternos.

Absorção

Após a recitação do mantra, o Guru-Buddha da Medicina dissolve-se em luz e é absorvido em seu coração. Sua mente torna-se una com o Dharmakaya, a essência de todos os Buddhas.

Dedicação

Devido ao mérito acumulado por fazer essa prática do Buddha da Medicina, possa eu completar os feitos dos bodhisattvas, que são como um oceano. Possa eu me tornar o sagrado salvador-refúgio e guia dos seres migratórios, que foram bondosos comigo em inúmeras vidas passadas.

Devido a todo meu mérito do passado, do presente e do futuro, possa qualquer ser vivo que me ver, ouvir, tocar, lembrar ou falar de mim ser, imediatamente, liberado de todo sofrimento e experienciar a felicidade perfeita para sempre.

Devido a todo mérito que reuni nos três tempos e todo o mérito reunido pelos Buddhas, bodhisattvas e outros seres sencientes, assim como a compaixão do Buddha da Medicina abrange todos os seres, possa eu também tornar-me a fundação do meio de vida para todos os seres sencientes, que são tão vastos quanto o espaço.

Devido a todo esse mérito (que é vazio), possa o eu (que é vazio) rapidamente alcançar a iluminação do Guru-Buddha da Medicina (que é vazio) e conduzir todos os seres sencientes (que são vazios) àquela iluminação (que é vazia) por eu sozinho (que também sou vazio).

O Buddha da cura

Essa meditação simples, mas profunda, sobre o Buddha da Medicina e as quatro deusas medicinais foi ensinada pelo grande mestre indiano Padmasambhava.[24] Ajuda a curar qualquer doença que já tenhamos e a proteger de futuras doenças. Claro que, não importando qual meditação ou outra técnica que usemos, o método de cura definitiva envolve nossa mente, nosso bom coração. Enfim, não há escapatória: precisamos vigiar nossa mente e protegê-la de pensamentos perturbadores. Embora meditações de divindades possam ajudar a recebermos bênçãos, a prática principal é proteger nossa mente na vida cotidiana.

Motivação

Não importa o que você faça, é essencial gerar uma motivação positiva. Assim, pense o seguinte: "O propósito de minha vida é libertar todos os seres vivos de todos seus problemas e das causas desses problemas, que estão em suas mentes, e trazer paz e felicidade a todos os seres, especialmente a felicidade inigualável da iluminação plena, de que eles necessitam desesperadamente. Para eu ser capaz de fazer isso, minha mente e meu corpo devem ser perfeitos, puros e saudáveis. Portanto, para beneficiar os seres vivos proporcionalmente à vastidão do espaço, vou praticar essa meditação de cura".

Meditação

Visualize a si mesmo em seu corpo comum, com o coração no centro do peito, invertido, apontando para cima. Dentro de seu coração há um lótus branco de oito pétalas. Em seu centro há um disco de lua, sobre o qual o Buddha da Cura está sentado no aspecto da transformação suprema.[25] Seu corpo sagrado é límpido e da natureza de luz azul-escura, e ele segura uma planta arura na mão direita e uma tigela de esmolar na esquerda.

Diante do Buddha da Medicina está a deusa medicinal branca, Sabedoria Efetivada; à sua direita está a deusa medicinal amarela, Riqueza Simultânea; atrás dele está a deusa vermelha da floresta, Garganta do Pavão; à sua esquerda está a deusa verde das árvores, A Radiante. Cada deusa é da natureza da luz radiante bem-aventurada, e tem um rosto e dois braços. Há uma planta arura na mão direita de cada deusa, e um vaso adornado com vários ornamentos na esquerda. As quatro deusas estão sentadas de pernas cruzadas, não na posição vajra completa, mas no aspecto de oferecer respeito ao Buddha da Cura.

A seguir faça esse pedido:

Ó Destruidor, Completo em Todas as Qualidades e Que Foi Além, e vocês, quatro deusas medicinais, por favor pacifiquem imediatamente a enfermidade que me aflige hoje e evitem todas as doenças futuras.

Raios de luz da cor apropriada emanam de cada uma das divindades em seu coração. Seu coração e corpo são preenchidos de luz bem-aventurada, que purifica por completo toda doença, dano por espíritos e ações negativas e suas marcas. Raios de luz nas cinco cores irradiam-se por todos os poros de seu corpo, enquanto néctar flui da tigela de esmolar do Buddha da Cura e dos vasos que as quatro deusas seguram, preenchendo seu coração e corpo completamente. Gere o firme reconhecimento de que você derrotou toda doença para sempre e que jamais ficará doente de novo.

Enquanto concentra-se nessa visualização de modo unidirecional, recite o mantra curto ou longo do Buddha da Cura, sete, 21, 108 ou mais vezes.

Mantra curto do Buddha da Cura
(TAYATHA) / OM BEKANDZE BEKANDZE / MAHA BEKANDZE RANDZE / SAMUNGATE SOHA

Mantra longo do Buddha da Cura
OM NAMO BHAGAWATE BEKANDZE / GURU BENDURYA PRABHA RANDZAYA / TATHAGATAYA / ARHATE SAMYAKSAM BUDDHAYA / TAYATHA / OM BEKANDZE BEKANDZE / MAHA BEKANDZE RANDZE / SAMUNGATE SOHA

Se você estiver doente, após terminar a recitação do mantra, coloque um pouco de saliva na palma esquerda, esfregue-a com a ponta do dedo anular direito, coloque a ponta desse dedo na entrada de suas narinas direita e esquerda, onde se encontra o assim chamado Nervo Rei que Tudo Faz, e aplique a saliva nas partes afligidas de seu corpo. Então recite tantos mantras das vogais sânscritas quanto possível, com o mantra do Coração do Surgimento Dependente.

Vogais sânscritas
OM A AA I II U UU RI RII LI LII E AI O AU AM AH SVAHA

Consoantes sânscritas
OM KA KHA GA GHA NGA / TSA TSHA DZA DZHA NYA / TA THA DA DHA NA / TA THA DA DHA NA / PA PHA BA BHA MA / YA RA LA VA / SA SHA SA HA KSHA SVAHA

O Coração do Surgimento Dependente
OM YE DHARMA HETU-PRABHAVA HETUN TESHAN TATHAGATO HYA VADAT / TESHAN CA YO NIRODHA / EVAM-VADI / MAHA-SRAMANAH YE SVAHA

Essa prática, um tesouro do Dharma *(terma)* de Padmasambhava, protege você tanto de enfermidades que estejam lhe incomodando agora quanto daquelas que você ainda não contraiu.

Dedicação
Devido a todas minhas ações positivas do passado, presente e futuro, que trazem felicidade, possa o bom coração definitivo – que zela por todos os seres vivos e é a fonte de

felicidade nos três tempos para mim e para os outros – surgir naquelas mentes em que ainda não surgiu, e aumentar naquelas mentes onde já brotou.

Devido a todas minhas ações positivas dos três tempos e às de todos os seres sagrados, cuja atitude é a mais pura, possam todos os bondosos seres sencientes paternos e maternos ter felicidade. Possa eu sozinho ser a causa disso, e possam os três reinos inferiores ficar vazios para sempre.

Possam as preces de todos os seres sagrados – aqueles que dedicam suas vidas à felicidade dos outros – ter êxito imediatamente, e possa eu sozinho ser a causa disso.

Devido às minhas ações positivas dos três tempos e às de todos os seres sagrados, possa eu alcançar a felicidade inigualável da iluminação plena – o estado de mente livre de todo erro e completo em todas as qualidades positivas – e conduzir todos os outros a esse estado.

17. Liberando animais: introdução

Liberar animais é um método prático e poderoso para prolongar a vida quando uma morte extemporânea ameaça pôr fim à vida de alguém. A prática de Tara Branca, Namgyalma ou de outro ser iluminado que conceda vida longa também pode ser feita. A pessoa receberia a iniciação de uma divindade de longa vida de um Lama qualificado, e depois faria as meditações e a recitação de mantras associados à divindade. Para ajudar a garantir uma vida longa, a prática de purificação de fazer tsa-tsas, geralmente, também é feita.

As mortes são chamadas de "extemporâneas" quando as pessoas morrem de repente, embora tivessem mérito suficiente para viver mais. Por meio do Karma positivo de vidas passadas, elas criaram a causa para ter uma duração de vida maior. Mas, executando uma pesada ação negativa motivada por egocentrismo ou uma das outras delusões, criaram um obstáculo à sua vida, que pode resultar em morte. Uma morte extemporânea pode sobrevir por meio de doença, acidente de carro ou alguma outra condição.

Para liberar animais, você compra-os em um local onde eles por certo seriam mortos e vendidos como alimento, e depois solta-os em um lugar tão seguro quanto possível, algum lugar onde possam viver mais. A questão é que prolongar a vida de animais, salvando-os de ser mortos, naturalmente prolonga sua própria vida. Ao plantar uma semente específica, você obtém um resultado específico. Se plantar uma batata, nasce uma batata; se plantar pimenta, nasce pimenta. A planta que nasce depende naturalmente da semente que você plantou. Do mesmo modo, uma ação positiva que faz que outros tenham vida mais longa naturalmente prolonga sua própria vida.

Como liberar animais é uma forma de evitar morte extemporânea ou de prolongar a vida, em geral é benéfico no caso de doenças graves, especialmente câncer. Muita gente que fez essa prática recuperou-se de câncer terminal. Anteriormente, contei a história de Alice, a mulher com câncer que liberou milhares de animais, foi um dos métodos que a ajudou a prolongar sua vida.

Em geral, se desejamos ser saudáveis e ter uma vida longa nesta e em vidas futuras, devemos fazer votos de não matar outros seres sencientes. Outras práticas para prolongar a vida incluem adotar os Oitos Preceitos Mahayana e recitar certos mantras poderosos. A prática de liberar animais é primariamente para prolongar a vida, e a recitação de mantras é mais para curar enfermidades ou proporcionar proteção contra seres danosos que se tornam condições para certas doenças. Liberar animais é como ingerir uma dieta específica para fortalecer a saúde, e recitar mantras é como tomar remédio para destruir germes.

Embora pujas e muitas outras práticas possam ser feitas para prolongar a vida, liberar animais é uma prática especialmente eficiente. Servir a outros seres sencientes também é eficiente. Ajudar pessoas doentes dando-lhes comida, bebida, roupas, abrigo ou remédios cria a causa de vida longa, bem como dar comida a gente faminta.

É melhor liberar um animal que você tenha condição de cuidar. Ao alimentá-lo todo dia, você executa a prática do Dharma de fazer caridade e cria muito Karma bom, a causa de felicidade. Você não apenas traz felicidade ao animal, mas também cria, constantemente, a causa de sua própria felicidade futura. Além disso, se o animal é carnívoro, você poupa-o de matar outros animais.

A liberação de animais não tem de ser feita apenas para você mesmo. Você também pode dedicar a prática a membros de sua família ou a outras pessoas. Pode de fato dedicar a todos os seres vivos. Se não tem muito dinheiro para comprar animais, a opção mais barata e mais fácil é comprar minhocas e liberá-las. Enquanto peixes soltos em águas abertas correm risco de ser atacados e devorados por seus predadores naturais, minhocas, como eu disse antes, têm maior probabilidade de sobreviver porque, simplesmente, desaparecem embaixo da terra. Liberar peixes, em geral, é bastante difícil, a menos que você possa soltá-los em um reservatório especial onde nenhum de seus inimigos naturais vão atacá-los.

Salvar a vida de animais é uma prática bastante comum entre budistas chineses, e acontece com frequência nos mosteiros e templos daquele país. Templos de Cingapura, Taiwan e Hong Kong possuem grandes cercados especiais para tartarugas. Quando as pessoas liberam tartarugas, levam-nas para os mosteiros e as colocam nesses cercados. Visitantes que vão aos mosteiros fazer oferendas ou simplesmente observar dão pão e outros alimentos para as tartarugas.

Praticar liberação de animais com as seis perfeições

Quando a prática de liberar animais é feita perfeitamente, envolve as seis perfeições: generosidade, moralidade, paciência, perseverança entusiástica, concentração e sabedoria.

A prática de generosidade, ou caridade, possui quatro categorias: dar amor, dar proteção contra o medo, dar o Dharma e dar objetos materiais. Estamos praticando a generosidade de dar amor porque, não estamos apenas desejando que os animais tenham felicidade, estamos trazendo-lhes felicidade ao soltá-los. Estamos dando-lhes proteção contra o medo por liberá-los do medo imediato do mal e da morte. Como a cerimônia de liberação de animais também purifica o Karma negativo dos animais, estamos liberando-os também dos reinos inferiores.

Estamos praticando a generosidade de dar o Dharma quando recitamos mantras poderosos para abençoar a água que depois é borrifada sobre os animais; isso beneficia-os purificando seu Karma negativo e trazendo-lhes um bom renascimento em um reino deva, humano ou puro.

Dar comida aos animais que liberamos é um exemplo do quarto tipo de generosidade, dar objetos materiais.

A prática da moralidade é deixar de causar mal aos outros. A prática da paciência possui três categorias: a paciência de pensar sobre o Dharma sem ambiguidade, de arcar com o sofrimento voluntariamente, e de não ficar zangado nem com humanos, nem com animais no momento da liberação. Arcar com os incômodos envolvidos na liberação de animais, tais como comprá-los e transportá-los até o local onde serão soltos, inclui-se na prática de perseverança entusiástica.

A prática da concentração é sustentar a percepção contínua de nossa motivação para fazer a prática, de modo a manter nossa mente constantemente positiva. A prática da sabedoria é ver nós mesmos, a ação de liberar os animais e os animais que são liberados como meramente imputados pela mente.

Os benefícios de dar o Dharma

É importante fazer a prática de liberar animais da forma mais eficiente – não só para que você ou alguém tenha uma vida mais longa, mas para que a prática seja realmente benéfica para os animais. No que se refere a isso, a prática de dar o Dharma é extremamente importante. Se simplesmente compramos animais em locais onde eles serão mortos e os soltamos onde não existe perigo para suas vidas, não estamos lhes trazendo muito benefício. Visto que não tem oportunidade de ouvir o Dharma, a maioria, quando morre, renasce como animais ou em outro dos reinos inferiores. Claro que nossa ação traz algum benefício aos animais porque estamos prolongando suas vidas, mas o maior benefício vem de ouvir a recitação de mantras e os ensinamentos do Buddha. Recitar mantras sobre vacuidade, bodhichitta e tantra deixa marcas nas mentes dos animais e assegura que no futuro recebam um corpo humano, encontrem e pratiquem o Dharma, e efetivem o caminho para a iluminação. Recitar ensinamentos do Buddha para que eles ouçam não apenas acabará com seu sofrimento samsárico, como permitirá que atinjam a iluminação plena. Desse modo, trazemos benefício infinito aos animais, salvando-

-os de todo o sofrimento do samsara e suas causas. Isso torna nossa prática extremamente válida e apreciável.

Existem muitas histórias para ilustrar os benefícios de dar o Dharma dessa maneira. Por exemplo, após o Guru Buddha Shakyamuni proferir ensinamentos para quinhentos cisnes, na próxima vida todos eles tornaram-se monges e arhats. Em outras palavras, puseram fim completo ao seu samsara. Um pombo que costumava ouvir Nagarjuna recitar ensinamentos renasceu como humano e se tornou monge e pandita. Já o pandita Vasubandhu tinha um pombo de estimação que o ouvia recitar ensinamentos. Na vida seguinte, o pombo renasceu como humano, tornou-se monge e escreveu quatro comentários sobre os ensinamentos que ouviu quando pombo.

Existe ainda a história dos comerciantes indianos cujo navio correu o risco de ser devorado por uma baleia imensa. Quando eles recitaram a fórmula de refúgio em voz alta, o animal fechou a boca e morreu. A baleia renasceu como um homem chamado Shrijata, que se tornou monge e arhat. Era o mesmo ser que em uma vida passada, como mosca, havia circum-ambulado uma stupa em um pedaço de esterco, sendo que esse Karma permitiu-lhe ingressar em um mosteiro e se tornar monge.

A história de Shrijata: os benefícios da circum-ambulação

Shrijata, que só começou a praticar o Dharma quando idoso, tornou-se um arhat naquela mesma vida. Quando tinha oitenta anos, Shrijata morava com sua família, mas ficou farto porque os familiares não lhe tratavam bem. Todas as crianças zombavam dele. Um dia ele ficou completamente farto das provocações e pensou: "Oh, seria muito apaziguante deixar a casa e ir viver em um mosteiro".

Assim Shrijata deixou sua casa e foi para o monastério das proximidades, cujo abade era Shariputra, um dos discípulos queridos do Guru Buddha Shakyamuni. Quando Shariputra, um arhat que primava pela sabedoria, verificou se o idoso tinha ou não Karma para se tornar monge, não conseguiu achar nada. Shariputra disse ao ancião: "Em um monastério, normalmente você estuda ou, se não consegue estudar, serve os outros monges fazendo a limpeza e tudo mais. Se você se tornasse monge, não poderia nem estudar, nem trabalhar, porque é muito velho". Assim, Shariputra recusou-se a ordenar o ancião como monge.

Shrijata ficou terrivelmente aborrecido. Gritou, gritou e bateu a cabeça contra o portão do monastério. Depois de um tempo, foi para um parque nos arredores, onde continuou, aos gritos. Naquele tempo, o Guru Buddha Shakyamuni estava na Índia. A mente onisciente do Buddha vê todos os seres sencientes o tempo todo. Assim, sempre que o Karma de um ser senciente amadurece e ele se torna receptivo à orientação, o Buddha, imediatamente, aparece em qualquer forma que seja adequada à mente do ser e o orienta.

Embora na visão ordinária o Buddha estivesse longe de Shrijata, ele imediatamente apareceu diante do ancião e perguntou o que havia de errado. O velho explicou tudo, inclusive como Shariputra não o havia aceitado no mosteiro. O Buddha disse que ele tinha mérito para se tornar monge. O Buddha falou: "Shariputra ainda não completou a acumulação dos dois tipos de mérito – o mérito da sabedoria e o mérito do método. Eu, porém, completei os dois tipos de mérito e obtive a iluminação plena, e posso ver que você tem Karma para se tornar monge".

O Buddha quis dizer que Shariputra, embora fosse um arhat, ainda tinha obscurecimentos e, por isso, não conseguia ver todos os fenômenos sutis. Arhat significa literalmente "aquele que destruiu o inimigo". Isso não se refere a um inimigo externo, mas ao inimigo interno das delusões e suas sementes, que produzem todo sofrimento. Tendo destruído, completamente, o inimigo interior, os arhats obtêm a felicidade última e duradoura da liberação, mas, como ainda não completaram o conjunto dos dois tipos de mérito, os arhats ainda têm obscurecimentos sutis. Embora possuam incríveis poderes psíquicos e realizações, ainda não podem ver todos os fenômenos sutis.

O Buddha, por outro lado, completou os dois tipos de mérito, o que significa que purificou os dois obscurecimentos, possui mente onisciente e pode ver todo o Karma sutil. Em outras palavras, o Karma do ancião para se tornar monge era um Karma sutil, que apenas um Buddha poderia ver.

O Buddha pôde ver que Shrijata havia criado Karma para se tornar monge, embora fosse há um tempo inconcebível e em um lugar distante. O Buddha explicou a Shrijata que em uma de suas vidas passadas – há um incontável número de vidas anteriores –, ele havia sido uma mosca e realizado a circum-ambulação de uma stupa. Uma explicação é que esterco de vaca flutuava na água ao redor da stupa. A mosca pousou no esterco de vaca e fez a circum-ambulação enquanto a água corria em torno da stupa. A outra explicação é que a mosca seguiu o cheiro de esterco de vaca que havia ao redor da stupa e, com isso, teve a boa fortuna de completar uma circum-ambulação.

Embora a mosca não tivesse conhecimento de que a stupa fosse um objeto sagrado ou de que circum-ambular se tornaria uma causa de iluminação, a circum-ambulação involuntária purificou negatividades e acumulou mérito, e tornou-se assim a causa de felicidade. A mosca agiu totalmente em função do apego ao cheiro de esterco de vaca. A motivação foi completamente não virtuosa. Contudo, devido ao poder do objeto, a circum-ambulação tornou-se virtude. O Buddha explicou que a pequena virtude de circum-ambular a stupa criou a causa para Shrijata tornar-se monge.

Quando o Buddha verificou qual professor tinha conexão kármica com o ancião e poderia encarregar-se dele, revelou-se que era Maudgalyayana, um arhat que primava pelos poderes psíquicos. Dos dois discípulos queridos do Buddha,

Shariputra primava pela sabedoria, e Maudgalyayana pelos poderes psíquicos. Para um professor ter condições de orientar um discípulo, é preciso haver uma conexão kármica entre eles. Se não existe conexão, o professor não pode beneficiar realmente o discípulo. O Buddha, então, ofereceu o ancião a Maudgalyayana, que também era abade de um mosteiro.

Depois que Shrijata tornou-se monge, os jovens monges do monastério também o provocavam e zombavam dele. Certo dia ele ficou de novo completamente farto de ser provocado e fugiu do mosteiro. Decidiu atirar-se em um rio das proximidades. Naquele momento Maudgalyayana foi à procura do ancião. Quando não conseguiu encontrá-lo em lugar algum do mosteiro, usou seus poderes psíquicos para verificar o paradeiro de Shrijata e descobriu que o velho havia acabado de pular no rio. Usando seus poderes psíquicos, Maudgalyayana apareceu lá no mesmo instante e arrastou o idoso para fora do rio. Shrijata ficou chocado, pois não havia contado ao professor o que planejava fazer. Não conseguiu falar por um certo tempo. Quando Maudgalyayana perguntou por que ele havia pulado no rio, Shrijata não conseguiu responder. Em completo choque, apenas ficou ali parado, com a boca aberta.

Quando Shrijata, enfim, foi capaz de explicar tudo, Maudgalyayana disse: "O motivo para você ter fugido do monastério e ter pulado no rio é carecer de renúncia ao samsara". Maudgalyayana disse ao ancião para agarrar uma das pontas de seu manto, e a seguir voou com ele pelo céu.

Voaram sobre um oceano até chegar a uma enorme montanha de ossos. Depois de pousarem sobre a montanha, o velho perguntou ao professor: "De quem são esses ossos?". Maudgalyayana respondeu: "Oh, são os ossos de sua vida passada". O velho havia nascido anteriormente como uma baleia. Tão logo Shrijata ouviu o professor dizer aquilo, todos os pelos de seu corpo eriçaram-se e ele gerou renúncia ao samsara. Percebendo que o samsara é sofrimento por natureza e que nada é definitivo nele, Shrijata gerou a determinação de se livrar do samsara, de todo o sofrimento e de suas causas.

Shrijata então ingressou no caminho e se tornou um *arya* naquela vida. Embora tivesse começado a praticar o Dharma apenas aos oitenta anos de idade, foi capaz de se tornar não só um monge, mas um arhat, superando o ciclo de morte e renascimento, e se libertando por completo do sofrimento do samsara. Um arhat obtém liberação total de todo sofrimento e de sua causa, inclusive das sementes de delusão. Ele permanece naquele estado por uma série de éons, até o Buddha ver que está na hora de persuadir a mente dele a ingressar no Caminho Mahayana. O Buddha envia raios de luz de sua mão e recita um certo verso para o arhat, que a seguir ingressa no Caminho Mahayana e, ao efetivar o Caminho Mahayana do arya, gradualmente acaba com as impurezas sutis. Quando todas as impurezas sutis cessaram totalmente, ele completa o caminho e se torna iluminado; ele pode, dessa forma, iluminar inúmeros outros seres sencientes.

A capacidade do ancião de iluminar inúmeros seres sencientes sucedeu-se por ele se iluminar, o que ocorreu devido a seu ingresso no Caminho Mahayana, o que se deu por ele ter se tornado um arhat após a entrada no caminho para a liberação, o que foi consequência de ele ter se tornado monge. E ele teve condição de se tornar monge devido ao Karma muito sutil que havia criado como mosca. Sem ter ideia de que uma stupa fosse um objeto sagrado que poderia purificar a mente, apenas por apego, a mosca seguiu o cheiro de esterco de vaca em torno da stupa e completou uma circum-ambulação. Tudo começou a partir dessa pequena ação positiva de circum-ambular uma stupa. Tudo – todas as realizações dos cinco caminhos para a liberação e do Caminho Mahayana para a iluminação – começou a partir do bom Karma minúsculo criado pela mosca. Isso mostra o poder de estátuas, stupas, escrituras e outros objetos sagrados em trazer realizações. São muito benéficos para purificar a mente e trazer toda felicidade, até a iluminação. Uma stupa é um objeto sagrado tão poderoso que mesmo sua circum-ambulação involuntária purifica negatividades e acumula méritos.

Por conseguinte, a ação positiva intencional de circum-ambular uma stupa, especialmente com a atitude positiva de desejar beneficiar outros seres vivos, será muito mais poderosa. Os bons resultados de nossa ação serão maiores e mais rapidamente experienciados que aqueles da mosca que circum-ambulou uma stupa sem qualquer entendimento ou intenção positiva. Cada circum-ambulação nos trará resultados inacreditáveis. Não apenas vai curar doenças, mas purificará nossas ações negativas passadas e obscurecimentos, que são as causas de doenças. Além de trazer essa cura profunda, vai se tornar causa da efetivação de todo o caminho para a felicidade inigualável da iluminação plena.

Portanto, uma maneira prática de ajudar a liberar animais é carregá-los na circum-ambulação de objetos sagrados. Se, por exemplo, você carrega um recipiente com cem minhocas ao redor de uma stupa ou outro objeto sagrado, cada vez que dá uma volta, você dará a iluminação, a maior dádiva, para aqueles cem animais. Se carrega mil minhocas, cada volta que você faz com elas dará a iluminação para mil seres sencientes que foram sua mãe. Também provocará a liberação do samsara; você acabará com o sofrimento samsárico deles, cuja continuidade não tem início – o aspecto mais aterrorizante do sofrimento samsárico é não ter início. Você dará liberação desse samsara sem início para mil seres sencientes maternos. Também causará bons renascimentos a eles e bom renascimento por centenas ou milhares de vidas para mil seres sencientes que foram sua mãe. Uma circum-ambulação de objetos sagrados pode criar a causa para se receber centenas ou milhares de bons renascimentos porque o Karma é expansível – muito mais expansível que fenômenos externos. Uma sementinha pode produzir uma grande árvore com dezenas de milhares de galhos, flores e sementes, mas o Karma aumenta ainda mais que isso.

Durante uma cerimônia de liberação de animais, embora seja bom purificá-los com água abençoada, também é muito bom levá-los em circum-ambulações de objetos sagrados. Desse modo, você não apenas libera-os dos reinos inferiores, mas leva-os à iluminação ao permitir que criem a causa da iluminação.

Benefícios dos mantras recitados durante a liberação de animais

Embora as histórias que mencionei antes sobre os resultados das marcas de se ouvir os ensinamentos do Buddha sejam difíceis de captar por nossa mente comum, recitar ensinamentos, preces e mantras é incrivelmente benéfico. Se recitarmos os mantras poderosos que purificam o Karma negativo, os animais que os ouvirem não renascerão nos reinos inferiores outra vez.

Por exemplo, qualquer pessoa ou animal que ouvir o nome do Buddha Rin-Tchen Tsug-tor Tchen não renascerá nos reinos inferiores. Se uma pessoa moribunda ainda tiver condições de ouvir e isso não confundir a mente dela, você pode recitar a prece de prostração a Rin-Tchen Tsug-tor Tchen em seu ouvido.[26] Se ela já não consegue ouvir, você pode recitar o nome desse Buddha ou qualquer um dos mantras poderosos mencionados na prática de liberação de animais e soprar sobre seu corpo após a recitação. Ou pode soprar sobre água ou talco e salpicar sobre seu corpo para purificar o Karma negativo. Dessa maneira, ela não vai renascer nos reinos inferiores e terá a chance de nascer em um reino puro do Buddha.

Uma das melhores formas de beneficiar os animais durante a sua liberação é abençoar a água com os poderosos mantras de Tchenrezig, Namgyalma, Roda que Concede Desejos e outros Buddhas, e, a seguir, purificar os animais borrifando ou vertendo a água sobre eles. Esses mantras possuem bastante poder, mesmo que você não tenha qualquer realização de bodhichitta, vacuidade e assim por diante. Recite os mantras com fé intensa e pense que você purificou todo o Karma negativo dos animais. Esse é um jeito muito prático de ajudar a liberar os animais do sofrimento dos reinos inferiores. Se o Karma negativo for purificado, eles não terão de reencarnar repetidamente nos reinos inferiores.

Pode parecer fácil purificar o Karma negativo de um ser e alterar seu renascimento, mas, na verdade, não é simples e não funciona para todo mundo. O ser envolvido precisa ter o Karma para que isso aconteça, e também depende de quanta fé temos nos mantras. Existe poder na prática devido à verdade dos ensinamentos do Buddha e à intolerável compaixão do Buddha pelos seres sencientes, mas só funciona se o ser tiver o Karma para tal. Nem todo ser que está morrendo possui o Karma para estar com um praticante puro que possa salvá-lo dos reinos inferiores ou transferir sua consciência para um reino puro. Isso só acontece para alguns.

Benefícios do mantra de Tchenrezig

Os benefícios de se recitar o mantra de Tchenrezig, OM MANI PADME HUM, são tão infinitos quanto o espaço.[27] Os ensinamentos dizem que seria impossível o Buddha concluir a explicação dos benefícios desse mantra. Claro que os benefícios que você recebe dependem do quão perfeitamente você recita o mantra, o que é determinado por sua motivação e pela qualidade de sua mente.

Existem quinze benefícios principais de ser recitar o mantra de Tchenrezig, e isso se aplica tanto ao mantra longo quanto ao curto. Além de curar doenças e proteger de vários males, recitar o mantra de Tchenrezig tem os seguintes benefícios:

> Em todas as vidas você encontrará reis virtuosos ou religiosos.
> Você renascerá em um local virtuoso onde o Dharma é praticado.
> Você experienciará condições favoráveis para a prática do Dharma.
> Você sempre será capaz de encontrar professores espirituais.
> Você sempre receberá um corpo humano perfeito.
> Sua mente ficará familiarizada com o caminho para a iluminação.
> Você não irá degenerar seus votos.
> As pessoas ao seu redor estarão em harmonia com você.
> Você sempre terá saúde.
> Você sempre será protegido e servido pelos outros.
> Sua riqueza não será roubada.
> O que quer que você deseje se sucederá.
> Você sempre será protegido por nagas e devas virtuosos.
> Em todas as vidas você verá o Buddha e ouvirá o Dharma.
> Ao escutar o Dharma puro, você efetivará seu significado profundo, a vacuidade.

Os ensinamentos dizem que qualquer um que recitar o mantra de Tchenrezig com pensamento compassivo receberá esses quinze benefícios.

Benefícios do mantra de Namguialma

O mantra de Namguialma, uma divindade feminina de longa vida e purificação, possui infinitos benefícios. É tão poderoso que qualquer ser que o escute jamais nascerá nos reinos inferiores outra vez.

Existe uma história sobre como o mantra de Namguialma se originou. O filho de um deva chamado Extremamente Estável viu que seus seis renascimentos seguintes seriam como diferentes animais, tais como um cachorro, um macaco e outros. Quando os devas estão prestes a morrer, são capazes de recordar suas vidas passadas e ver as vidas futuras. No reino dos devas, estes têm vidas repletas de prazer e experienciam pouco sofrimento físico, porém, quando percebem que vão renascer em um dos reinos inferiores, experienciam incrível sofrimento mental.

Quando Extremamente Estável viu que haveria de renascer como seis diferentes animais, ficou muito aborrecido e perguntou a Indra, rei dos devas, o que deveria fazer. Indra sugeriu-lhe que consultasse o Guru Buddha Shakyamuni. Quando Extremamente Estável foi ver o Buddha, este manifestou-se como a divindade Namguialma e lhe deu o mantra de Namguialma. Extremamente Estável recitou o mantra seis vezes a cada dia, e no sétimo dia havia purificado todas as causas dos seis renascimentos como animal. Esse mantra traz uma poderosa purificação.

O bondoso e compassivo Guru Buddha Shakyamuni ensinou aos Quatro Guardiões os seguintes benefícios de se recitar o mantra de Namguialma. Se você lavar seu corpo, vestir roupas limpas, viver conforme os oito preceitos, recitar o mantra mil vezes mesmo que esteja em risco de morrer porque a duração de vida conferida pelo Karma passado esgotou-se, a duração de sua vida poderá ser prolongada, seus obscurecimentos poderão ser purificados e você poderá ficar livre de doenças.

Se você recitar o mantra na orelha de animais, vai garantir que seja seu último renascimento como animais. Se alguém tiver uma doença grave que os médicos não consigam diagnosticar, fazer a prática de Namguialma conforme descrita acima vai liberá-lo da doença e encerrar seus renascimentos nos reinos inferiores. Depois da morte a pessoa renascerá em uma terra pura. Para humanos, a vida atual torna-se o último renascimento de um ventre.

Se você recitar o mantra de Namguialma 21 vezes, soprar sobre sementes de mostarda e a seguir jogar as sementes sobre a pele ou ossos de um ser que criou Karma negativo muito pesado, tal ser será imediatamente liberado dos reinos inferiores e renascerá em um dos reinos superiores. Mesmo que o ser tenha renascido no inferno ou em outro dos reinos inferiores, sua consciência será purificada, e ele renascerá nos reinos dos devas e assim por diante.

Se você colocar esse mantra em uma stupa ou bandeira dentro de uma casa ou no telhado, qualquer um que seja tocado pela sombra da stupa ou da bandeira não renascerá nos reinos inferiores. Além disso, quando o vento toca tal stupa ou bandeira, ou uma estátua contendo o mantra de Namguialma, e a seguir toca outros seres, o Karma deles para renascer nos reinos inferiores é purificado. Portanto, não resta dúvida de que recitar esse mantra ou mantê-lo em seu corpo trará grande purificação.

Benefícios do mantra da Roda que Concede Desejos

Esse mantra, OM PADMO USHNISHA VIMALE HUM PHE, possui benefícios incríveis. Se você recitar o mantra da Roda que Concede Desejos sete vezes por dia, renascerá em um reino puro. Recitar esse mantra e a seguir soprar sobre roupas ou incenso pode purificar você e outros seres sencientes. Recite o mantra, sopre sobre incenso e o queime; a fumaça do incenso purificará outros seres sencientes.

Quanto esse mantra é colocado sobre marcos de portas, as pessoas que passam debaixo são purificadas e não renascem nos reinos inferiores. No Tibete, esse mantra é escrito em papel e colocado sobre o corpo de pessoas mortas, purificando-as e evitando seu renascimento nos reinos inferiores.

Apenas lembrar desse mantra uma vez tem o poder de purificar até os cinco Karmas negativos ininterruptos. Impede o renascimento no Estado de Sofrimento Intolerável, o nível dos infernos com sofrimento mais pesado. Você purifica todo seu Karma negativo e obscurecimentos, e jamais renasce nos reinos inferiores. Ele permite que você se lembre de vidas passadas e veja vidas futuras. Recitar esse mantra sete vezes por dia acumula mérito equivalente ao de fazer oferendas aos Buddhas proporcionalmente iguais em número a todos os grãos de areia do rio Ganges. Na próxima vida você renasce em um reino puro e pode atingir centenas de níveis de concentração.

Se você recita esse mantra, sopra sobre areia e depois salpica a areia sobre um cadáver, o ser renasce em um reino superior mesmo que tenha quebrado votos e já tenha renascido nos reinos inferiores. Se você recita esse mantra e então sopra sobre perfume ou incenso, todos que cheiram o perfume quando você o usa, ou o incenso quando você o queima são purificados do Karma negativo e podem até ser curados de doença contagiosa. O mantra também ajuda você a alcançar as qualidades completas de um Buddha.

Benefícios do mantra de Mitukpa

Qualquer um que ouvir o mantra de Mitukpa não irá para os reinos inferiores. Se você recitar o mantra de Mitukpa cem mil vezes, depois soprar sobre água, areia ou sementes de mostarda e polvilhar a substância abençoada sobre o cadáver de uma pessoa ou animal, se aquele ser tiver renascido em um dos reinos inferiores será, imediatamente, liberado de tais reinos. Embora a consciência tenha se separado do corpo e esteja em um lugar completamente diferente, devido à conexão passada com aquele corpo, ela ainda será afetada. Tudo que se necessita é que a substância abençoada toque alguma parte do corpo. Apenas com isso a consciência do ser é purificada, liberada dos reinos inferiores, e renascerá em um dos reinos superiores.

Ouvir ou recitar o mantra de Mitukpa pode purificar até mesmo alguém com Karma muito pesado, até mesmo quem criou os cinco Karmas negativos ininterruptos. Simplesmente, ver esse mantra pode purificar todo Karma negativo. Se você mostra o mantra de Mitukpa escrito em um pedaço de papel a uma pessoa que está morrendo, pode purificar todo o Karma negativo dela.

Benefícios do mantra de Kunrig

Kunrig é outra poderosa divindade de purificação. Novamente, ouvir ou recitar o mantra de Kunrig impede renascimento nos reinos inferiores. Além disso, Kirti Tsenshab Rinpoche disse que em Amdo é costume se preparar para a morte fazendo uma grande iniciação de Kunrig, de modo que todo o Karma negativo criado nessa vida seja purificado.

Benefícios do mantra da Divindade do Raio Imaculado

No comentário sobre o mantra da Divindade do Raio Imaculado,[28] afirma-se que, se você recitar esse mantra vinte e uma vezes, a seguir soprar sobre areia e salpicá-la sobre um túmulo, aquele cujos ossos forem tocados pela areia, caso tenha nascido em qualquer dos reinos inferiores, é completamente liberado de lá e recebe um renascimento superior. E se renasceu em um reino superior, recebe então uma chuva de flores.

Benefícios do mantra de Milarepa

O mantra de Milarepa, OM AH GURU HASA VAJRA SARVA SIDDHI PHALA HUM, possui efeitos semelhantes àqueles mencionados acima. Ao recitar o mantra de Milarepa todos os dias, você renascerá na terra pura de Milarepa e será capaz de vê-lo, conforme ele mesmo prometeu. Se você recita esse mantra e sopra sobre os ossos ou carne de seres que renasceram nos reinos inferiores, eles são purificados de todo Karma negativo e têm condições de receber renascimento em uma terra pura.

18. Liberando animais: a prática

PREPARAÇÃO

Confecção do altar

Para a cerimônia de liberação de animais, é bom montar um altar grande com tantos objetos sagrados – tsa-tsas, estátuas, stupas, relíquias do Buddha e textos do Dharma – e oferendas quanto possível. Você pode organizar um altar na praia ou perto de água doce se vai liberar animais que vivem em água salgada ou doce. Uma ideia é ter cinco níveis, um em cima do outro, com uma mesa grande como nível mais baixo. Bem no alto deve haver uma estátua do Guru Buddha Shakyamuni, um texto do *LamRim* ou do *Prajnaparamita,* e uma stupa, conforme normalmente aconselhado nos ensinamentos do LamRim para a montagem de um altar. Coloque tantos tsa-tsas e estátuas quantos forem possíveis nos outros níveis. Você pode usar desenhos do Buddha se não tiver tsa-tsas ou estátuas. No nível mais baixo arrume conjuntos de oito oferendas,[29] com flores em vasos nos cantos. As oferendas ao guru, Buddha, Dharma e Sangha são para o benefício dos animais, é como um puja para os animais.

Compra e cuidado dos animais

Compre animais que, com certeza, seriam abatidos e mantenha-os em cercados amplos. Os animais podem ser grandes ou pequenos. Os de grande porte experienciam maior sofrimento quando morrem. Tenha cuidado com o relacionamento entre eles para ter certeza de não colocar um animal e seu predador natural juntos. Coloque os cercados perto do local de soltura e mantenha-os ao abrigo do sol quente. O lugar para soltar os animais deve estar a salvo de predadores naturais, e você não deve soltar aqueles que são presas e predadores no mesmo local.

Fique atento às condições dos animais que está liberando. Para aqueles que podem não sobreviver por muito tempo, é melhor abençoar um balde-d'água antes de ir para o lugar onde os animais serão soltos. Quando chegar ao local de soltura, logo no início carregue os animais ao redor do altar tantas vezes quanto for possível, antes de entoar as preces e os mantras, caso algum deles morra. Alguns peixes podem morrer por se amontoarem uns por cima dos outros e, assim, não conseguirem respirar. Se as circum-ambulações são feitas imediatamente, mesmo que alguns animais morram antes de ser soltos já terão purificado Karma negativo e criado muitas causas de iluminação, liberação do samsara e bom renascimento. Se as circum-ambulações foram feitas, você não deve lamentar muito se alguns animais morrerem enquanto você recita os mantras, abençoa a água ou faz as preces.

Gere a motivação, recite alguns mantras e sopre sobre os animais ou borrife-os com água abençoada. Então solte depressa os que estão em dificuldade. Você pode recitar mais mantras e preces antes de soltar os animais que estão em boas condições. É importante verificar as condições dos animais porque, do contrário, os debilitados podem morrer antes de serem soltos. Tenha cuidado para não causar qualquer dano adicional a eles.

Bênção da água

Para abençoar a água antes da liberação dos animais, você pode misturar algumas pílulas *mani* à água. Pílulas mani são muito poderosas, pois foram abençoadas por Sua Santidade o Dalai Lama e muitos meditantes altamente consumados. Primeiro embrulhe as pílulas mani em tecido, esmague-as e depois adicione à água.

A água pode ser abençoada com mantras pouco antes da chegada dos animais ou mesmo no dia anterior à liberação deles. Você pode recitar os nomes dos 35 Buddhas e dos Buddhas da Medicina e os mantras de Tchenrezig, Namguialma, Roda que Concede Desejos, Milarepa, Buddha da Medicina e outras divindades. Abençoe a água visualizando o Buddha específico acima do recipiente; enquanto recita o mantra, visualize raios de néctar que vêm do coração da divindade e entram n'água. Ao término da recitação de mantras, visualize a divindade a ser absorvida pela água, e, então, sopre sobre a água para abençoá-la. Assim, a água tem muito mais poder para purificar Karma negativo e obscurecimentos.

Se você preparar a água dessa forma de antemão, os animais que correm risco de morte não têm que esperar que a água seja abençoada, e, além disso, ela é abençoada com mais mantras.

Quando os animais chegam, a prática de liberação de animais é executada conforme explicado anteriormente. Recite todos os mantras em voz alta, visto que alguns animais são capazes de ouvir. Pela minha experiência, sapos conseguem ouvir, pois ficam quietos e olham para você enquanto recita mantras. O mesmo acontece com pombos. Visualize a divindade correspondente acima da cabeça de cada um dos animais; raios de néctar fluem para purificar cada um dos animais de doenças, dano por espíritos, Karma negativo e obscurecimentos.

Após a recitação de cada mantra, sopre sobre a água e pense: "Possa isso purificar todo Karma negativo e obscurecimentos desses animais". Ao fim das preces e da recitação de mantras, borrife ou derrame a água abençoada sobre os animais. Se há uma grande quantidade de crustáceos, derrame a água em cima deles, de modo que todos sejam tocados por ela.

Com frequência, uso talco abençoado para gente doente e moribunda, mas não é aconselhável usá-lo com animais, pois o pó pode entrar em seus olhos e fazer-lhes mal. Além disso, se animais como crustáceos ou caranguejos estão amontoados uns em cima dos outros, nem todos serão tocados pelo pó abençoado. Contudo, quando a água é derramada sobre eles, até aqueles que estão bem embaixo são abençoados.

Circum-ambulação

Enquanto recita os mantras ou após ter encerrado a recitação, você deve carregar os animais ao redor do altar em sentido horário tantas vezes quanto possível. A cada circum-ambulação dos objetos sagrados, você planta a semente da iluminação para si mesmo e para cada um dos animais. Conforme já expliquei, cada circum-ambulação pode criar a causa para se receber não apenas centenas ou milhares de bons renascimentos, mas, também, a liberação do samsara e a iluminação. Além disso, uma circum-ambulação de uma stupa purifica todo Karma negativo pesado para se nascer nos oito infernos quentes. A seguir, você solta os animais. Como parte da prática de generosidade, também pode espalhar comida para os animais que soltou.

Como a maioria dos animais não pode ver estátuas do Buddha, e muitos deles não conseguem ouvir preces e mantras, os dois meios mais hábeis para beneficiá-los é borrifar com água abençoada e fazer que circum-ambulem objetos sagrados. Liberar animais dessa forma é altamente significativo porque você purifica o Karma negativo deles, detém as causas de seu sofrimento e planta a semente de sua liberação e iluminação. A melhor coisa que podemos fazer é ajudar os animais a purificar seu Karma negativo e criar mérito, a causa de felicidade, especialmente a felicidade inigualável da iluminação plena. Mesmo que os animais morram logo após serem soltos, suas vidas tornaram-se significativas. Do contrário, não importaria o quanto vivessem, simplesmente criariam mais Karma negativo causando mal a outros animais.

A PRÁTICA EFETIVA

Motivação

Primeiro reflita a respeito do fato de que todas essas criaturas foram seres humanos como você. Mas, como não praticaram o Dharma, nem subjugaram suas mentes, renasceram como animais. Seus atuais corpos de sofrimento são resultado de suas mentes insubjugadas. Não quereríamos o corpo deles nem por um segundo. Ficamos aborrecidos quando vemos algum sinalzinho de envelhecimento em nosso corpo, algo como mais uma ruga no rosto. Assim, como poderíamos suportar ter o corpo de um desses animais? Não haveria jeito de suportarmos.

É vital sentirmos alguma conexão com os animais. Não devemos olhar para eles e pensar que seus corpos não têm nada a ver conosco. Não devemos pensar que os corpos desses animais são permanentes ou verdadeiramente existentes e que não têm relação com a mente deles. E o mais importante: não devemos pensar que nossa própria mente não poderia criar tais corpos.

Reflita sobre o fato de que cada um desses animais foi sua mãe. Quando eram seres humanos, foram extremamente bondosos em lhe dar seu corpo e salvá-lo do perigo centenas de vezes a cada dia. Mais tarde, aguentaram muitas privações para ensinar-lhe as coisas do mundo; ensinaram você a falar, a caminhar e a se comportar. Também criaram muito Karma negativo para garantir a sua felicidade.

Não apenas foram bondosos com você inúmeras vezes como uma mãe humana, mas também foram bondosos com você inúmeras vezes como uma mãe animal. Como uma mãe cachorra, deram-lhe leite e comida. Como uma mãe pássaro, alimentaram-no com muitas minhocas todo dia. Cada vez que foram sua mãe, cuidaram de você desinteressadamente, sacrificando o conforto deles – até suas vidas – inúmeras vezes para protegê-lo e lhe trazer felicidade. Como animais, guardaram e protegeram você inúmeras vezes do ataque de outros animais. Foram incrivelmente bondosos dessa maneira, muitas vezes.

Cada um desses animais não foi apenas sua mãe: foi seu pai, seu irmão e sua irmã inúmeras vezes. Somos todos iguais, somos todos uma só família – apenas temos corpos diferentes nesse momento. Devemos nos sentir tão próximos desses animais quanto de nossa atual família. Devemos guardá-los em nosso coração.

Pense: "Devo libertar todos os seres dos infernos de todo sofrimento e de suas causas e conduzi-los à iluminação. Devo libertar todos os fantasmas famintos de todo sofrimento e de suas causas e conduzi-los à iluminação. Devo libertar todos os animais de todo sofrimento e de suas causas e conduzi-los à iluminação".

Reflita um pouco mais sobre o sofrimento específico dos animais. São ignorantes, não podem se comunicar, vivem com medo de ser atacados por outros animais, e são torturados e mortos por seres humanos.

Então pense: "Devo libertar todos os seres humanos de todo sofrimento e de suas causas e conduzi-los à iluminação". Somando-se à experiência de sofrimento como resultado de seu Karma negativo passado, os seres humanos criam causas adicionais de sofrimento, tais como renascimento nos reinos inferiores, porque ainda estão sob controle das delusões.

A seguir pense: "Devo libertar todos os seres devas, os asuras e suras, de todo sofrimento e suas causas e conduzi-los à iluminação". Como estão sob controle do Karma e das delusões, os devas também não estão livres do sofrimento.

"Para libertar todos os seres sencientes de seus obscurecimentos e conduzi-los à iluminação, devo eu mesmo atingir a iluminação. Não há outro jeito. Para fazer isso, devo praticar as seis perfeições; portanto, vou soltar esses animais e trabalhar para os seres sencientes dando-lhes Dharma e comida." Gere bodhichitta dessa maneira.

Dedicação específica

Dedico a liberação desses animais à Sua Santidade o Dalai Lama, o Buddha da Compaixão em forma humana, único refúgio e fonte de felicidade de todos os seres vivos. Possa Sua Santidade ter vida longa e possam todos seus desejos sagrados ser preenchidos.

Dedico essa prática à vida longa e saudável de todos os outros seres sagrados, aqueles que trabalham para a felicidade dos seres vivos. Possam todos seus desejos sagrados ser imediatamente consumados.

Possam todos os membros da Sangha ter vida longa e saudável. Possam todos seus desejos de praticar o Dharma ser imediatamente consumados. Possam eles ser capazes de escutar, refletir e meditar. Possam eles ser capazes de viver em moralidade pura e possam eles completar o entendimento das escrituras e a efetivação dos ensinamentos nessa vida.

Possam os benfeitores que apoiam o Dharma e cuidam da Sangha ter vida longa, e possam todos seus desejos sucederem-se de acordo com o Dharma sagrado.

Essa prática de liberação de animais é dedicada também à vida longa de todas as pessoas que estão criando bom Karma e tornando suas vidas úteis por ter refúgio em suas mentes e viver na moralidade.

Possa essa prática ser também o remédio que liberta todo mundo do sofrimento da doença, especialmente Aids e câncer, e do sofrimento da morte.

Essa prática é dedicada também a que todos os seres malignos encontrem e pratiquem o Dharma e, após encontrarem fé no refúgio e no Karma, tenham vida longa. (Se não praticam o Dharma, será nocivo para eles ter vida longa, pois continuarão a viver vidas malignas.)

Dedique também à vida longa de pessoas específicas que estejam doentes, tais como membros da família e amigos.

Tomando refúgio e gerando bodhichitta
Busco refúgio até estar iluminado,
No Buddha, no Dharma e na Assembleia Suprema.
Pelos méritos virtuosos que reuni ao praticar a generosidade e as outras perfeições,
Possa eu rapidamente atingir o estado de Buddha para conduzir todos os seres vivos a esse estado iluminado. (3x)

Gerando os quatro pensamentos ilimitados
Como seria maravilhoso se todos os seres vivos permanecessem em equanimidade, livres de apego e ódio, sem manter alguns perto e outros distantes.
Possam eles permanecer em equanimidade.
Eu mesmo farei que permaneçam em equanimidade.
Por favor, Guru-Buddha, conceda-me bênçãos para eu ser capaz de fazer isso.

Como seria maravilhoso se todos os seres sencientes tivesssem felicidade e as causas da felicidade.
Possam eles ter felicidade e sua causa.
Eu mesmo lhes trarei felicidade e sua causa.
Por favor, Guru-Buddha, conceda-me bênçãos para eu ser capaz de fazer isso.

Como seria maravilhoso se todos os seres sencientes ficassem livres do sofrimento e da causa do sofrimento.
Possam eles ficar livres do sofrimento e sua causa.
Eu mesmo vou libertá-los do sofrimento e sua causa.
Por favor, Guru-Buddha, conceda-me bênçãos para eu ser capaz de fazer isso.

Como seria maravilhoso se todos os seres sencientes jamais fossem separados da felicidade do renascimento elevado e da liberação.
Possam eles jamais estar separados dessa felicidade.
Eu mesmo farei que eles jamais sejam separados dessa felicidade.
Por favor, Guru-Buddha, conceda-me bênçãos para eu ser capaz de fazer isso. (3x)
Se tiver tempo, você também pode fazer as preces para purificar o local, abençoar as oferendas e a invocação.[30]

Prece dos Sete Ramos

Prostro-me respeitosamente com meu corpo, fala e mente;
Faço nuvens de oferendas, tanto de fato quanto mentalmente transformadas.
Confesso todas as ações negativas acumuladas ao longo de tempo sem princípio.
E regojizo-me com as ações virtuosas de todos os seres sagrados e ordinários.
Por favor, professores virtuosos, permaneçam como nossos guias,
E girem a Roda do Dharma até o samsara acabar.
Dedico todos meus méritos e os de todos os outros à grande iluminação.

Oferenda de mandala

Esse solo, ungido com perfume, juncado de flores,
Adornado com o Monte Meru, quatro continentes, o sol e a lua:
Imagino-o como um campo de Buddha e o ofereço.
Possam todos os seres vivos desfrutar dessa terra pura.

Devido aos méritos de ter oferecido essa mandala, possam todos os seres dos seis reinos, e especialmente esses animais, renascer imediatamente em um reino puro e atingir a iluminação.
IDAM GURU RATNA MANDALAKAM NIRYATAYAMI

A Fundação de Todas as Boas Qualidades[31]

Por favor, abençoe-me para eu ver claramente que
A devoção adequada ao bondoso e venerável guru,
A fundação de todas as boas qualidades, é a raiz do caminho
E para me devotar com grande respeito e muito esforço.

Por favor, abençoe-me para eu entender que esse oportuno e excelente corpo humano
Encontrado uma só vez, é muito difícil de obter e altamente significativo,
E para gerar incessantemente a percepção de apreender sua essência
Em todas as horas, dia e noite.

Por favor, abençoe-me para que eu fique ciente da morte,
Visto que corpo e vida são instáveis,
Decaindo rapidamente como uma bolha de água;
Para encontrar a firme convicção de que, após a morte, resultados subsequentes
Seguem as ações brancas e negras como a sombra segue o corpo;
E desse modo ser sempre escrupuloso em evitar até mesmo os conjuntos de faltas pequenas e sutis
E alcançar todos os conjuntos de virtude.

Por favor, abençoe-me para eu conhecer as falhas das perfeições samsáricas:
Não existe satisfação em experienciá-las,
Elas são a porta para todo sofrimento e são inconfiáveis;
E para gerar um grande empenho pela beatitude da liberação.

Induzido por esse pensamento imaculado,
Por favor, abençoe-me para eu tomar o pratimoksha,
A raiz da doutrina, como prática essencial
Com grande atenção, prontidão e escrúpulo.

Por favor, abençoe-me para que eu veja que assim como eu mesmo
Caí no oceano da existência, do mesmo modo caíram
Todas as mães migradoras, e para eu treinar a bodhichitta suprema
Que assume o fardo de liberar os migradores.

Por favor, abençoe-me para eu ver claramente que, mesmo que eu gere a mera mente do desejo,
Sem cultivar os três tipos de moralidade
A iluminação não pode ser alcançada,
E para treinar os votos dos Filhos dos Conquistadores com esforço intenso.

Por favor, abençoe-me para eu gerar rapidamente
O caminho unificado da permanência serena e do insight *penetrante em meu continuum*
Acalmando as distrações com objetos errados
E analisando de forma apropriada os significados da realidade.
Quando me tornar um vaso treinado no caminho comum,
Por favor, abençoe-me para que eu entre facilmente
Na entrada sagrada dos seres afortunados,
No supremo entre todos os veículos, o Vajrayana.

Nessa ocasião, por favor, abençoe-me para que eu obtenha convicção genuína
No ensinamento de que a base para se alcançar os dois tipos
De atingimento são compromissos e votos completamente puros
E para guardá-los com minha vida.

Então, por favor, abençoe-me para que eu realize exatamente os pontos essenciais dos dois estágios,
O coração dos conjuntos de tantras, e para que eu pratique diligentemente,
De acordo com os ensinamentos dos sagrados,
Sem oscilar da yoga suprema das quatro sessões.

Por favor, abençoe-me para que meus guias espirituais que mostram
Um caminho tão sagrado e meus companheiros que o praticam de forma apropriada
Tenham vidas estáveis e longas e que a profusão
De interrupções internas e externas seja inteiramente pacificada.

Em todos meus renascimentos, possa eu jamais estar separado dos gurus perfeitos
E sempre desfrutar do esplendor do Dharma;
Tendo completado as qualidades dos estágios e dos caminhos,
Possa eu rapidamente atingir o estado de Vajradhara.

Recitando os nomes dos 35 Buddhas e dos Buddhas da Medicina

Visualize os 35 Buddhas acima dos animais. Enquanto você recita os nomes deles, raios de néctar são emitidos de seus corpos sagrados e purificam todo Karma negativo e obscurecimentos acumulados por todos os seres sencientes, em especial dos animais que você está soltando, ao longo de renascimentos sem princípio. Todo Karma negativo sai de seus corpos como um líquido negro.

Ao fim da recitação, imagine que as mentes de todos eles tornaram-se completamente puras e que seus corpos são límpidos como cristal e da natureza da luz; eles também geraram todas as realizações do caminho e se tornaram iluminados.

A seguir, recite lentamente os nomes dos sete Buddhas da Medicina, acompanhados da mesma meditação de purificação. Então complete o restante da prece de confissão, que contém o remédio dos quatro poderes.

Eu (diga seu nome), por todos os tempos, tomo refúgio nos gurus;
Tomo refúgio nos Buddhas;
Tomo refúgio no Dharma;
Tomo refúgio na Sangha. (3x)

Ao Fundador, o Bhagavan, o Tathagata, o arhat, o plenamente iluminado, ao Guru-Buddha Shakyamuni eu me prostro.
Ao Tathagata, Grande Destruidor, Destruindo com a Essência Vajra, eu me prostro.
Ao Tathagata, Joia que Irradia Luz, eu me prostro.
Ao Tathagata, Rei que Governa os Espíritos Nagas, eu me prostro.
Ao Tathagata, Líder dos Guerreiros, eu me prostro.
Ao Tathagata, O Supremamente Bem-Aventurado, eu me prostro.
Ao Tathagata, Joia de Fogo, eu me prostro.
Ao Tathagata, Joia de Luar, eu me prostro.

Ao Tathagata, Visão Sagrada que Traz Consumações, eu me prostro.
Ao Tathagata, Joia de Lua, eu me prostro.
Ao Tathagata, O Imaculado, eu me prostro.
Ao Tathagata, Glorioso Doador, eu me prostro.
Ao Tathagata, O Puro, eu me prostro.
Ao Tathagata, Concessor de Pureza, eu me prostro.
Ao Tathagata, Águas Celestiais, eu me prostro.
Ao Tathagata, Ser Celestial das Águas Celestiais, eu me prostro.
Ao Tathagata, Glorioso Bom, eu me prostro.
Ao Tathagata, Glorioso Sândalo, eu me prostro.
Ao Tathagata, Aquele de Esplendor Ilimitado, eu me prostro.
Ao Tathagata, Luz Gloriosa, eu me prostro.
Ao Tathagata, O Glorioso sem Pesar, eu me prostro.
Ao Tathagata, Filho Daquele que Não Tem Desejo, eu me prostro.
Ao Tathagata, Flor Gloriosa, eu me prostro.
Ao Tathagata, Entende a Realidade ao Desfrutar da Luz Radiante da Pureza, eu me prostro.
Ao Tathagata, Entende a Realidade ao Desfrutar da Luz Radiante do Lótus, eu me prostro.
Ao Tathagata, Riqueza Gloriosa, eu me prostro.
Ao Tathagata, O Glorioso Atento, eu me prosto.
Ao Tathagata, Glorioso Nome Célebre, eu me prostro.
Ao Tathagata, Segurando a Bandeira da Vitória sobre os Sentidos, eu me prostro.
Ao Tathagata, Suprimindo Tudo Completamente, eu me prostro.
Ao Tathagata, Conquistador em Todas as Batalhas, eu me prostro.
Ao Tathagata, Ido Além do Autocontrole Perfeito, eu me prostro.
Ao Tathagata, Arranjando as Aparências para Tudo, eu me prostro.
Ao Tathagata, Joia de Lótus que Suprime Tudo, eu me prostro.
Ao Tathagata, o Bhagavan, o plenamente iluminado, Grande Joia que Sempre Permanece no Lótus, Rei com Poder sobre as Montanhas, eu me prostro.
Ao Bhagavan, o Tathagata, o arhat, o plenamente iluminado, Célebre Rei Glorioso dos Sinais Excelentes, eu me prostro.

Ao Bhagavan, o Tathagata, o arhat, o plenamente iluminado, Rei do Som Melodioso, Radiância Brilhante de Habilidade, Adornando com Joias, Lua e Lótus, eu me prostro.

Ao Bhagavan, o Tathagata, o arhat, o plenamente iluminado, Ouro Puro e Excelente, Joia Radiante que Realiza Todos os Votos, eu me prostro.

Ao Bhagavan, o Tathagata, o arhat, o plenamente iluminado, Glória Suprema Livre de Pesar, eu me prostro.

Ao Bhagavan, o Tathagata, o arhat, o plenamente iluminado, Oceano Melodioso do Dharma Proclamado, eu me prostro.

Ao Bhagavan, o Tathagata, o arhat, o plenamente iluminado, Rei Encantador do Conhecimento Claro, Suprema Sabedoria de um Oceano de Dharma, eu me prostro.

Ao Bhagavan, o Tathagata, o arhat, o plenamente iluminado, Guru da Medicina, Rei da Luz de Lápis-Lazúli, eu me prostro.

Todos vocês, 35 Buddhas e outros, tantos quantos sejam os Tathagatas, arhats, os plenamente iluminados, que existem, mantêm e vivem, que são da natureza dos três corpos sagrados; todos vocês, Buddhas-Bhagavans que vivem em todas as dez direções dos mundos dos seres sencientes, por favor, prestem atenção em mim.
Desde vidas sem princípio no samsara, nesta vida, na vida anterior a esta, e em todos os reinos samsáricos de renascimento, qualquer que seja o Karma negativo que eu tenha criado, feito outros criarem, ou me regozijado com sua criação, tais como: egoistamente tomar as posses de stupas, da Sangha, da Sangha das dez direções, fazer outros tomarem, ou me regozijar em tomar; tendo criado as cinco ações negativas extremas (bem como as cinco ações negativas próximas às cinco ações negativas extremas), feito outros criarem essas ações, ou me regozijado com a criação dessas ações; ou criado plenamente o caminho das dez ações ruins, feito outros criarem, ou me regozijado na criação dessas ações.
Ser obscurecido por esse Karma, qualquer que tenha sido criado, faz que eu e outros seres sencientes nasçamos nos estágios de narak, *em renascimento animal, no reino dos pretas, em terras sem religião, como bárbaros, como deuses de vida longa, ou como seres vivos com órgãos imperfeitos, mantendo visões errôneas, ou não sendo agraciados com a descida do Buddha.*
Todas essas negatividades estou proclamando, aceitando-as como negativas, não as manterei em segredo por não confessá-las, não as ocultarei e, de agora em diante, vou extirpar e me abster de criar essas ações negativas na presença dos Buddhas-Bhagavans, que são a sabedoria transcendental que conhece toda existência; que são olhos compassivos fitando todos os seres sencientes o tempo todo; que são testemunhas, pois a mente onisciente vê qualquer Karma negativo e positivo que seja criado; e que são o verdadeiro conhecimento, visto que a mente onisciente vê plenamente toda existência e explica exatamente e sem equívoco a todos os seguidores.
Todos os Buddhas-Bhagavans, por favor, prestem atenção em mim. Desde vidas sem princípio no samsara, nesta vida, na vida anterior a esta, e em todos os reinos samsáricos de renascimento, qualquer que seja o mérito que eu tenha criado até por pequenas ações, tais como dar apenas um bocado de comida a um ser nascido no reino animal. Qualquer que seja o mérito que eu tenha criado por manter os preceitos; qualquer que seja o mérito que eu tenha criado por seguir a conduta para receber o nirvana sublime;

qualquer que seja o mérito que eu tenha criado por amadurecer plenamente a mente de outros seres; qualquer que seja o mérito que eu tenha criado por gerar bodhichitta; e todo o mérito da sabedoria transcendental mais elevada que eu tenha criado – juntando minhas próprias virtudes e a seguir empilhando-as com as de todos os outros, somando desse modo todo nosso mérito. Dedico tudo isso, plenamente, ao que não pode ser mais elevado, ao ainda mais acima do mais elevado, ao mais elevado do mais elevado (e ao Nirmanakaya, que é mais elevado que o arhat Hinayana). Por esse motivo, dedico por completo à mais elevada, plenamente consumada iluminação.

Não obstante os Buddhas-Bhagavans anteriores terem dedicado, não obstante os Buddhas-Bhagavans que ainda não desceram virem a dedicar, não obstante os atuais Buddhas-Bhagavans estarem dedicando, do mesmo modo eu também dedico plenamente.

Todo Karma negativo que resulta em sofrimento nos reinos de sofrimento, eu confesso individualmente. Regozijo-me com todo mérito. Imploro a todos os Buddhas que concedam meu pedido: possa eu receber a sabedoria transcendental mais elevada e mais sublime.

Nos reis sublimes dos seres humanos – aqueles que vivem no presente, aqueles que viveram no passado, e aqueles que não desceram –, em todos aqueles que possuem qualidades tão vastas quanto um oceano infinito, com as mãos cruzadas no mudra da prostração, eu busco refúgio.

Prática de Tchenrezig

Visualize Tchenrezig de Mil Braços acima dos animais. Enquanto você recita os mantras, raios de néctar emitidos do coração de Tchenrezig purificam os animais, conforme explicado anteriormente.

Mantra longo de Tchenrezig

NAMO RATNA TRAYAYA / NAMAH ARYA JNANA SAGARA / VAIROCHANA / VYUHA RAJAYA / TATHAGATAYA / ARHATE / SAMYAKSAM BUDDHAYA / NAMAH SARVA TATHAGATEBYAH ARADBHYAH / SAMYAKSAM BUDDHEBHYAH / NAMAH ARYA AVALOKITESHVARAYA / BODHISATTVAYA / MAHASATTVAYA / MAHAKARUNIKAYA / TADYATHA / OM / DHARA DHARA / DHIRI DHIRI / DHURU DHURU / ITTI VATTE / CHALE CHALE / PRACHALE PRACHALE / KUSUME / KUSUME VARE / ILI MILI / CITI JVALAM / APANAYE SVAHA

Mantra curto de Tchenrezig
OM MANI PADME HUM

Mantra longo de Namgyalma
OM NAMO BHAGAWATE / SARVA TRAILOKYA / PRATIVISHISHTAYA / BUDDHAYA TE NAMA / TA YA THA / OM BHRUM BHRUM BHRUM / SHODAYA SHODAYA / VISHODHAYA VISHODHAYA / ASAMA-SAMANTA-AVABHA SPHARANA GATI / GAGANA SOMBAVA VISHUDDHE / ABHIKINTSANTU MAM / SARVA TATHAGATA SUGATA VARA VACANA AMRITA ABHISEKERA / MAHAMUDRA MANTRA PADAIH / AHARA AHARA NAMA AYUS SANDHARINI / SHODHAYA SHODHAYA / VISHODHAYA VISHODHAYA / GAGANA SVARHAVA VISHUDDHE / USNISHA VIJAYA PARISHUDDHE / SAHASRA RASMI SANCODITE / SARVA TATHAGATA AVALOKINI / SAI PARAMITA PARIPURANI / SARVA TATHAGATA MATI / DASHA BHUMI PRATISHTHITE / SARVA TATHAGATA HRIDAYA / ADISHTHANA ADHISHTHITE / MUDRE MUDRE HAHA MUDRE / VAJRA KAYA SAMHATANA PATISHUDDHA / SARVA KARMA AVARANA VISUDDHE / PRATINI VARTAYA MAMA AYUR VISUDDHE / SARVA TATHAGATA SAMAYA / ADHISHTHANA ADHISHTHITE / OM MUNI MUNI / MAHA MUNI / VIMUNI VIMUNI / MAHA VIMUNI / MATI MATI / MAHA MATI / MAMATI / SUMATI / TATHATA / BHUTAKOTI PARISHUDDHE / VISPHUTA BUDDHI SHUDDHE / HE HE JAYA JAYA / VIJAYA VIJAYA / SMARA SMARA / SPHARA SPHARA / SPHARAYA SPHARAYA / SARVA BUDDHA / ADISHTHANA ADHISHTHITE / SHUDDHE SHUDDHE / BUDDHE BUDDHE / VAJRE VAJRE / MAHA VAJRE / SUVAJRE / VAJRAGARBHE / JAYAGARBHE / VIJAYAGARBHE / VAJRA DZOLA GARBHE / VAJRODEBHAVE / VAJRA SAMBHAVE / VAJRE VAJRINI / VAJRAM BHAVATU MAMA SHARIRAM / SARVA SATTVANANTSA KAYA / PARI SHUDDHIR BHAVATU / ME SADA SARVA GATI PARISHUDDHIR TSA / SARVA TATHAGATA TSAMAM SAMASVAYANTU / BUDDHYA BUDDHYA / SIDDHYA SIDDHYA / BODHAYA BODHAYA / VIBODHAYA VIBODHAYA / MOTSAYA MOTSAYA / VIMOTSAYA VIMOTSAYA / SHODHAYA SHODHAYA / VISHODHYA VISHODHYA / SAMANTENA MOTSAYA MOTSAYA / SAMANTRA RASMI PARI SHUDDHE / SARVA TATHAGATA HRIDAYA / ADHISHTHANA ADHISHTHITE / MUDRE MUDRE / MAHA MUDRE / MAHAMUDRA MANTRA PADAIH SOHA

Mantra curto de Namgyalma
OM BHRUM SOHA / OM AMRITA AYUR DADE SOHA

Mantra da Roda que Concede Desejos
OM PADMO USHNISHA VIMALE HUM PHAT

Mantra de Mitukpa
NAMO RATNA TRAYAYA / OM KAMKANI KAMKANI / ROTSANI ROTSANI / TORTANI TORTANI / TRASANI TRASANI / TRATIHANA TRATIHANA / SARWA KARMA PARAM PARANI ME SARWA SATO NENTSA SOHA

Mantra de Kunrig
OM NAMO BHAGAWATE SARWA DURKATE PARISHODHANA RADZAYA / TATHAGATAYA / ARHATE SAMYAKSAM BUDDHAYA / TAYATA / OM SHODHANI SHODHANI / SARWA PAPAM BISHODHANI SHUDDHE BISHUDDHE SARWA KARMA AHWARANA BISHODHANI SOHA

Mantra da Divindade do Raio Imaculado
NAMA TREYA DHIKANAM / SARWA TATHAGATA HRIDAYA GARBHE DZOLA DZOLA / DHARMADHATU GARBHE / SAMBHARA MAMA AHYU / SAM SHODHAYA / MAMA SARWA PAPAM SARWA TATHAGATA SAMANTO UNIKA BIMALE BISHUDDHE HUM HUM HUM HUM / AM BAM SAM DZA SOHA

Mantra de Milarepa
OM AH GURU HASA VAJRA SARVA SIDDHI PHALA HUM

Mantra do Buddha da Medicina
TAYATHA / OM BEKANDZE BEKANDZE / MAHA BEKANDZE RANDZE / SAMUNGATE SOHA

Dedicação

Ao fim, dedique os méritos da mesma forma que fez a motivação no início da prática.

Dedico a liberação desses animais à Sua Santidade o Dalai Lama, o Buddha da Compaixão em forma humana, único refúgio e fonte de felicidade de todos os seres vivos. Possa Sua Santidade ter vida longa e possam todos seus desejos sagrados ser preenchidos.

Dedico essa prática à vida longa e saudável de todos os outros seres sagrados, aqueles que trabalham para a felicidade dos seres vivos. Possam todos seus desejos sagrados ser imediatamente consumados.

Possam todos os membros da Sangha ter vida longa e saudável. Possam todos seus desejos de praticar o Dharma ser imediatamente consumados. Possam eles ser capazes de escutar, refletir e meditar; possam eles ser capazes de viver em moralidade pura; e possam eles completar o entendimento das escrituras e a efetivação dos ensinamentos nessa vida.

Possam os benfeitores que apoiam o Dharma e cuidam da Sangha ter vida longa, e possam todos seus desejos sucederem-se de acordo com o Dharma sagrado.

Essa prática de liberação de animais é dedicada também à vida longa de todas as pessoas que estão criando bom Karma e tornando suas vidas úteis por ter refúgio em suas mentes se viver na moralidade.

Possa essa prática ser também o remédio que liberta todo mundo do sofrimento da doença, especialmente Aids e câncer, e do sofrimento da morte.

Essa prática é dedicada também a que todos os seres malignos encontrem e pratiquem o Dharma e, após encontrarem fé no refúgio e no Karma, tenham vida longa.

Dedique também à vida longa de pessoas específicas que estejam doentes, tais como membros da família e amigos.

19. Lidando com a depressão

A depressão pode ser resultado de uma situação específica, e nesse caso você pode aplicar a meditação pertinente para lidar com tais condições. Entretanto, depressão e sensações de desesperança também podem surgir sem nenhum motivo particular. Quando experiencia depressão, você deve se preparar toda manhã adotando a firme determinação de não permitir que a situação o aborreça. Adotar a determinação de suportar a situação é importante porque lhe fortalece e lhe dá coragem. Adote também a firme determinação de transformar a depressão em felicidade. Durante o dia, quando começar a se sentir deprimido ou aborrecido, deve se lembrar, imediatamente, da determinação que adotou de manhã e não deixar a situação oprimi-lo. Não importa o quanto a situação pareça ruim e, mesmo que seja, normalmente, considerada um problema sério, você não deve permitir que torne sua vida sombria e deprimida.

Depois de adotar essa determinação, você então se prepara mentalmente para o dia, pensando nos métodos que usará quando começar a se sentir deprimido ou aborrecido. Existem várias técnicas especiais para combater a depressão.

Lembrar da impermanência e da morte

A primeira técnica é pensar na impermanência e na morte. Lembre-se de que sua morte certamente acontecerá, mas é incerto quando isso irá acontecer. Essa vida é muito curta, dura apenas um minuto, um segundo. Em vez de pensar que você vai morrer daqui a muito tempo, pense que poderia morrer de súbito hoje, até mesmo daqui a uma hora – ou no próximo minuto.

Pense sobre a impermanência e a morte a cada dia, cada hora, cada minuto. Depois de acordar de manhã, regozije-se por ainda estar vivo, por ainda ter um corpo humano precioso, e então decida que hoje é o dia em que você vai morrer. Quer sua morte vá acontecer hoje ou não, você deve pensar: "Vou morrer hoje", ou: "Vou morrer daqui a uma hora". Isso ajuda a cortar o apego, a fixação, o agarramento, que trazem muitas expectativas.

A depressão está relacionada ao apego. Você fica deprimido quando não consegue o que seu apego quer. Portanto, você precisa pensar: "Eu poderia morrer hoje – até mesmo daqui a uma hora". Ou de fato decidir: "Vou morrer hoje". Pensar que sua vida é muito curta e que poderia facilmente acabar detém sua forte fixação. Assim, você não tem preocupação e nem medo em sua vida.

Do contrário, se não aplica essa técnica de pensar que sua morte poderia acontecer hoje, você sempre sentirá insatisfação, solidão e depressão. Aí existe o perigo de você cometer suicídio. Quando a mente está em um estado depressivo e sua vida parece muito negra, o suicídio está a um passo.

Experienciar a depressão em favor dos outros

Uma segunda técnica para lidar com a depressão, e a melhor maneira de torná-la benéfica, é usá-la para gerar o pensamento amoroso e compassivo de bodhichitta. Desse jeito você transforma seu problema de depressão em felicidade e o usa para trazer felicidade a todos os seres vivos; você usa sua depressão no caminho para a iluminação.

Inúmeros seres vivos vivem com depressão e incontáveis outros têm o Karma de experienciar a depressão no futuro. Pense: "Sou uma só pessoa, enquanto os outros são inumeráveis. Como seria maravilhoso se eu, uma só pessoa, pudesse experienciar a depressão de todos os seres vivos, bem como todo o resto do sofrimento deles, e permitir que tivessem felicidade e paz, até a iluminação". Se possível, quando disser "todo o resto do sofrimento deles", pense no *sofrimento do sofrimento*, no *sofrimento da mudança* (que significa os prazeres samsáricos temporários) e no *sofrimento difuso*. Isso é mais profundo porque você não está pensando apenas na dor física ou na pobreza, mas considerando todo o sofrimento do samsara.

A seguir pense: "Mesmo que eu nascesse no inferno, visto que sou uma só pessoa, não haveria por que se aborrecer. E, mesmo que eu alcançasse total liberação do samsara, visto que seria apenas para mim mesmo e que o restante dos seres vivos ainda sofreria, não haveria nada de espantoso. Como seria maravilhoso se todos os outros pudessem ficar livres do sofrimento da depressão e eu, um único ser, pudesse tomar para mim toda a depressão e o resto do sofrimento dos inumeráveis seres vivos e permitir que tivessem toda felicidade até a iluminação. Isso seria o maior feito de minha vida!".

Então faça a meditação de tomar para você o sofrimento dos outros seres vivos – em particular a depressão. Gerando compaixão pelos outros, tome para você toda a depressão deles e suas causas, bem como todos outros sofrimentos. Inspire por suas narinas todo esse sofrimento na forma de fumaça negra, que a seguir é absorvida por seu ego, seu pensamento de egocentrismo, o verdadeiro inimigo que você tem de destruir. Use todo esse sofrimento como uma arma para destruir seu ego, que lhe dá toda a sua depressão e outros problemas. Esse demônio que reside em seu coração, seu verdadeiro inimigo, é completamente destruído; torna-se inexistente.

Depois disso, se possível, medite sobre a vacuidade. Após destruir o ego, que zela pelo eu, medite sobre a vacuidade do eu. Como o ego é totalmente destruído, o mesmo acontece com o falso eu pelo qual o ego zelava tão intensamente como a coisa mais importante e preciosa entre todos os seres. Como o pensamento de egocentrismo torna-se inexistente, o mesmo acontece com seu objeto, o eu real, que lhe parece existir por si mesmo. Você então medita sobre a vacuidade, a natureza última do eu. Concentre-se um pouco enquanto estiver no estado de vacuidade. Concentre-se na ausência do eu existente de modo inerente, que não existe em lugar nenhum, nem na base, nem em nenhum outro lugar.

Essa meditação pode ser muito benéfica para a depressão, mas depende do quanto você consegue meditar efetivamente sobre a vacuidade. Para algumas pessoas, meditar sobre a vacuidade é um medicamento poderoso.

Depois disso, gerando bondade amorosa em relação aos outros, faça a meditação de dar. Dê seu corpo a todos os seres vivos na forma de uma joia que realiza desejos; toda sua riqueza e bens; todo seu mérito ou bom Karma, a causa de toda sua felicidade; e toda sua felicidade, até a iluminação. Os outros seres vivos recebem tudo de que precisam; todos os desfrutes que recebem faz que efetivem o caminho espiritual, e todos tornam-se iluminados.

Relacione essa prática de receber e dar com sua respiração. Em caso de depressão, concentre-se mais na prática de tomar para si o sofrimento dos outros seres vivos. A meditação essencial é experienciar sua depressão em favor de todos os outros seres vivos.

Faça a meditação de receber e dar de manhã e à noite, e durante o restante do dia, enquanto estiver dirigindo, comendo ou envolvido em outras atividades, aplique o antídoto imediatamente sempre que o pensamento de sua depressão vier à mente. Tão logo comece a se sentir deprimido, pense imediatamente: "Estou experienciando essa depressão em favor de todos os outros seres vivos", ou: "Essa depressão que estou experienciando é a depressão de todos os outros seres vivos". Pensar que a depressão não é sua, mas de todos os outros seres vivos pode ser útil. Isso também se aplica à Aids, ao câncer ou a qualquer outra doença.

Quando você experiencia sua depressão pelos outros, quando muda a atitude de pensar de: "Estou deprimido", para: "Estou experienciando essa depressão pelos outros", sua depressão torna-se agradável e válida. É essencial pensar repetidamente que você está experienciando sua depressão pelos outros, porque esse pensamento mantém a mente em estado constante de paz e felicidade. Quando pratica isso no cotidiano, você desfruta da vida e vê sentido em viver. Sente alegria por ter a oportunidade de experienciar depressão, e vê sua vida como válida porque está vivendo-a para os outros.

Para desfrutar da depressão ou qualquer outro problema que experiencie na vida, você tem de pensar nos benefícios, e o maior benefício da depressão é que você pode usá-la para desenvolver bodhichitta. Ao experienciar a depressão, você pode ver mais facilmente o sofrimento de outros seres vivos, especialmente dos inúmeros outros seres vivos que experienciam depressão e criaram a causa para experienciá-la. A experiência pessoal de depressão habilita você a estimar o quanto é insuportável.

Usar sua depressão para desenvolver bodhichitta purifica uma quantidade inimaginável de Karma negativo e reúne mérito tão vasto quanto o espaço. Cada vez que pensa: "Estou experienciando essa depressão, essa infelicidade, em favor de todos os seres vivos", você reúne mérito extensivo e, quanto mais mérito reúne, mais fácil fica para você realizar a vacuidade. O mérito que você reúne fazendo a prática de bodhichitta de tomar o sofrimento dos outros e dar a eles sua própria felicidade e mérito ajuda-o a realizar a vacuidade mais fácil e rapidamente.

Quando você experiencia depressão, é bom olhar a situação como um retiro. Embora não esteja em retiro físico, no sentido de manter seu corpo em uma sala, você fica em retiro real ao manter a mente sempre em bodhichitta. Se sua depressão convence-o a praticar bodhichitta, você experiencia uma poderosa purificação e reúne mérito extensivo o dia inteiro. Durante as semanas, meses ou até anos que tiver depressão, será como fazer um retiro de Vajrasattva. Esse é o melhor retiro, pois cada hora, cada minuto, cada segundo em que você investe esforço no desenvolvimento bodhichitta torna sua vida benéfica para todos os seres sencientes. Usar sua depressão para praticar bodhichitta torna-se o caminho rápido para a iluminação, como o tantra.

Um jeito de deter a experiência de depressão e outros problemas é fazer uma forte prática de purificação em sua vida cotidiana, purificando assim a causa da depressão. Ao purificar a causa dos problemas, você não os experiencia. Do contrário, continuará a experienciar depressão de uma vida para outra. Conforme acabei de mencionar, a prática de bodhichitta traz uma poderosa purificação. Também existem outras práticas poderosas de purificação, como recitar os nomes dos 35 Buddhas, a meditação e recitação de Vajrasattva, e o puja de fogo de Dordje Khadro. A prática de purificação é essencial porque, a menos que o Karma negativo seja purificado, você também irá experienciar depressão em vidas futuras.

Simplesmente aceitar sua depressão também é útil. Você pode pensar: "Mereço essa experiência de depressão por causa das inúmeras ações negativas pesadas que cometi no passado". Também pode pensar que, ao experienciar a depressão, você está exaurindo o Karma negativo que reuniu ao longo de renascimentos sem princípio. Pensar dessa maneira pode deixá-lo feliz por experienciar a depressão em vez de considerá-la prejudicial. Quando lavamos roupa suja com água e sabão, primeiro sai um monte de sujeira escura. Vemos isso como positivo, e não como negativo, embora as roupas não fiquem limpas de imediato. É parecido quando praticamos um caminho espiritual. O Karma negativo pode se manifestar, ou sair, na forma de depressão e doença. Isso não é ruim, pois é um sinal de que estamos esgotando nosso Karma negativo. Devemos nos regozijar por ter a depressão ou uma doença, pois, em vez de experienciar pesado sofrimento nos reinos inferiores durante éons, estamos purificando nosso pesado Karma passado na forma de um pequeno problema, uma depressão, nessa vida. Comparado ao sofrimento no reino infernal, o sofrimento da depressão não é nada. Devemos nos sentir extremamente sortudos por estarmos livres de sofrimento intenso e olhar nossa depressão como um sinal de sucesso.

Quando praticamos o Dharma, o Karma negativo pode se manifestar muito rapidamente e ser esgotado por meio da experiência de doença, depressão e outros problemas. Nesse caso, a água e sabão é a prática do Dharma. É por isso que muitos praticantes do Dharma deparam com doenças e muitos outros obstáculos quando fazem uma prática forte.

Os ensinamentos budistas enfatizam a importância de sempre manter a mente em um estado de felicidade. Se você fica infeliz, também deixa sua família e outras pessoas ao seu redor infelizes. Você fica tão trancado em si mesmo e na depressão que sua mente não se abre para os outros. Você não consegue amar nem ajudar os outros, nem fazê-los felizes. Não consegue sequer sorrir para os outros; não consegue dar nem mesmo esse pequeno prazer aos outros.

Quando está feliz você fica relaxado e tem espaço em sua mente para pensar nos outros, para zelar por eles e amá-los. Pode dar prazer aos outros sorrindo para eles. Também pode fazer seu trabalho e sua prática espiritual melhor. Se sua mente está deprimida, você pode até parar a prática espiritual. Você se sente tão desencorajado que não consegue recitar sequer um OM MANI PADME HUM. Por isso, quando sua vida se torna uma desgraça, é muito importante manter a mente feliz utilizando os problemas no caminho para a iluminação.

Contudo, se você sente grande entusiasmo ao alcançar algum sucesso, sua vida também fica instável. Sua mente fica distraída, e uma mente que não é estável não consegue fazer prática espiritual. Você precisa praticar a transformação do pensamento, de modo que se sentir desgraçado ou se sentir feliz não se torne um obstáculo para executar o caminho para a iluminação. Você precisa manter a mente feliz e positiva, porque isso mantém sua mente saudável, e dessa mente saudável vem um corpo saudável.

Claro que há gente muito saudável e que vive uma vida longa, embora empenhe-se em atividades negativas como matar e abater muitos milhares de seres, sem se engajar em qualquer prática de purificação ou quaisquer atividades positivas. Entretanto, isso não é necessariamente um bom sinal. Todo o Karma negativo está sendo armazenado, para ser experienciado no futuro por uma incrível quantidade de tempo. Essa vida atual é muito curta, como um segundo, quando comparada a todas as vidas futuras e à duração até mesmo de uma só vida nos reinos dos infernos. Além de trazer sofrimento por uma duração inconcebível de tempo nos reinos inferiores, o Karma negativo trará sofrimento a essas pessoas no reino humano por muitos milhares de vidas.

Dê sua depressão para o ego

A terceira técnica para lidar com a depressão é dá-la para o ego. É semelhante a tomar a depressão dos outros seres vivos. Primeiro examine a causa de sua depressão. O que o levou a experienciar a depressão? Seu ego, seu pensamento egocentrado. Há uma conexão direta entre depressão e forte zelo pelo eu. Você fica deprimido, basicamente, porque o ego não consegue o que quer ou espera.

Outro ponto a se considerar é que a depressão pode acontecer porque no passado – seja em uma vida passada ou mais cedo nessa vida –, devido ao egocentrismo, você perturbou a mente de seu mestre espiritual e degenerou ou quebrou seus compromissos. Ainda assim, isso significa que a depressão aconteceu por causa do ego. É o ego que lhe obriga a experienciar a depressão.

Em um dos sutras do *Kangyur*, a coleção dos ensinamentos do Buddha, ao explicar os benefícios de manter os cinco preceitos laicos (deixar de matar, roubar, mentir, manter má conduta sexual e beber álcool) e as falhas de não mantê-los, o Buddha menciona que se sentir subitamente deprimido sem motivo específico é resultado de Karma negativo por má conduta sexual no passado. O texto se refere à depressão súbita que ocorre ao anoitecer, mas o mesmo aplica-se a se sentir, subitamente, deprimido ao acordar de manhã. Embora não tenha motivo particular para se sentir deprimido, de repente você se sente infeliz. Sua mente pode estar feliz e mudar de repente, como nuvens a obscurecer o céu. Suponho que isso venha do Karma negativo de ter feito a mente dos outros ficar infeliz. Devido ao ego, surgiu o apego, o Karma negativo da má conduta sexual foi cometido e, como resultado, você agora experiencia a depressão. Porém, tudo isso ainda é causado pelo ego.

Às vezes é bom ler *The Wheel of Sharp Weapons (A Roda das Armas Afiadas)*. O ponto essencial a entender é que o giro da arma afiada do Karma é criado por nosso pensamento de egocentrismo, e que agora você precisa girar a arma para o pensamento de egocentrismo, que antes de mais nada lhe deu depressão. Em vez de tomar a depressão para si, devolva-o para o ego e destrua-o por completo. Use sua depressão como uma bomba atômica para destruir o inimigo interior, o pensamento de egocentrismo. Quando encontra o inimigo em uma guerra, você usa qualquer arma de que disponha para esmagá-lo. Aqui você usa sua depressão para esmagar o ego, seu verdadeiro inimigo.

Dessa maneira, sua depressão se torna o melhor medicamento para a doença crônica de sua mente, o pensamento de egocentrismo, cuja continuidade não tem princípio e cujo dano não tem princípio. Sua depressão se torna útil, especialmente para gerar a compreensão da bodhichitta, e extremamente preciosa, algo de que você realmente precisa.

Sugeri três poderosas técnicas para lidar com a depressão, mas você não pode esperar que a situação resolva-se espontaneamente. Você deve perceber que terá de investir muito esforço na aplicação desses métodos, pois, quando sua mente está infeliz, você se sente desencorajado e não quer fazer prática espiritual nenhuma.

A primeira técnica é pensar na impermanência e na morte, lembrar especialmente que essa vida dura apenas um segundo e que sua morte pode acontecer a qualquer momento. Como pensar dessa maneira corta todas as expectativas e apegos, você sentirá paz no coração imediatamente.

A segunda técnica é experienciar a depressão em favor de todos os seres vivos.

A terceira é usar sua depressão como uma bomba para destruir seu inimigo, o ego. Visto que sem o ego existe espaço para desenvolver bodhichitta, sua experiência de depressão pode ajudar na efetivação de bodhichitta. Eliminar o ego, o obstáculo para bodhichitta, permite a você perceber bodhichitta na dependência do que você pode então completar o caminho para a iluminação, cessando com todas as impurezas grosseiras e sutis, e completando todas as realizações. Você é capaz então de trabalhar perfeitamente para todos os seres sencientes. Dessa maneira, você usa sua depressão para atingir o sentido mais elevado da vida: a iluminação para o benefício de todos os seres sencientes. Assim como veneno de cobra pode ser usado para se produzir o antídoto que protege contra picadas de cobra, a depressão pode ser usada para desenvolver bodhichitta e proteger contra futura depressão.

20. Prática de purificação

Por meio de esforço individual você pode purificar a mente e transformá-la em algo positivo e puro. Dessa forma, em vez de prejudiciais ou perturbadoras, suas ações tornam-se benéficas para você mesmo e para os outros.

A purificação perfeita tem de incluir o remédio dos quatro poderes. Entre esses, *o poder do arrependimento* é extremamente importante, porque o grau em que conseguimos purificar o Karma negativo que criamos depende de quanto arrependimento, ou contrição, conseguimos gerar ao refletir sobre as falhas daquele Karma. Mesmo que não recitemos nenhum dos mantras de purificação – ou nem mesmo saibamos quais mantras recitar –, nosso Karma negativo se tornará mais tênue conforme a força do arrependimento que sentimos por tê-lo criado. Mesmo sem os outros três poderes, a profundidade de nosso arrependimento determina o quanto de Karma negativo purificamos. Para purificar Karma negativo é importante sentir arrependimento tão fortemente quanto possível.

Precisamos pensar de forma tão extensiva quanto possível sobre as falhas do Karma negativo. Karma negativo resulta em renascimento nos reinos inferiores por um período de tempo inimaginável, e, quando enfim renascemos de novo como ser humano, nosso Karma negativo é responsável por todos os problemas que experienciamos, inclusive os obstáculos para atingir realizações do caminho para a iluminação. O Karma negativo também deixa marcas em nossa mente, o que nos leva a cometer de novo o mesmo erro em vidas futuras. Quanto mais forte o arrependimento que geramos ao pensar nessas falhas, mais tênue torna-se nosso Karma negativo.

Também podemos purificar Karma negativo por meio do *poder do objeto,* o que significa por meio da confiança em objetos sagrados – o guru, o Buddha, o Dharma e a Sangha – ou em seres sencientes. Tomando refúgio no guru, em Buddha, no Dharma e na Sangha, podemos purificar o Karma negativo acumulado em relação a eles; e, gerando bodhichitta, podemos purificar o Karma negativo acumulado em relação aos seres sencientes.

A virtude que é antídoto para o Karma negativo é chamada de *o poder de sempre desfrutar.* Em geral, qualquer ação virtuosa tem o poder de agir como remédio para o Karma negativo, e, ao criar virtude, sempre experienciamos o resultado da felicidade. Poderia ser esse o significado de "sempre desfrutar", embora eu não tenha visto essa explicação específica do termo em um texto.

O poder final é *o poder de adotar a determinação de não cometer Karma negativo de novo.*

Também podemos usar nossos problemas para purificar Karma negativo. Ao experienciarmos nossas dificuldades em favor de todos os seres sencientes, podemos usá-las até mesmo no caminho para a iluminação. Se temos firme compaixão e o pensamento de zelar pelos outros, experienciar nossos problemas em favor dos outros seres sencientes traz poderosa purificação.

Prática de Purificação para Câncer ou Aids

Se preferir, pode visualizar a divindade de cura diante de você nesse momento, como objeto do pedido.[32] Diante do guru-divindade, firme o compromisso de sempre tentar viver sua vida na prática do bom coração. Ou então visualize o campo usual de mérito para refúgio, e então visualize a divindade antes de iniciar a Prece dos Sete Ramos.

Tomando refúgio e gerando bodhichitta
Busco refúgio até estar iluminado
No Onisciente (que possui poder perfeito e compaixão infinita por todos os seres vivos);
Nos Ensinamentos Supremos (a sabedoria que realiza a realidade última e a cessação do sofrimento);
Naqueles que tencionam a virtude (que atingiram realizações ou que estão efetuando-as agora e me guiam no caminho certo). (3x)

Gere os quatro pensamentos ilimitados (ver página 164).

Bodhichitta especial
Para o bem de todos os seres maternos e paternos, hei de alcançar o estado plenamente iluminado rapidamente, muito rapidamente. Por esse motivo, farei a meditação-recitação do guru-divindade para curar meu corpo por meio da cura de minha mente, limpando minha mente de todos os obscurecimentos.

A seguir recite a Prece dos Sete Ramos (ver página 165), a oferenda curta de mandala (página 165) e A Fundação de Todas as Boas Qualidades (página 165).

A Prece dos Sete Ramos e a Oferenda do Mandala são métodos poderosos para se capturar todas as realizações do caminho para a iluminação, permitindo assim que você conduza todo mundo ao estado livre de pesar. E como fator secundário você cria a causa para sua própria felicidade e sucesso nessa vida e em todas as vidas futuras. Também purifica todos os obstáculos para alcançar a felicidade última.

A oração LamRim é um pedido para o completo desenvolvimento da mente a fim de conduzir todos os seres à felicidade inigualável da iluminação plena. Qualquer prece LamRim que contenha o caminho completo para a iluminação pode ser recitada, e, se você já está recitando uma prece LamRim todo dia, não precisa recitar outra de novo aqui.

Recitação de mantras e visualização

Agora recite o mantra da divindade de cura que lhe foi recomendado. Se essa prática é feita com a mais pura motivação de desejar levar todo mundo à felicidade incomparável da iluminação plena, você recebe a saúde mental definitiva, com a cessação de todo sofrimento e de suas causas, os obscurecimentos e as suas marcas. A saúde mental definitiva é a coisa mais importante, porque a causa do sofrimento está na mente, e, uma vez que a causa do sofrimento seja eliminada, jamais retornará. Com saúde mental e física perfeitas, um corpo e mente perfeitamente puros, você será capaz de oferecer todos os benefícios a todos os seres vivos. E todos esses benefícios vêm da mais pura motivação de zelar pelos outros e desejar levá-los à iluminação, o que por sua vez provém da meditação direta pedindo todas as realizações do caminho completo para a iluminação.

Durante metade da recitação de mantras concentre-se em purificar a si mesmo, e na outra metade concentre-se em purificar os outros. Dessa maneira, você gera não só um corpo saudável, que existe apenas por pouco tempo, mas, o mais importante de tudo, uma mente saudável.

Visualização para purificar câncer

Enquanto recita o mantra, visualize raios brancos vívidos vindo do coração da divindade e entrando em você. Como uma luz que é acendida em uma sala, seu corpo fica completamente iluminado. E, assim como a escuridão de uma sala é instantaneamente dissipada quando se acende a luz, toda sua doença, danos por espíritos, Karma negativo e obscurecimentos são instantaneamente purificados.

Visualização para purificar Aids

Enquanto recita o mantra, visualize o poderoso néctar emitido do coração da divindade entrando em você, purificando seu corpo e sua mente de toda doença, dano por espíritos, Karma negativo e obscurecimentos. Visualize todas essas quatro coisas saindo de seu corpo na forma de um líquido sujo, negro como carvão, por todos os poros e orifícios de seu corpo. Não visualize o néctar purificando apenas você, mas também todas as pessoas que você sabe que têm o vírus HIV, todos os outros seres que têm o vírus e a seguir todo o restante dos seres vivos.

Dedicação

Devido a todas minhas ações positivas passadas, presentes e futuras, e àquelas feitas por outros, possa a compaixão – fonte de toda cura e felicidade – ser gerada em minha mente e na mente de todos os seres vivos, especialmente aqueles que estão experienciando câncer, Aids e outras doenças.

Devido à energia positiva acumulada no passado, presente e futuro por mim e pelos outros, possam todos os seres sencientes maternos e paternos ter felicidade. Possam os três reinos inferiores ficar vazios de seres para sempre. Possam todas as preces dos bodhisattvas ser atendidas imediatamente. E possa eu sozinho causar tudo isso. (As preces dos bodhisattvas incluem preces para os seres sencientes ficarem livres de toda doença e de todos os outros problemas.)

Devido à energia positiva acumulada no passado, presente e futuro por mim e pelos outros, possamos eu e todos os outros seres vivos ter condições de encontrar em todas as vidas amigos Mahayana virtuosos e perfeitamente qualificados e sempre unicamente contentá-los com as ações de corpo, fala e mente. Possa eu ser capaz de realizar sozinho e, imediatamente, todos seus desejos sagrados.

Assim como os grandes bodhisattvas Samantabhadra e Manjugosha e todos os Buddhas do passado, presente e futuro dedicaram, dedico toda essa energia positiva da melhor forma possível a fim de rapidamente obter a iluminação e conduzir todos os outros seres vivos ao estado iluminado.

Pelo mérito dessas ações virtuosas,
Possa eu rapidamente atingir o estado de um guru-Buddha
E conduzir todos os seres vivos, sem exceção,
Ao estado iluminado.

Nesse último verso de dedicação, você pode substituir "Buddha" pelo nome da divindade de cura que esteja praticando.

21. Abençoando a água

Cura com água abençoada é uma prática muito comum no Tibete, onde os Lamas e meditantes que são curadores com frequência abençoam água para pessoas enfermas. A prática envolve abençoar a água com meditação e recitação de mantras de Tchenrezig, Buddha da Medicina, Tara ou outra divindade. A água abençoada é então bebida várias vezes ao dia. Isso é especialmente bom para crianças e pessoas idosas, que, com frequência, não conseguem se concentrar ou acham difícil fazer a visualização e recitação de mantra. Pode ser a única maneira de curar aqueles com quem você não consegue se comunicar.

Você pode abençoar a água e usá-la para curar a si mesmo e a outros. Lembre-se da história que contei antes sobre o sr. Lee de Cingapura, que se recuperou do câncer no estômago recitando as *Homenagens às 21 Taras* todos os dias e bebendo água abençoada.

É uma prática comum recitar mantras para criar poder em uma substância e depois usá-la na cura, especialmente de doenças dos ossos. Cremes e pós também podem ser abençoados com meditação e mantras e, a seguir, aplicados externamente no corpo. Os mantras são poderosos não só para curar doenças, mas para purificar a mente, que é o ponto essencial. Os mantras têm poder de purificar as causas da doença e de todos os outros problemas: ações e pensamentos negativos, bem como as marcas deixadas por eles na mente. A água abençoada na verdade é bebida para curar essas doenças crônicas internas.

Para abençoar água, coloque um recipiente de água em seu altar ou diante de você. Imagine que, devido à compaixão do ser iluminado que você visualizou, néctar leitoso flui do coração ou das mãos dele para a água. Recite tantos mantras da divindade quanto possível e depois sopre sobre a água. Quanto mais mantras recitar, mais poder terá sua fala, e mais abençoada será a sua respiração. Sua respiração terá poder de curar devido ao poder do mantra; o poder de cura vem do poder das mentes sagradas dos Buddhas, que têm compaixão por todos os seres vivos. Embora os Buddhas tenham qualidades infinitas, nos orientam principalmente devido à compaixão.

Cada átomo de água abençoada tem incrível poder de curar, e não só de curar doença, que é apenas um problema, mas muitos outros problemas.

Meditação de Cura de Tchenrezig

Essa prática deve ser feita com a motivação unidirecionada de zelar pelos outros seres sencientes e com compaixão intolerável por seu sofrimento.[33] Devido ao poder do mantra de Tchenrezig, mesmo que a prática seja feita com motivação impura ainda haverá benefício, e a doença ainda assim será curada, de modo que não resta dúvida sobre o resultado se for feita com o bom coração que apenas zela pelos outros.

Qualquer um que tenha feito retiro de Tchenrezig ou recite muitos milhares de mantras de Tchenrezig todos os dias é capaz de ajudar a curar doenças muito graves que não podem ser curadas por métodos comuns.

Visualize a si mesmo como Tchenrezig de Mil Braços ou visualize Tchenrezig acima do recipiente de água. Néctar flui para dentro do recipiente da mão direita principal de Tchenrezig, que está no mudra que concede realizações sublimes.

Com essa visualização, recite o mantra longo (ou curto) de Tchenrezig tantas vezes quanto possível. Depois de cada volta do mala, sopre sobre a água repetidamente. Pense que a água é transformada em um néctar muito poderoso que pode pacificar instantaneamente a doença e sua causa. Quanto mais mantras você recita, mais poderosa e eficiente torna-se a água abençoada.

Mantra longo de Tchenrezig
NAMO RATNA TRAYAYA / NAMAH ARYA JNANA SAGARA / VAIROCHANA / VYUHA RAJAYA / TATHAGATAYA / ARHATE / SAMYAKSAM BUDDHAYA / NAMAH SARVA TATHAGATEBYAH ARADBHYAH / SAMYAKSAM BUDDHEBHYAH / NAMAH ARYA AVALOKITESHVARAYA / BODHISATTVAYA / MAHASATTVAYA / MAHAKARUNIKAYA / TADYATHA / OM / DHARA DHARA / DHIRI DHIRI / DHURU DHURU / ITTI VATTE / CHALE CHALE / PRACHALE PRACHALE / KUSUME / KUSUME VARE / ILI MILI / CITI JVALAM / APANAYE SVAHA

Mantra curto de Tchenrezig
OM MANI PADME HUM

Ao fim da recitação de mantras, faça os seguintes pedidos com firmeza a Tchenrezig.

Visto que você, Tchenrezig, possui pleno entendimento e compaixão intolerável, e visto que os seres sencientes estão sofrendo, possa qualquer um que beber essa água ficar curado de sua doença e sofrimento específicos e possa sua mente ser purificada.

Por favor, Tchenrezig, dissolva-se na água e, apenas por (nome da pessoa) beber essa água, possa sua mente de egocentrismo ser transformada na atitude pura de bodhichitta, fonte de toda felicidade e sucesso para todos os seres. Possa renunciar a si mesmo e a zelar pelos outros com o pensamento amoroso e compassivo.

Possa sua raiva ser transformada em paciência. Possa sua insatisfação ser transformada em satisfação. Possa sua ignorância ser transformada na sabedoria que entende as causas da felicidade e do sofrimento e na sabedoria que entende a natureza absoluta, ou vacuidade, do eu e de toda existência. Possa sua mente ser transformada em uma mente plenamente desperta.

Possa seu corpo, fala e mente ter o poder perfeito para guiar, beneficiar e realizar os desejos de todos os seres sencientes.

Extremamente satisfeito com seu pedido sincero, Tchenrezig dissolve-se em luz branca e mistura-se à água. Imagine que a água avoluma-se e se torna extremamente poderosa, tão poderosa que qualquer um que a beba será purificado da doença e de sua causa, o Karma negativo e obscurecimentos. Pense que a água agora tem o poder de efetivar os pedidos que você fez a Tchenrezig.

22. Pujas de Cura

A meditação sozinha pode curar uma doença, mas depende do número e da gravidade dos obstáculos envolvidos. Em caso de doença séria, provavelmente teremos de tomar muitos remédios e fazer uma variedade de outros tratamentos; em caso brando, não precisaremos de tantos medicamentos. Assim também é com os obstáculos. Se os obstáculos forem grandes, teremos de fazer mais prática e uma grande variedade.

Existem basicamente três categorias de doença. Um tipo de doença absolutamente não tem cura; não se pode fazer nada a respeito, e simplesmente temos de aguentar até que aquele Karma específico esgote-se. No segundo tipo de doença, podemos nos recuperar apenas se certos pujas, meditações ou mantras forem feitos para deter o dano por espíritos envolvidos; só então outros tratamentos médicos podem ser eficientes. Se o dano por espírito não pode ser detido, nenhum medicamento consegue funcionar, embora a doença seja corretamente diagnosticada e o tratamento normalmente correto seja prescrito. A doença então enquadra-se na primeira categoria. O terceiro tipo de doença pode ser facilmente curado por meio de tratamento médico de praxe.

A exemplo de antibióticos tomados para matar bactérias, meditações e mantras podem ser poderosos para curar e proteger de nagas e dos vários tipos de espíritos, seres que podem se tornar condições para câncer e outras doenças. Nagas vivem embaixo da terra ou na água. Parece que os antigos gregos também acreditavam nos nagas, embora os chamassem de sereias. Havia desenhos de seres que eram metade mulher e metade serpente.

Quando fiz uma visita à Disneylândia nos Estados Unidos, fiquei surpreso ao ver a estátua de uma sereia. Não sei por que tinham uma sereia ali, pois na visão da ciência ocidental tais seres não existem. A ciência ocidental ainda precisa descobrir os espíritos e nagas, embora seja possível que alguns cientistas tenham tido experiências estranhas que sugiram a possibilidade de sua existência. Fiquei muito surpreso por ver um naga na Disneylândia.

Quase toda doença pode ser relacionada a alguma condição externa, como um espírito ou naga. Espíritos e nagas podem aparecer em uma variedade de formas, e existem práticas de meditação relacionadas a cada tipo. Dizem que o câncer está relacionado ao dano causado por nagas, e é por isso que fazer a iniciação de certas divindades que são remédio para tal dano e fazer sua prática de meditação-

-recitação ou fazer pujas para nagas pode ajudar as pessoas a se recuperarem do câncer.

O gueshe residente no Nagarjuna Center de Barcelona aconselhou uma mulher com câncer de mama a recitar mantras e depois soprar sobre o seio afetado. Após fazer isso, ela recuperou-se do câncer de mama. O gueshe perguntou se ela já havia urinado no oceano quando ia à praia, e ela disse que sim. Quando poluímos o ambiente, podemos perturbar também os nagas e espíritos que compartilham aquele ambiente, e esses seres podem nos prejudicar. Claro que eles são uma simples condição e não a causa principal para sofrermos danos. A causa principal são nossos próprios pensamentos e ações negativos que causaram mal a outros. Quando prejudicamos outros seres no passado, estabelecemos uma conexão com eles, e é por isso que eles mais tarde tornam-se condições para sofrermos danos.

Certas divindades manifestam-se para proteger os seres sencientes de danos dos nagas. A divindade Vajrapani-Hayagriva-Garuda, por exemplo, manifesta-se, especificamente, para proteger os seres sencientes de nagas, bem como de espíritos nocivos. Vajrapani, personificação do poder perfeito de todos os Buddhas, é oponente dos espíritos que causam coisas como ataques de epilepsia. Claro que a explicação científica é que os ataques epilépticos são causados por descargas elétricas no cérebro, mas também estão relacionados à condição externa dos espíritos nocivos.

Hayagriva, uma divindade extremamente poderosa em tempos degenerados, é um remédio específico para o dano causado por nagas e espíritos conhecidos como "Rei". Garuda protege de nagas nocivos e espíritos senhores da terra.

Claro que temos de lembrar que a verdadeira origem do dano por nagas e espíritos são nossos próprios três venenos mentais de ignorância, de raiva e de apego. Nagas e espíritos, simplesmente, são condições para nossa doença. A verdadeira causa de seu dano é nossa própria mente. Embora a prática de Vajrapani-Hayagriva-Garuda seja um remédio para dano por espíritos, seu objetivo último é nos liberar dos três venenos mentais. Devemos fazer a prática não só para nos protegermos desse dano, mas para nos liberarmos por meio da efetivação do caminho do método e sabedoria dentro de nossa mente. Nossa meta última, claro, é cessar o Karma e as delusões, superando assim não só a doença, mas todo o sofrimento do samsara, incluindo o ciclo de morte e renascimento. Então seremos capazes de completar o caminho para a iluminação e trabalhar com perfeição para todos os seres sencientes.

Pujas, que envolvem meditações específicas, também podem ser feitos para controlar espíritos e nagas, mas a efetividade do puja para o doente depende das qualificações da pessoa que está fazendo, assim como a efetividade do tratamento por um médico. Embora o doente e até a pessoa que faz o puja possam não ter condições de ver o espírito específico que está causando mal, aqueles com clarividência conseguem vê-lo. Se o puja é feito de modo correto, a pessoa se recupera da doença, o que por si mesmo é prova da existência dessas condições externas para doença. Mesmo sem tomar remédio, com frequência um paciente consegue recuperar-se, simplesmente, porque é feito um puja. Se o puja é feito com perfeição, uma cura completa ocorre mais depressa.

O puja em geral envolve dar presentes aos espíritos para deixá-los felizes e proferir-lhes ensinamentos sobre não causar mal aos outros. Você oferece aos espíritos um substituto para a pessoa doente, por meio da visualização de inúmeras pessoas bonitas e bem-vestidas, ou fazendo uma representação simbólica delas. Também descreve em palavras o quanto elas são vastas e magníficas. Você oferece comida, vestimentas e qualquer outro desfrute que os espíritos possam querer. Também faz representações desses desfrutes. Visualiza os desfrutes tão extensivamente quanto possível, depois dá tudo aos espíritos. Após deixar os espíritos felizes dando-lhes presentes, você ensina o Dharma a eles, diz que não devem fazer mal aos outros porque o resultado será que eles mesmos receberão dano e sofrimento. Você faz caridade no Dharma dando esse conselho aos espíritos. Às vezes você também diz que, se os espíritos não lhe escutarem, você irá destruí-los. Usando ações iradas, você pode colocá-los em situações nas quais eles não podem mais causar mal a outros seres. Estou apenas dando uma ideia geral das meditações envolvidas em um puja desse tipo.

Tais pujas não devem ser feitos com raiva ou qualquer outra mente negativa. Têm que ser feitos com tanta compaixão quanto possível pelos espíritos e pela pessoa doente. Se você faz tais pujas com raiva, as ações iradas podem prejudicá-lo se você não estiver suficientemente qualificado.

O fato de que esses pujas ajudam a curar pessoas é prova de que espíritos e nagas existem e fazem mal às pessoas. O motivo para tais seres terem condições de nos prejudicar está relacionado a nosso Karma, a nosso pensamento de egocentrismo e às ações que fazemos a partir disso. É claro que qualquer dano que recebemos, seja de espíritos ou seres humanos, vem de nosso Karma.

23. Medicina Tibetana

Quando estive em Dharamsala após o falecimento de Lama Yeshe, pensei muito profundamente sobre como beneficiar as pessoas com Aids. Fiz algumas adivinhações, eu mesmo, e também verifiquei com o protetor associado ao Colégio Tântrico Superior e com outros protetores. Embora as respostas não fossem muito claras, a árvore arura foi mencionada. Arura, a planta que o Buddha da Medicina segura na mão direita, é um medicamento poderoso. Assim como a ignorância é a fundação de todo resto das 84 mil delusões, arura é a fundação de toda medicina tibetana. Manter o fruto da arura sobre seu corpo, além de proteger e curar de doença, cura sua mente. Uma estátua em um dos templos do Tibete tem uma oferenda de arura dentro de seu coração. As pessoas encostam-se na estátua por períodos prolongados porque dizem que a arura dentro da estátua ocasiona grande cura.

A arura comum que é, normalmente, usada na medicina tibetana não é tão eficiente quanto a arura de melhor qualidade. Um medicamento muito precioso e extremamente raro contendo arura da melhor qualidade é mantido no depósito do governo tibetano, com relíquias preciosas de seres sagrados, inclusive aquelas das vidas passadas do Buddha como bodhisattva.

Ouvi falar dos benefícios da pílula que contém arura da melhor qualidade do doutor Tsondru, um médico sábio que ensinou os monges de Kopan por três anos. Os monges memorizaram todo o texto médico, que é um texto tântrico de raiz, e também estudaram diagnose, embora não tenham aprendido como fazer medicamentos. Quando o doutor Tsondru contou-me que Sua Santidade Trijang Deidyoy Rinpoche possuía duas ou três daquelas pílulas, sem demora escrevi uma carta a Sua Santidade para perguntar se seria possível obter uma. Sua Santidade mandou-me uma de suas pílulas.

Em Solu Khumbu, há muitos incidentes de envenenamento envolvendo espíritos e magia negra. O veneno pode ser ministrado de várias maneiras. Em um método, o envenenador leva uma quantidade ínfima de veneno sob a unha do polegar, e coloca o dedo dentro do chá ou *Tchang* que oferece à pessoa que deseja envenenar. A pessoa envenenada pode ficar doente por um longo tempo, experienciando muita dor interna e ficando esquálida. Se não for tratado com medicamentos especiais, o veneno transforma-se em escorpiões e outros animais, que consomem a pessoa por dentro.

Em Solu Khumbu há um hospital estabelecido por Sir Edmund Hillary, com uma equipe de médicos, em sua maioria da Nova Zelândia. Ouvi dizer que, durante uma operação ali, encontraram um animal semelhante a um sapo dentro do corpo de alguém e, quando abriram o corpo do animal, não havia sangue em seu interior. Tais histórias estranhas, em geral, estão relacionadas a espíritos.

Deixei a pílula que recebi de Sua Santidade Trijang Rinpoche em Solu Khumbu após minha mãe ser envenenada. A pílula é engolida, mas, por ser tão rara e preciosa, posteriormente é retirada das fezes, lavada e usada de novo. Apenas manter a pílula sobre o corpo também pode ajudar alguém que tenha sido envenenado. Uma pílula dessas também é útil na hora da morte. Quando quis a pílula para misturá-la a outro medicamento que estava fazendo, meu tio disse que a havia perdido. Mais tarde minha irmã contou que meu tio não havia perdido a pílula, mas quis mantê-la para si mesmo.

No tratamento de Aids, a arura foi indicada como a mais benéfica, e *baru* e *kyuru* também seriam benéficos. De acordo com textos médicos tibetanos provenientes do Buddha da Medicina, existem 424 doenças. A origem de toda doença são os três venenos mentais de ignorância, de raiva e de apego, e todas as doenças são ramificações das três doenças de raiz: doença de muco, de bile e de vento. Os três medicamentos que mencionei são remédios para essas doenças e as bases de todos os medicamentos tibetanos.

Anna, uma estudante francesa muito nova no Dharma, foi a primeira pessoa com Aids que conheci. Encontrei-a, rapidamente, em Dharamsala há muitos anos. Quando alguém me trouxe uma mensagem de que Anna tinha Aids, fiz uma observação e sugeri o medicamento tibetano que ela deveria tomar. Também aconselhei-a a meditar sobre Garuda Negro.

Anna obteve o medicamento no Tibetan Medical and Astrological Institute em Dharamsala. Visto que tinha algumas dúvidas sobre os medicamentos que sugeri, ela indagou a um médico tibetano sobre os benefícios. Quando o médico mencionou os vários sintomas que poderiam ser aliviados pelos medicamentos, ela ficou surpresa ao verificar que tinha todos os problemas mencionados por ele. Então, desenvolveu um pouco mais de fé no tratamento.

Enquanto estava em Dharamsala, ela tomou os medicamentos que recomendei, e seu estado melhorou. Anna tinha uma estreita conexão kármica com Kirti Tsenshab Rinpoche, de quem recebeu muitos conselhos e apoio, mas ela era uma estudante muito nova no Dharma. Quando voltou para casa, na França, parou de tomar o medicamento tibetano porque as pessoas próximas, especialmente o pai, desencorajaram-na.

Os métodos orientais com frequência são considerados ignorantes e errados no Ocidente, enquanto qualquer coisa ocidental é considerada científica e correta. O pai dela não conseguia aceitar a medicina de ervas tibetana e preferia a medicina química ocidental. Devido à forte influência do pai e da cultura ocidental, ela parou de tomar o medicamento tibetano, embora ele a tivesse beneficiado. Então, seu estado piorou.

Preparei uma quantidade de pó contendo os três medicamentos – arura, baru e kyuru – e levei comigo para o Vajrapani Institute, mas na ocasião não encontrei ninguém com Aids. Foram esses três medicamentos que sugeri a Anna que usasse para tratar a Aids.

Como outro tratamento para Aids, tentei obter uma grama muito preciosa que cresce apenas em certos locais sagrados. Creio que essa grama poderia ser o próximo LSD. Pedi a várias pessoas para procurarem em montanhas sagradas do Tibete e também da China. Provavelmente, ela está crescendo em locais que não são muito acessíveis. No Tibete, cresce em Tsa-ri, uma montanha enorme onde vivem povos nativos. Tsa-ri é um lugar sagrado de Chakrasamvara, e praticantes de Chakrasamvara circum-ambulam a montanha descalços como purificação e oferecem *tsog* nos muitos locais sagrados da montanha. Dizem que se pode obter clarividência como resultado. Sua Santidade Song Rinpoche menciona isso em sua biografia.

Claro que, devido aos benefícios dessa grama serem extraordinários, é necessário um bocado de mérito até para achá-la. Minha ideia é misturar a grama com outros ingredientes para fazer pílulas medicinais. Creio que mesmo um pedacinho minúsculo da grama tenha poder de ocasionar uma cura incrível, não apenas de Aids e de outras doenças, mas da mente. Os textos dizem que comer essa planta evita renascimento nos reinos inferiores.

A planta é reconhecida por emitir fumaça durante o dia e chamas ou luz à noite. Também tem um aroma forte, que penetra muitas camadas de tecido. Conferi os desenhos de plantas nos textos médicos tibetanos, mas ainda estou para ver um desenho dessa planta específica. Seu nome comum é Planta Chinesa. Era misturada na tinta chinesa antiga, que tem um perfume forte, conforme lembro de meus tempos de criança. A tinta chinesa também é usada na medicina tibetana.

Mesmo um pedaço ínfimo dessa planta é extremamente precioso. Colocá-lo na boca de um moribundo evita seu renascimento nos reinos inferiores. Ele morre com uma mente positiva porque a planta traz grande purificação.

Dizem que, quando come essa planta, um animal não consegue se mexer. O iaque ou vaca simplesmente fica parado no mesmo lugar e lágrimas escorrem de seus olhos. Os aldeões dizem: "Oh, esse animal está meditando". Comer a grama de alguma forma transforma a mente do animal, gera renúncia, compaixão e assim por diante, e ele chora. Quando o animal morre, até surgem relíquias de seu corpo.

Medicamentos contendo essa planta, definitivamente, trariam cura imediata e poderosa de doenças como Aids e câncer, mas, como já foi dito, é preciso um bocado de mérito até para encontrá-la. Devido a seus incríveis benefícios, as pessoas que recebessem o medicamento também precisariam ter muito mérito.

24. Prece de cura de Tangtong Guialpo

A Prece para Liberar Sakyas de Doença, uma prática curta composta pelo grande yogue Tangtong Guialpo, foi redigida para evitar doença epidêmica e outros desastres, mas também pode ser usada para curar.[34] Tangtong Guialpo escreveu essa prática na época em que muitos monges morreram de uma doença contagiosa em um monastério Sakya no Tibete. A epidemia não pôde ser controlada, embora praticantes tântricos tivessem feito todos os tipos de pujas irados e distribuído proteções,[35] medicamentos e mantras. Tantos monges morreram em função da doença que havia risco de o monastério ficar completamente vazio. Tangtong Guialpo, então, compôs essa oração, e, quando foi recitada, a epidemia cessou imediatamente.

A Prece para Liberar Sakyas de Doenças combina a tomada de refúgio com a recitação de OM MANI PADME HUM, o mantra de Tchenrezig, o Buddha da Compaixão. O verso de refúgio foi dado por Tchenrezig a Päldjor Shrerab, que o transmitiu a Tangtong Guialpo. Tangtong Guialpo realizou infinito trabalho pelos seres sencientes fazendo essa prática, ele mesmo, e a concedendo a outros. Recebi a transmissão oral dessa prática, considerada muito preciosa e muito abençoada, de Sua Santidade Chogye Trichen Rinpoche, um dos principais gurus de Sua Santidade Sakya Trizin, líder da ordem Sakya do budismo tibetano.

Tangtong Guialpo também escreveu uma prece para cessar a guerra, que também ocasiona excelentes resultados, e outra prece específica para cessar a fome. Quando Tsang, uma região do Tibete central, experienciou fome e seca, Tangtong Guialpo compôs *Um Pedido para Aliviar os Medos da Fome* para deter a fome. Ele encheu uma tigela com grãos e a ofereceu no templo principal de Lhasa à estátua do Buddha Shakyamuni abençoada pelo próprio Buddha. A seguir, recitou a prece e pediu ao Buddha para cessar a fome. Na ocasião, algumas pessoas de Tsang viram o Buddha da Compaixão mandar uma chuva de grãos dos céus. O clima mudou. Veio a chuva, as lavouras cresceram, e o povo de Tsang, então, teve abundância de alimentos.

Certa vez, quando eu estava no Jamyang Buddhist Centre, centro da FMTP em Londres, sugeri que seria uma boa ideia oferecer uma grande tigela cheia de dinheiro à mesma estátua do Buddha em Lhasa com um pedido para aliviar a recessão econômica em Londres, onde muitas pessoas estavam desempregadas e morando nas ruas. Isso seria especialmente efetivo se a tigela de dinheiro fosse oferecida por um bodhisattva. Outra solução para a recessão seria pedir a muitas pessoas que adotassem os Oito Preceitos Mahayana.

A Prece para Liberar Sakyas de Doenças

Todos os seres sencientes, iguais ao espaço, buscam refúgio no precioso Guru-Buddha. Buscamos refúgio no Buddha, no Dharma e na Sangha.

Essa "Busca de Refúgio" foi dada por Arya Avalokiteshvara a Ka-nga-pa Päljor Sherab, e por este ao mahasiddha Tangtong Guialpo. A seguir, proporcionou infinitos benefícios para os seres migrantes.

Buscamos refúgio na assembleia de gurus, divindades de meditação e dakinis. Buscamos refúgio na claridade vazia de nossa própria mente, o Dharmakaya.

Recite esses versos tantas vezes quanto for capaz. A seguir recite o mantra "OM MANI PADME HUM" centenas de vezes e, ao final:

Possam todas as doenças que entristecem a mente dos seres sencientes e que resultam do Karma e condições temporárias, como o dano por espíritos, enfermidades e elementos, não ocorrer nos reinos do mundo.

Possa qualquer sofrimento que vem de doenças que ameaçam a vida – que, como um açougueiro que conduz um animal a ser abatido, separam o corpo da mente em um mero instante – não ocorrer nos reinos do mundo.

Possam todos os seres encarnados ficar incólumes a doenças agudas, crônicas e outras infecciosas, cujos meros nomes aterrorizam os seres, como se estivessem dentro da boca de Yama, o Senhor da Morte.

Possam todos os seres encarnados ficar incólumes às oitenta mil classes de interferências prejudiciais, aos 360 espíritos malignos que causam mal de repente, às 424 doenças, e tudo o mais.

Possa qualquer sofrimento advindo das perturbações dos quatro elementos, privando o corpo e a mente de todo prazer, ser totalmente pacificado, e possam o corpo e a mente ter esplendor e poder, e serem dotados de vida longa, boa saúde e bem-estar.

Pela compaixão dos gurus e das Três Joias, pelo poder das dakinis, protetores do Dharma e guardiões, e pela força da infalibilidade do Karma e seus resultados, possam essas muitas dedicações e preces ser atendidas tão logo sejam feitas.

P.S.: certa vez uma epidemia alastrou-se pelo grande monastério da Gloriosa (tradição) Sakya. O que quer que os mestres mântricos tentassem – efígies, tormas, medicamentos, mantras, amuletos de proteção e tudo o mais – não fazia efeito, e o mosteiro corria risco de aniquilação. Na ocasião, o mestre Mahasiddha (Tangtong Guialpo) executou o refúgio do "Espaço", recitou uma série de manis e proferiu essa oração chamada "Atingimento", quando a epidemia cessou imediatamente na dependência desse feito. Assim, isso foi visto como a fala vajra que irradia imensas nuvens de bênção, intitulada "A Prece para Liberar Sakyas de Doenças".

Sarvamangalam[36]

25. Dedicação

Devido a todas as minhas ações positivas passadas, presentes e futuras, e às marcas positivas que elas deixaram em minha consciência, possa a bodhichitta – fonte de toda felicidade para mim e para todos os seres vivos – ser gerada dentro de meu coração e dentro do coração de todos os outros seres. Possam aqueles que já geraram bodhichitta desenvolvê-la.

Devido a todas as minhas ações positivas passadas, presentes e futuras, possa eu atingir a felicidade inigualável da iluminação plena e conduzir todo mundo a esse estado tão rápido quanto possível.

Devido a todas as minhas ações positivas passadas, presentes e futuras, e às dos outros, possa qualquer ser vivo que me ouvir, me tocar, lembrar de mim, falar de mim ou pensar em mim jamais renascer nos reinos inferiores. Possam eles dali em diante ficar livres de toda doença, dano por espíritos, Karma negativo e obscurecimentos, e rapidamente alcançar a iluminação.[37]

Apêndice

O que se segue é um excerto de *The Wish-Fulfilling Jewel: The Concise Sutra Ritual of Bhagavan Medicine Buddha* (*A Joia que Realiza todos os Desejos: O Ritual do Sutra Conciso do Bhagavan Buddha da Medicina*), composto por Panchen Losang Tchökyi Guialtsen e traduzido por David Molk.

BENEFÍCIOS DE SE RECITAR OS SETE NOMES DO BUDDHA DA MEDICINA

Célebre e Glorioso Rei dos Sinais Excelentes

Pela força de se ouvir o nome do Conquistador, expressá-lo, lembrar dele, prostrar-se e oferecer,
Por todos os seres sencientes, tais como nós mesmos,
Possamos ficar livres de epidemias, execução, criminosos e espíritos,
Ter faculdades plenamente completas, o continuum de sofrimentos e negatividades cortado,
Não cair nos reinos inferiores, experienciar a felicidade de humanos e de deuses,
E com fome, com sede e com pobreza pacificadas, possa haver riqueza.
Sem tormentos de corpo, tais como confinamento e espancamento,
Sem dano por tigres, leões e cobras, os conflitos pacificados,
Dotados de mentes amorosas, aliviados do medo
De enchentes também, possamos passar para a beatitude destemida.
E quando partirmos dessa vida,
Possamos renascer do lótus no campo do Buddha e, com qualidades completas,
Tornarmo-nos um vaso para a transmissão dos ensinamentos
De Conquistadores como o Célebre e Glorioso Rei dos Sinais Excelentes e deleitá-los.

Rei do Som Melodioso

Pela força de se ouvir o nome do Conquistador, expressá-lo, lembrar dele, prostrar-se e oferecer,
Por todos os seres sencientes, tais como nós mesmos,
Possam os distraídos florescer no Dharma,
Ter riqueza e bens dos humanos e deuses,
Sem o tormento da concepção, nascer sempre como humanos,
Jamais separados de bodhichitta, crescer no Dharma virtuoso,

Purificar obscurecimentos e obter a felicidade de humanos e de deuses.
Possamos ficar livres da separação do guia espiritual,
De eras sombrias, dano por espíritos, por morte e por inimigos,
E dos perigos de locais isolados.
Possamos ter entusiasmo para fazer oferendas
E executar serviços rituais,
Possam seres inferiores ter samadhi, atenção mental, vigor,
A dharani do não esquecimento,
E obter sabedoria suprema, e possam as chamas atormentantes ser esfriadas.
E quando partirmos dessa vida,
Possamos nascer do lótus no campo do Buddha e, com qualidades completas,
Tornarmo-nos um vaso para a transmissão dos ensinamentos
De Conquistadores como o Rei do Som Melodioso e deleitá-los.

Ouro Puro e Excelente

Pela força de se ouvir o nome do Conquistador, expressá-lo, lembrar dele, prostrar-se e oferecer,
Por todos os seres sencientes, tais como nós mesmos,
Possam aqueles de vida curta obter longevidade; os pobres, plena riqueza,
Possam os combatentes vir a ter mentes amorosas,
Possamos não ficar sem treinamento e cair nos reinos inferiores,
Mas limitados por nossos votos e jamais sem bodhichitta,
E quando partirmos dessa vida,
Possamos nascer do lótus no campo do Buddha e, com qualidades completas,
Tornarmo-nos um vaso para a transmissão dos ensinamentos
De Conquistadores como Ouro Puro e Excelente e deleitá-los.

Glória Suprema Livre de Pesar

Pela força de se ouvir o nome do Conquistador, expressá-lo, lembrar dele, prostrar-se e oferecer,
Por todos os seres sencientes, tais como nós mesmos,
Possam o pesar e coisas desse tipo ser pacificadas, a vida ser longa e feliz,
Possa a luz dos Conquistadores aumentar a beatitude e alegria nos infernos,
Possamos ter luminosidade, beleza e riqueza, ilesos dos espíritos,
Possamos ter amor uns pelos outros, e não haver doença.
E quando partirmos dessa vida,
Possamos nascer do lótus no campo do Buddha e, com qualidades completas,
Tornarmo-nos um vaso para a transmissão dos ensinamentos
De Conquistadores como Glória Suprema Livre de Pesar e deleitá-los.

Oceano Melodioso do Dharma Proclamado
Pela força de se ouvir o nome do Conquistador, expressá-lo, lembrar dele, prostrar-se e oferecer,
Por todos os seres sencientes, tais como nós mesmos,
Possamos ter sempre visão e fé perfeitas,
Ouvir o som do Dharma e ser enriquecidos com bodhichitta
Para o bem dos recursos possamos abandonar as negatividades, possa a riqueza aumentar,
Possamos nos manter no amor, ter vida longa e estarmos contentes.
E quando partirmos dessa vida,
Possamos nascer do lótus no campo do Buddha e, com qualidades completas,
Tornarmo-nos um vaso para a transmissão dos ensinamentos
De Conquistadores como Oceano Melodioso do Dharma Proclamado e deleitá-los.

Rei Encantador do Conhecimento Claro
Pela força de se ouvir o nome do Conquistador, expressá-lo, lembrar dele, prostrar-se e oferecer,
Por todos os seres sencientes, tais como nós mesmos,
Possam os distraídos ficar livres de malícia, ricos em bens.
Possam aqueles nos maus caminhos para os reinos inferiores obter as dez virtudes,
Possam aqueles controlados por outros ganhar independência perfeita,
E todos ter vida longa, ouvir os nomes, e ser virtuosos.
E quando partirmos dessa vida,
Possamos nascer do lótus no campo do Buddha e, com qualidades completas,
Tornarmo-nos um vaso para a transmissão dos ensinamentos
De Conquistadores como Rei Encantador do Conhecimento Claro e deleitá-los.

Guru da Medicina, Rei da Luz Lápis-lazúli
Pela força de se ouvir o nome do Conquistador, expressá-lo, lembrar dele, prostrar-se e oferecer,
Por todos os seres sencientes, tais como nós mesmos,
Possam todos, como eu, ser adornados com marcas e sinais,
Possam a luz que dissipa as trevas e o desfrute da sabedoria
E os meios hábeis ser inexauríveis, possam aqueles atraídos
Para os caminhos equivocados e inferiores entrar nos caminhos do Mahayana
E serem todos embelezados por seus votos.
Possamos ficar livres da dor causada pela imortalidade, completos nas faculdades,
Sem doença, e ter bens abundantes.
Possam aqueles desiludidos com condição mais débil ter sempre faculdades poderosas,
E possamos ficar livres das ciladas e dos pontos de vista perversos de Mara.

Possam aqueles atormentados por reis obter beatitude, e aqueles que,
Devido à fome, sustentam-se por meio de negatividade,
Ficar satisfeitos com alimento recebido de acordo com o Dharma.
Possam as privações do calor e do frio ser pacificadas, todos os bons desejos ser realizados,
E, dotados de moralidade que agrada aos aryas, possamos ser liberados.
E quando partirmos dessa vida,
Possamos nascer do lótus no campo do Buddha e, com qualidades completas,
Tornarmo-nos um vaso para a transmissão dos ensinamentos
De Conquistadores como Guru da Medicina, Rei da Luz Lápis-Lazúli, e deleitá-los.

Glossário*

agregados. A associação do corpo e da mente; uma pessoa engloba cinco agregados: forma, sensação, reconhecimento, fatores composicionais e consciência.

Amdo. Região nordeste do Tibete na fronteira com a China.

Amithaba (sânsc.). O Buddha da Luz Infinita; divindade masculina de meditação, de cor vermelha; com frequência são feitas preces para se renascer na terra pura de Amithaba.

Ananda. Primo do Buddha Shakyamuni e seu assistente por muitos anos; célebre por sua memória notável.

apego. O pensamento perturbador que exagera as qualidades positivas de um objeto e deseja possuí-lo.

arhat (sânsc.). Literalmente, destruidor do inimigo. Um ser que, tendo cessado seu Karma e delusões, está completamente livre de todo sofrimento e de suas causas, e atingiu a liberação da existência cíclica.

arura (tib.). Mirabolano, *Terminalia chebula;* "o grande medicamento"; a planta que está na mão direita do Buddha da Medicina; o fruto, o caule e outras partes da planta são usados na medicina tibetana.

arya (sânsc.). Um ser que realizou a vacuidade.

Asanga. Pandita indiano do século V que recebeu diretamente do Buddha Maitreya a linhagem ou método extensivo dos ensinamentos do Buddha Shakyamuni; seus textos ainda são estudados em mosteiros tibetanos.

Assembleia Suprema. Ver *Sangha.*

asura (sânsc.). Ou semideus. Um ser do reino dos deuses que desfruta de conforto e prazer maiores que os seres humanos, mas sofre com inveja e com rixas.

Avalokiteshvara (sânsc.). Ver *Tchenrezig.*

baru (tib). Mirabolano, *Terminalia belerica.* Um dos "Três Frutos Principais" da medicina tibetana, junto com arura e kyuru.

Bhagavan (sânsc.). Epíteto de um Buddha.

Bodhgaya. Pequena aldeia no norte da Índia onde o Buddha Shakyamuni se tornou iluminado.

---

* (sânsc. = sânscrito; tib. = tibetano)

bodhichitta (sânsc.). O desejo altruísta de atingir a iluminação plena a fim de libertar todos os seres vivos do sofrimento e levá-los à iluminação.

bodhisattva (sânsc.). Aquele que possui a bodhichitta.

bolo ritual. Ou, em tibetano, *torma.* Bolo feito tradicionalmente de farinha de cevada, manteiga e açúcar, que é oferecido aos Buddhas e outros seres sagrados durante cerimônias religiosas.

bondade amorosa. O desejo de que todos os seres tenham a felicidade e as suas causas.

Buddha (sânsc.). Um ser plenamente iluminado. (Ver *iluminação.*)

Buddha da Compaixão. Ver *Tchenrezig.*

Buddha Maitreya (sânsc.). O Amoroso. O Buddha do futuro, o quinto dos mil Buddhas da atual era desse mundo.

Buddha Shakyamuni (sânsc.). Ver *Guru Buddha Shakyamuni.*

Buxa Duar. Cidade no oeste de Bengala, Índia, onde a maioria dos monges tibetanos que escapou para a Índia em 1959 foi instalada.

caminho gradual para a iluminação. Ou, em tibetano, LamRim. Esboçado originalmente por Lama Atisha em *Lâmpada no Caminho para a Iluminação,* o caminho gradual é uma apresentação dos ensinamentos de Buddha passo a passo.

Campo de Buddha. Ver *terra pura.*

campo de mérito para refúgio. As divindades e os Lamas da linhagem que são objeto de meditação quando se toma refúgio, geralmente com o Buddha Shakyamuni como figura central.

Caverna Lawudo. Caverna na região de Solu Khumbu, no Nepal, onde Lama Lawudo viveu e meditou por mais de vinte anos. Lama Zopa Rinpoche é reconhecido como a reencarnação de Lama Lawudo.

chá de manteiga. Uma das bebidas favoritas no Tibete, feita de chá, água, leite, manteiga e sal.

Chakrasamvara (sânsc.). Heruka Chakrasamvara. Divindade masculina de meditação do Yoga Tantra Superior.

cinco Karmas negativos ininterruptos. Matar o pai, a mãe ou um arhat; tirar sangue de um Buddha de forma maliciosa; causar cisão dentro da Sangha.

circum-ambulação. Prática para purificar Karma negativo e acumular mérito em que a pessoa caminha em sentido horário ao redor de um objeto sagrado como uma stupa ou estátua.

compaixão. O desejo de que todos os seres fiquem livres do sofrimento e de suas causas.

dakini (sânsc.). Literalmente, que anda pelo céu; ser feminino com realizações tântricas.

delusões. Os estados negativos de mente que são causa de sofrimento. As três delusões de raiz são ignorância, raiva e apego.

deus. Ser samsárico que habita em um estado de muito conforto e prazer.

deva (sânsc.). Um deus que habita no reino do desejo, da forma ou da não-forma.

Dharma (sânsc.). Em geral, prática espiritual; especificamente, os ensinamentos do Buddha, que protegem do sofrimento e levam à liberação e à iluminação plena.

Dharmakaya (sânsc.). A mente onisciente de sabedoria de um Buddha.

divindade. A forma de um Buddha usada como objeto de meditação em práticas tântricas.

doença do vento. Ver *lung.*

dois estágios. Os estágios de geração e completude do Yoga Tantra Superior.

Dordje Khadro (tib.). Ou, em sânscrito, Vajradaka; divindade masculina que atua para purificar negatividades por meio de uma prática de puja específica.

ego. Ver *pensamento de egocentrado.*

espírito senhor da terra. Espírito que reivindica posse do lugar específico onde reside.

espíritos. Seres geralmente não visíveis às pessoas ordinárias; podem pertencer aos reinos dos fantasmas famintos ou deuses; podem ser benéficos, bem como danosos.

existência cíclica. Ver *samsara.*

existência inerente. Ver *existência verdadeira.*

existência verdadeira. O tipo de existência que tudo parece possuir; de fato, tudo é vazio de existência verdadeira. (Ver *vacuidade.*)

fantasma faminto. Ou, em sânscrito, preta. Uma das seis classes dos seres samsáricos, os fantasmas famintos experienciam o maior sofrimento por fome e sede.

fenômenos causais. Coisas que se sucedem na dependência de causas e condições. Inclui todos os objetos experienciados pelos sentidos, bem como a mente em si e fenômenos impermanentes.

Garuda. Divindade tântrica com o aspecto de um poderoso pássaro com chifre da cultura indiana; representa a energia que destrói a negatividade, especialmente a da raiva.

grande insight. O entendimento meditativo da impermanência e da vacuidade que supera a ignorância e conduz à liberação.

Gueshe (tib.). Literalmente, amigo espiritual virtuoso. Termo dado aos grandes Kadampas; título conferido àqueles que completaram extensos estudos e exames nas universidades monásticas Guelupas.

Gueshe Kadampa. Um praticante da tradição budista originada no Tibete no século XI com os ensinamentos de Lama Atisha. Os gueshes Kadampas são renomados por sua prática de transformação do pensamento.

Gueshe Lama KönTchog. Meditante ascético e amigo de Lama Yeshe; vivia no Monastério de Kopan, no Nepal. Faleceu em 2001.

guru (sânsc.). Ver *Lama*.

Guru Buddha Shakyamuni (563-483 a.C.). O quarto dos mil Buddhas da atual era desse mundo, nasceu como príncipe do clã Shakya no norte da Índia e ensinou os caminhos do Sutra e do Tantra para a liberação e a iluminação plena.

Hayagriva. Aquele com Cabeça de Cavalo; um protetor irado vermelho e divindade tântrica; uma manifestação irada de Tchenrezig.

Hinayana (sânsc.). Literalmente, o Pequeno Veículo. O caminho dos arhats, cuja meta é o nirvana, ou liberação pessoal do samsara.

ignorância. A raiz da existência cíclica; não saber o modo como as coisas de fato existem.

iluminação. Estado de Buddha; onisciência; despertar pleno; a meta última da prática budista Mahayana, atingida quando todas as falhas foram removidas da mente e todas as realizações foram completadas; um estado de mente caracterizado pela perfeição da compaixão, da sabedoria e do poder.

iniciação. Habilitação. A transmissão da prática de uma divindade específica de um mestre tântrico para um discípulo, o que permite ao discípulo engajar-se na prática.

interferências. Espíritos malignos que podem causar empecilhos à saúde, prática espiritual e outras atividades.

joia que realiza todos os desejos. Joia que traz a seu possuidor tudo que ele deseja.

Kalachakra (sânsc.). Literalmente, ciclo do tempo. Divindade masculina de meditação do Yoga Tantra Superior.

Kangyur (tib.). Os 108 volumes do cânone budista tibetano que contêm os discursos do Buddha Shakyamuni.

Karma (sânsc.). A lei de causa e de efeito; o processo pelo qual ações virtuosas de corpo, de fala e de mente levam à felicidade e não-virtuosas levam ao sofrimento.

Kirti Tsenshab Rinpoche (1926-2006). Lama altamente realizado e grande asceta yogue que vivia em Dharamsala, Índia, foi um dos gurus de Lama Zopa Rinpoche.

Krishnacharya. Também conhecido como Krishnachari e Kanhapa; em tibetano, conhecido como Nagpo Chöpa; um dos 84 *mahasiddhas*.

Kuan Yin. Representação do budismo chinês, em aspecto feminino, de Tchenrezig, Buddha da Compaixão.

Kunrig (tib.). Uma poderosa divindade para purificação; de cor branca, com três faces e segurando um dharmachakra.

kyuru (tib.). Emblic myrobalan, *Phyllanthus emblica*. Fruto amargo usado para curar catarro e doenças do vento.

Lama (tib.). Ou, em sânscrito, guru; professor espiritual, mestre; literalmente, "pesado", como se pesado pelo conhecimento do Dharma.

Lama Atisha (982-1054). Renomado mestre budista indiano que foi ao Tibete para ajudar na reativação do budismo e que estabeleceu a tradição Kadam. Sua obra Lamp for the Path to Enlightenment (*Lâmpada no Caminho para a Iluminação*) foi o primeiro texto LamRim.

Lama Tsongkhapa (1357-1419). Professor reverenciado e praticante consumado que fundou a ordem Guelupa do budismo tibetano. Uma emanação de Manjushri, o Buddha da Sabedoria.

Lama Yeshe (1935-1984). Fundador da Foundation for the Preservation of the Mahayana Tradition (FPMT) e guru de Lama Zopa Rinpoche.

Lamas da linhagem. Os professores espirituais que constituem a linha direta de transmissão de ensinamentos guru-discípulo, de Buddha aos professores de hoje.

LamRim (tib.). Ver *caminho gradual para a iluminação*.

liberação. O estado de liberação completa do samsara; nirvana, o estado além do pesar; a meta do praticante que busca liberação individual.

Logyönma (tib.). Ou, em sânscrito, Parnashvari. Divindade feminina praticada com frequência para evitar doenças contagiosas.

lung (tib.). Literalmente, vento; o estado no qual o elemento vento dentro do corpo está desequilibrado. Pode referir-se também a uma transmissão oral.

mahasiddha (sânsc.). Um yogue tântrico realizado; um santo.

Mahayana (sânsc.). O Grande Veículo; o caminho dos bodhisattvas, cuja meta última é o Estado de Buddha.

mala (sânsc.). Um rosário para se contar mantras.

mandala (sânsc.). Oferenda simbólica para o Buddha do universo inteiro purificado. Ou o ambiente purificado de uma divindade tântrica; o diagrama ou a pintura que representa isso.

Manjugosha (sânsc.). Ver Manjushri.

Manjushri (sânsc.). Divindade masculina que simboliza a sabedoria de todos os Buddhas.

mantra (sânsc.). Literalmente, proteção da mente. Sílabas sânscritas recitadas em conjunto com a prática de uma divindade específica de meditação e que representam as qualidades da divindade.

marcas. As sementes, ou potenciais, deixadas na mente por ações positivas ou negativas de corpo, fala e mente.

Maudgalyayana. Um dos dois principais discípulos arhats do Buddha Shakyamuni, célebre por seus poderes psíquicos.

meramente imputado. Ver *meramente rotulado*.

meramente rotulado. O significado mais sutil do surgimento dependente; todo fenômeno existe relativa ou convencionalmente, como um mero rótulo, como meramente imputado pela mente. (Ver *vacuidade*.)

mérito. A energia positiva acumulada na mente como resultado de ações virtuosas de corpo, de fala e de mente.

método. Todos os aspectos do caminho para a iluminação associados com o desenvolvimento da compaixão e as ações altruístas de um bodhisattva.

Milarepa (1040-1123). O grande asceta yogue e poeta tibetano, famoso pela prática intensa, pela devoção a seu guru, por suas muitas canções de realização espiritual e pelo alcance da iluminação em uma só vida.

Mitukpa (tib.). Buddha Imóvel; uma poderosa divindade de purificação; de cor azul, com aspecto semelhante ao Buddha Shakyamuni, exceto por segurar um vajra erguido na mão esquerda.

Monastério de Drepung. O maior dos três principais mosteiros Guelupas. Fundado perto de Lhasa por um dos discípulos de Lama Tsongkhapa. Agora restabelecido no exílio, no sul da Índia.

Monastério de Ganden. A primeira das três grandes universidades monásticas Gelugpas perto de Lhasa, fundada em 1409 por Lama Tsongkhapa. Foi destruído na década de 1960 e agora restabelecido no exílio, no sul da Índia.

Monastério de Kopan. Mosteiro perto de Boudhanath, no vale de Katmandu, Nepal, fundado em 1969 por Lama Thubten Yeshe e Lama Zopa Rinpoche.

Monastério de Sera. Um dos três grandes mosteiros Guelupas perto de Lhasa; fundado no século XV por JamTchen Chidje, discípulo de Lama Tsongkhapa; agora estabelecido no exílio, no sul da Índia.

Monte Meru. O centro do universo na cosmologia budista.

mudra (sânsc.). Literalmente, gesto. Gestos simbólicos de mão usados em imagens do Buddha ou em rituais tântricos.

naga (sânsc.). Seres do reino animal semelhantes a serpentes que vivem n'água ou perto dela; comumente associados à fertilidade da terra, mas também atuam como protetores da religião.

Nagarjuna. Grande erudito e adepto tântrico indiano que viveu aproximadamente quatrocentos anos após a morte do Buddha. Esclareceu o significado último dos ensinamentos do Buddha sobre vacuidade.

Namgujalma (tib.). Ou, em sânscrito, Ushnishvijaya. Divindade tântrica de aspecto feminino que se pratica para prolongar a vida.

não virtude. Karma negativo; aquilo que resulta em sofrimento.

Naropa (1016-1100). Mahasiddha indiano que transmitiu muitas linhagens tântricas, inclusive a célebre Seis Yogas de Naropa.

natureza convencional. Verdade relativa; o modo como as coisas parecem existir de forma distinta de como na verdade existem; o que é verdadeiro para uma mente válida que não percebe a verdade última.

Natureza de Buddha. Refere-se à vacuidade, ou natureza última, da mente. Devido a essa natureza, todo ser senciente possui o potencial para se tornar plenamente iluminado, um Buddha.

natureza última. Ver *realidade última*.

nirmanakaya (sânsc.). Ou corpo de emanação; a forma em que um Buddha aparece para os seres ordinários.

nyung-nä (tib.). Retiro de Tchenrezig de dois dias, envolvendo jejum e prostrações.

objeto a ser refutado. A existência verdadeira do eu e dos outros fenômenos.

obscurecimentos. Marcas negativas deixadas no *continuum* mental pelo Karma negativo e pelas delusões.

Oito Preceitos Mahayana. Votos, de um dia, de se abster de matar, roubar, mentir, contato sexual, substâncias tóxicas, assentos elevados, comer em horário errado e cantar, dançar, usar perfumes e joias.

OM MANI PADME HUM (sânsc.). O mani; mantra de Tchenrezig, Buddha da Compaixão.

Pabongka Detchen Nyingpo (1871-1941). Influente e poderoso Lama da ordem Guelupa, Pabongka Rinpoche foi o guru de raiz dos tutores sênior e júnior de Sua Santidade o Dalai Lama.

Padmasambhava. Mestre tântrico indiano do século VIII, principal responsável pelo estabelecimento do budismo no Tibete, reverenciado por todos os budistas tibetanos, mas especialmente pelos Nyingmapas.

pandita (sânsc.). Um grande erudito e filósofo.

pensamento egocentrado. A atitude autocentrada de considerar a própria felicidade mais importante que a dos outros; o principal obstáculo para a realização de bodhichitta.

pensamentos perturbadores. Ver *delusões*.

permanência serena. Ver *shamatha*.

pílulas mani. Pílulas minúsculas abençoadas com a recitação do mantra mani, OM MANI PADME HUM, um milhão de vezes.

posição vajra. Comumente conhecida como posição de lótus completa. Postura de meditação em que as pernas ficam cruzadas, com as solas dos pés para cima, repousando sobre a coxa oposta.

powa (tib.). Prática tântrica para transferir a consciência para uma terra pura de Buddha na hora da morte.

Prajnaparamita (sânsc.). Ou Perfeição da Sabedoria; ensinamentos do Buddha Shakyamuni nos quais são explicados a sabedoria da vacuidade e o caminho do bodhisattva.

pratimoksha (sânsc.). Os votos de liberação individual feitos pelos monges, monjas e leigos.

prostrações. Prestar respeito ao guru-divindade com o corpo, a fala e a mente.

protetores. Seres mundanos ou iluminados que protegem o budismo e seus praticantes.

puja (sânsc.). Literalmente, oferenda; uma cerimônia religiosa.

purificação. A remoção, ou limpeza, do Karma negativo e suas marcas da mente.

quatro continentes. Na cosmologia budista, o mundo tem quatro continentes habitados por seres humanos. Nós vivemos no Continente Meridional, o mais favorável para a prática espiritual.

quatro elementos. Terra, água, fogo e ar, ou vento.

Quatro Guardiões. Os quatro reis das quatro direções cardeais, que oferecem proteção contra influências danosas. Geralmente encontram-se desenhos deles nas entradas dos templos e monastérios tibetanos.

Quatro Nobres Verdades. Tema do primeiro ensinamento do Buddha Shakyamuni: a verdade do sofrimento, a verdade da causa do sofrimento, a verdade da cessação do sofrimento e a verdade do caminho para a cessação do sofrimento.

quatro poderes. Os quatro remédios que tornam a confissão efetiva na purificação de Karma negativo.

raiva. O pensamento perturbador que exagera as qualidades negativas de um objeto e que deseja causar mal a ele.

realidade última. O modo como as coisas de fato existem, distinto de como parecem existir; vacuidade; a ausência de existência inerente.

receber e dar. Técnica de meditação para desenvolver bodhichitta, na qual se toma para si todo sofrimento e causas de sofrimento de todos os seres sencientes e depois se dá para os outros o próprio corpo, bens, mérito e felicidade.

refúgio. Confiança sincera no Buddha, no Dharma e na Sangha para orientação no caminho para a iluminação.

reino da forma. O segundo dos três reinos do samsara, com dezessete classes de deuses.

reino da não forma. O mais elevado dos três reinos do samsara, com quatro classes de deuses envolvidos em meditações da não forma.

reinos desafortunados. Ver *reinos inferiores.*

reino do desejo. Um dos três reinos do samsara, compreendendo os seres dos infernos, fantasmas famintos, animais, humanos, asuras e as seis classes inferiores das suras. Seres desse reino estão preocupados com o desejo por objetos dos seis sentidos.

reinos inferiores. Os três reinos da existência cíclica de maior sofrimento: infernos, fantasmas famintos e animais. (Ver *samsara*.)

reinos superiores. Os reinos dos suras, dos asuras e dos humanos.

relíquias. Pequenas pílulas semelhantes a pérolas que se manifestam espontaneamente de objetos sagrados como estátuas, stupas ou dos corpos cremados de grandes praticantes.

renascimento humano perfeito. O raro estado humano, qualificado por oito liberdades e dez riquezas, que é a condição ideal para se praticar o Dharma e alcançar a iluminação.

renúncia. O estado de mente que deseja ser liberado do samsara por não ter sequer por um segundo a mais leve atração pelas perfeições samsáricas.

Rinpoche (tib.). Literalmente, precioso. Termo honorífico geralmente dado a Lamas reencarnados reconhecidos; título respeitoso usado para o Lama pessoal.

sabedoria. Todos os aspectos do caminho para a iluminação associados ao desenvolvimento da realização da vacuidade.

sadhu (sânsc.). Um yogue hindu andarilho.

Sakya (tib.). Uma das quatro principais tradições do budismo tibetano, fundada no século XI por Drokmi Shakya Yeshe.

Samantabhadra (sânsc.). Bodhisattva célebre por sua aspiração heroica e oferendas extensivas.

samsara (sânsc.). Existência cíclica; os seis reinos; os reinos inferiores dos seres dos infernos, fantasmas famintos e animais, e os reinos superiores dos humanos, semideuses e deuses; o ciclo recorrente de morte e renascimento dentro de um ou outro desses seis reinos sob o controle do Karma e das delusões; também refere-se aos agregados contaminados de um ser senciente.

Sangha (sânsc.). O terceiro objeto de refúgio; Sangha absoluta são aqueles que realizaram a vacuidade de modo direto; Sangha relativa são monges e monjas ordenados.

Saraha. Yogue tântrico indiano, um dos 84 mahasiddhas; célebre por sua realização do mahamudra, a realização tântrica da vacuidade.

seis perfeições. Práticas a serem aperfeiçoadas durante os dez níveis de bodhisattva: generosidade, moralidade, paciência, esforço entusiástico, concentração e sabedoria.

seis reinos. Os três reinos superiores dos deuses, dos semideuses e dos humanos, e os três reinos inferiores dos animais, dos fantasmas famintos e dos seres dos infernos.

ser do inferno. Ser samsárico no reino de maior sofrimento.

ser senciente. Qualquer ser que ainda não atingiu a iluminação.

Sete Ramos. Os Sete Ramos são: prostrar-se, fazer oferendas, confessar-se, regojizar-se, solicitar o giro da roda do Dharma, solicitar aos professores que permaneçam no mundo e dedicar.

shamatha (sânsc.). Ou, em tibetano, *shi-né*; permanência serena; estado de concentração em que a mente é capaz de permanecer firme, sem esforço e pelo tempo desejado, sobre um objeto de meditação.

Shantideva (685-763). Grande bodhisattva indiano que escreveu *Guia do estilo de vida do Bodissatva*, um dos textos essenciais do Mahayana.

Shariputra. Arhat célebre por sua sabedoria; um dos dois principais discípulos do Buddha Shakyamuni.

Singhanada (sânsc.). Avalokiteshvara Rugido do Leão; um dos aspectos de Avalokiteshvara, montado em um leão, praticado com frequência para a cura e remoção de interferências.

Sitatapatra (sânsc.). Divindade da Sombrinha Branca; praticada com frequência para remover interferências.

sofrimento da mudança. O que normalmente é considerado prazer, mas que na verdade é sofrimento não reconhecido.

sofrimento difuso. O mais sutil dos três tipos de sofrimento, refere-se à natureza dos cinco agregados, contaminados pelo Karma e pelas delusões.

sofrimento do sofrimento. As experiências de sofrimento comumente reconhecidas de dor, desconforto e infelicidade.

stupa (sânsc.). Um relicário simbólico da mente do Buddha.

Sua Santidade Tridjang Rinpoche (1901-1981). Finado tutor júnior de Sua Santidade o 14º Dalai Lama e guru de raiz de Lama Zopa Rinpoche.

sura (sânsc.). Um ser no reino dos deuses que desfruta dos mais altos prazeres encontrados na existência cíclica.

surgimento dependente sutil. Ver *meramente rotulado*.

surgimento dependente. O modo como eu e os fenômenos existem convencionalmente, como relativos e interpendentes. Eles vêm a existir na dependência de (1) causas e condições, (2) suas partes e, mais sutilmente, (3) da mente, imputando-os ou rotulando-os.

sutra (sânsc.). Os discursos públicos do Buddha; um texto escritural e os ensinamentos e práticas que ele contém.

Tangtong Guialpo (1385-1509). Célebre mahasiddha, considerado uma manifestação de Avalokiteshvara e Hayagriva; famoso como grande engenheiro, tendo construído muitos templos e pontes de ferro, e também como um grande médico.

Tantra (sânsc.). Os ensinamentos secretos do Buddha; um texto escritural e os ensinamentos e práticas que ele contém. Práticas tântricas em geral envolvem a identificação da pessoa com uma divindade plenamente iluminada a fim de transformar seus estados impuros de corpo, de fala e de mente nos estados puros de um ser iluminado.

Tara (sânsc.). Uma divindade feminina de meditação, usualmente de cor verde, que personifica a atividade iluminada de todos os Buddhas; com frequência é referida como a mãe dos Buddhas do passado, presente e futuro.

Tara Branca (sânsc.). Um aspecto de Tara, de cor branca, praticado para prolongar a vida.

Tathagata (sânsc.). Literalmente, Portanto Ido; um epíteto de um Buddha.

Tchang (tib.). Cerveja feita de grãos fermentados, geralmente cevada.

Tchekawa (1101-1175). Gueshe Kadampa que compôs o famoso texto de transformação do pensamento *Treinamento da Mente em Sete Pontos*.

Tchenrezig (tib.). Ou, em sânscrito, Avalokiteshvara; Buddha da Compaixão; divindade masculina de meditação que personifica a compaixão de todos os Buddhas. Os Dalai Lamas são encarnações dessa divindade.

terma (tib.). Um tesouro visionário, ou da mente; um texto visionário escondido por Padmasambhava e outros grandes mestres nos primeiros tempos da disseminação budista no Tibete e revelado mais tarde por praticantes conhecidos como *tertons*.

terra pura. Um reino puro de Buddha sem qualquer sofrimento; após nascer em uma terra pura, o praticante recebe ensinamentos diretamente da divindade daquela terra pura, efetiva o restante do caminho e então torna-se iluminado.

thangka (tib.). Representações pintadas ou aplicadas de divindades, usualmente emolduradas em brocado colorido.

tonglen (tib.). Ver *receber e dar*.

transformação do pensamento. Ou, em tibetano, Lodjong. Uma poderosa abordagem para o desenvolvimento de bodhichitta, na qual a mente é treinada para usar todas as situações, tanto felizes quanto infelizes, como meios para destruir o egocentrismo e o autoapego.

transmissão oral. Ou, em tibetano, *lung*. A transmissão verbal de um ensinamento, prática de meditação ou mantra de um guru para discípulo, tendo o guru recebido a transmissão de uma linhagem ininterrupta desde a fonte original.

treinamento superior. Existem três treinamentos superiores: em moralidade, concentração e sabedoria.

Três Joias. Os objetos de refúgio budista: Buddha, Dharma e Sangha.

três venenos mentais. Ignorância, raiva e apego.

Trinta e Cinco Buddhas. Usado na prática de confissão e purificação de Karma negativo, o grupo de 35 Buddhas é visualizado enquanto se recita *O Sutra das Três Pilhas* e se realiza prostrações.

trocar o eu pelos outros. Prática de bodhichitta de renunciar ao eu e zelar pelos outros.

tsampa (tib.). Farinha de aveia tostada, um alimento tibetano básico.

tsa-tsa (tib.). Bloco de argila ou argamassa com imagens de divindades.

Tushita (sânsc.). A Terra Jovial. A terra pura dos mil Buddhas desse éon, onde residem o futuro Buddha Maitreya e Lama Tsongkhapa.

Universidade de Sera Me. Uma das duas universidades dentro do Monastério de Sera; a outra é a Universidade de Sera Dje, à qual Lama Zopa Rinpoche está conectado.

vacuidade. A ausência, ou falta, de existência verdadeira. Em última instância, todos os fenômenos são vazios de existir verdadeiramente, por si mesmos, ou de forma independente. (Ver *meramente rotulado*.)

Vajradhara (sânsc.). Divindade masculina de meditação; forma na qual o Buddha Shakyamuni revelou os ensinamentos tântricos.

Vajrapani (sânsc.). Divindade masculina de meditação extremamente irada, personificação do poder de todos os Buddhas.

Vajrasattva (sânsc.). Divindade masculina tântrica usada especialmente para purificação.

Vajravarahi (sânsc.). Ou, em tibetano, Dorje Pagmo. Um aspecto de Vajrayogini.

Vajrayana (sânsc.). Também conhecido como Tantrayana ou Mantrayana. O veículo mais rápido do budismo, capaz de conduzir à obtenção da iluminação plena dentro de uma só vida.

Vajrayogini (sânsc.). Um divindade feminina do Yoga Tantra Superior.

Vasubandhu. Erudito budista indiano do século V; irmão de Asanga.

virtude. Karma positivo; aquilo que resulta em felicidade.

yoga (sânsc.). Literalmente, jungir. Disciplina espiritual à qual alguém se junge a fim de obter a iluminação.

yogue (sânsc.). Um meditante altamente realizado.

Leitura adicional sugerida

CAPRA, Fritjof. *Uncommom Wisdom: Conversations with Remarkable People*. New York: Bantam, 1989.

CHODRON, Thubten. *Open Heart, Clear Mind*. Ithaca: Snow Lion Publications, 1991.

CLIFFORD, Terry. *Tibetan Buddhist Medicine and Psychiatry: The Diamond Healing*. York Beach: Samuel Weiser, 1984.

DHARMARAKSITA. *The Wheel of Sharp Weapons*. Traduzido por Gueshe Dhargyey et al. Dharamsala: Library of Tibetan Works and Archives, 1976.

DHONDEN, Yeshi. *Health through Balance: An Introduction to Tibetan Medicine*. Editado e traduzido por Jeffrey Hopkins. Ithaca: Snow Lion Publications, 1986.

_____. *Healing from the Source: The Science and Lore of Tibetan Medicine*. Traduzido e editado por B. Alan Wallace. Ithaca: Snow Lion Publications, 2000.

FENTON, Peter. *Tibetan Healing: The Modern Legacy of Medice Buddha*. Wheaton: Quest Books, 1999.

GYATSO, Tenzin, 14º Dalai Lama. *The Meaning of Life from a Buddhist Perspective*. Traduzido e editado por Jeffrey Hopkins. Boston: Wisdom Publications, 1992. Lançado no Brasil como: *O Sentido da Vida*. São Paulo: Martins Fontes, 2001.

KHANGKAR, Lobsang Dolma. *Lectures on Tibetan Medicine*. Compilado e editado por K. Dhondup. Dharamsala: Library of Tibetan Works and Archives, 1986.

LEVEY, Joel; LEVEY, Michelle. *The Fine Arts of Relaxation, Concentration and Meditation*. Boston: Wisdom Publications, 1991.

LEVINE, Stephen. *Healing into Life and Death*. Bath: Gateway Books, 1987.

MCDONALD, Kathleen. *How to Meditate*. Boston: Wisdom Publications, 1984.

MOYERS, Bill. *Healing and the Mind*. New York: Doubleday, 1993.

PABONGKA Rinpoche. *Liberation in the Palm of Your Hand*. Traduzido por Michael Richards. Boston: Wisdom Publications, 1991.

PÄN-CH'EN LO-ZANG CH'Ö-KYI GYÄL-TSÄN. *The Guru Puja*. Traduzido por Alex Berzin et al. Dharamsala: Library of Tibetan World and Archives, 1981.

RABTEN, Gueshe; NGAWANG DHARGYEY, Gueshe. *Advice from a Spiritual Friend*. Traduzido e editado por Brian Beresford. Boston: Wisdom Publications, 2001.

SHANTIDEVA. *A Guide to the Bodhisattva's Way of Life.* Traduzido por Stephen Batchelor. Dharamsala: Library of Tibetan World and Archives, 1981. Lançado no Brasil como: *Guia do estilo de vida do Bodissatva.* São Paulo: Tharpa Brasil, 2003.

SIEGEL, Bernie S. *Peace, Love and Healing.* Arrow Books, 1991.

SOGYAL RINPOCHE. *The Tibetan Book of Living and Dying.* Editado por Patrick Gaffney e Andrew Harvey. San Francisco: HarperCollins, 1992. Lançado no Brasil como: *O livro tibetano do viver e do morrer.* São Paulo: Palas Athena, 1999.

THONDUP RINPOCHE, Tulku. *Enlightened Living.* Boston: Shambala Publications, 1991.

_____. *The Healing Power of Mind: Simple Meditation Exercises for Health, Well-Being, and Enlightenment.* Boston: Shambala, 1996.

TSONGKAPA. *The Principal Teachings of Buddhism.* Traduzido por Gueshe Lobsang Tarchin com Michael Roach. New Jersey: Mahayana Sutra and Tantra Press, 1988.

VAJRA, Kusali Dharma. *Giving Breath to the Wretched: The Method of Benefiting Sentient Beings at the Time of Death.* Traduzido por Lama Thubten Zopa Rinpoche. London: Wisdom Publications, 1981.

WALLACE, B. Alan. *Tibetan Buddhism from the Ground up.* Boston: Wisdom Publications, 1993.

WANGCHEN, Gueshe Namgyal. *Awakening the Mind of Enlightenment.* Boston: Wisdom Publications, 1987.

_____. *The Door of Liberation: Essential Teachings of the Tibetan Buddhist Tradition.* Boston: Wisdom Publications, 1995.

YESHE, Lama Thubten; ZOPA RINPOCHE. *Wisdom Energy.* Editado por Jonathan Landaw e Alexander Berzin. Boston: Wisdom Publications, 2000.

ZOPA RINPOCHE, Lama. *Transforming Problems into Happiness.* Boston: Wisdom Publications, 2001.

_____. *The Door to Satisfaction: The Heart Advice of a Tibetan Buddhist Master.* Editado por Ailsa Cameron e Robina Courtin. Boston: Wisdom Publications, 1994.

_____. *The Healing Buddha: A Practice for the Prevention and Healing of Disease.* Boston: Wisdom Publications, 1994.

Índice remissivo

A

a mente. *Ver também* tudo vem da mente; transformação do pensamento; pensamentos
    ações da, 80
    corpo e, 22, 123
    cura da, 18-20, 36-7
    degeneração da, 130
    geração de compaixão e, 46-50
    na criação de problemas, 19-20, 89-93
    na doença, 18-20, 67, 74
    natureza da, 17-8, 48-9
    o eu e, 70-1
    onisciente, 22-3
A Roda das Armas Afiadas, 179
abençoar água. *Ver* água abençoada
ações de fala, 80
ações negativas. *Ver também* ações positivas
    as dez, 80, 83
    como fontes de problema, 114-7
    de corpo, 82-5
    de fala, 85-6
    de mente, 86-7
    doença e, 18, 31, 38
    existência das, 80
    Karma e, 80-1
    obstáculos às realizações, 81
    problemas como resultado das, 122-3
ações positivas, 80-4, 122-3, 152-3. *Ver também* ações negativas
ações. *Ver* Karma; ações negativas; ações positivas
água abençoada
    cura, 185
    em curas milagrosas, 64-5
    história de Lucy, 28
    liberação de animais e, 153-4, 160-1
    meditação de cura de Tchenrezig, 186-7
    prática da generosidade, 149
    prática, 185
    reencarnação e, 154

Aids
	história de Alan, 26-7
	história de Anna, 192-3
	história de Luke, 28-9
	o rótulo de, 74-5
	prática de purificação, 182-4
	tratamento, 192-3
Alan, história de, 26-7
Alice, história de, 24-5
altar, preparação do, 159, 235n.29
amizade, 42-3, 103
animais
	benefícios do Buddha da Medicina, 136-7
	compaixão por, 44, 46
	danos aos, 160
	felicidade dos, 45-6
animais, liberação de (conceito)
	benefícios da circum-ambulação, 150-3
	benefícios dos mantras, 154-8
	Dharma na, 148-50
	em favor de outro, 147-8
	história de Alice, 24-5
	iluminação e, 153
	papel da água abençoada, 154
	reencarnação e, 154
animais, liberação de, prática da
	circum-ambulação, 160, 161
	compra de animais, 159-60
	cuidado dos animais, 159-60
	papel da água abençoada, 160-1
	preparação do altar, 159, 235n.29
	preparação para, 162-3
	processo, 161, 163-73
	seis perfeições, 148-9, 163
aqueles que circulam, 96
arhats, 111-4, 150-3
arrependimento na purificação, poder do, 181
arura, erva medicinal, 191-3, 202
Asanga, 57-8, 202
atingimento, 17, 39, 60, 196
Atisha, Lama, 97

B

baru, erva medicinal, 192-3, 202
bodhichitta (conceito)
    amizade e, 103
    bondade dos outros e, 108-9
    como fonte de felicidade, 36
    desenvolvimento de, 29, 103-4, 115-7, 176-7, 181-7
    gerando, 36, 103-4, 109-10, 132, 163
    recompensas de, 103-4
    relacionamento do curador, 60-2, 129-30
bodhichitta, prática de
    meditação de receber e dar, 111-7, 177
    para lidar com a depressão, 174-80
    preparação para a morte, 78
    purificação e, 177
bodhisattvas, 55, 60-3, 130
bondade amorosa. *Ver também* compaixão
    amizade e, 42-3
    benefícios da doença, 27, 98-102
    bodhichitta e, 109
    como fonte de felicidade, 103-4, 107-10
    desenvolvimento da, 100-2, 114-5
    dos inimigos, 97-8
    meditação de receber e dar, 27-9
    papel de cura da, 20-1
    reencarnação e, 108-9
Buddha da Compaixão. *Ver* Tchenrezig
Buddha da Cura, 144-6. *Ver também* Buddha da Medicina
Buddha da Medicina (conceito)
    bênção de medicamento, 134
    descrição, 136-8
    explicação do mantra, 135-6,
    forma do mantra, 135-6, 142-3, 170-1
    história de Alan, 26-7
    os 35 nomes, 160, 167, 177
    os oito, 135
    os que estão morrendo e os mortos, 132-4
    os sete, 130, 135-7, 140, 198-201, 235n.22
    puja, 133-4
    recitação dos nomes, 167-9, 198-201
    retiro para curadores, 134
Buddha da Medicina, prática do
    benefícios da, 130-2
    Buddha da Cura, 144-6

história, 234n.21
os que estão morrendo e os mortos, 132-4
processo, 136-44
Buddha Shakyamuni
benefícios de dar o Dharma, 149-50
como bodhisattva, 55-6
ensinamento de bodhichitta, 103-4
no renascimento em reinos inferiores, 131
O Extremamente Estável e, 156
pílulas de powa, 132-3
preparações do altar, 159
quatro leis do Karma, 81-2
Shrijata e, 150
simbolização do Buddha, 121
Buddha Vajrasattva, 65, 81
Buddha, 92, 96-8, 121-2, 179
Buxa Duar, 59, 203

C

calúnia (ação negativa), 85
camundongos, história dos, 44-5
câncer
história de Alice, 24-5
história de Lucy, 28
história do sr. Lee, 30-1
o papel da mente, 19-20
prática da liberação de animais, 147-8
prática de purificação, 182-4
Capra, Fritjof, 19
caridade. *Ver* dar
carne, comer, 133
causar mal aos outros, 46-8, 77-8
Chogye Trichen Rinpoche, 194
cíclica, existência. *Ver* samsara
cinco degenerações, 130-1
cinco Karmas negativos ininterruptos, 157, 204
cinco preceitos laicos, 179
circum-ambulação, benefícios da, 150-3, 160-1, 193, 203
clarividência, desenvolvimento, 22, 134
cobiça (ação negativa), 86
coma, tratamento de, 133-4
compaixão. *Ver também* bondade amorosa
amizade e, 42-3
benefício da doença, 23, 101-2

como fonte de felicidade, 41, 42-3, 84, 101, 103-4
   desenvolvimento de, 22, 48-50, 101-2, 111, 233n.7
   educação e, 43
   egocentrismo e, 107
   grande, 50
   histórias de, 54-8
   matar por, 56
   meditação de receber e dar, 28-31
   meditação, 22-3, 125-6
   natureza da, 42-3, 47-8
   necessidade dos outros de, 44-7
   o eu e, 45-6
   papel da iluminação, 39
   papel da mente na, 47-8
   papel na cura, 20-2, 42, 54-63
   perfeita, 48-9
   prática da, 42, 45-8
   prática de jejum e, 28
   recebendo, 47-8
   relações de poder, 22-3, 54-8
   sabedoria e, 22-3
   sofrimento e, 49-53
conceitos fixos, rompendo, 32-5
concentração, prática de, 149
consciência, seis tipos de, 123
consoantes sânscritas, forma do mantra das, 146
Coração do Surgimento Dependente, mantra do, 146
crítica, benefícios da, 89, 97, 107-8
cura
   definitiva, 22-3
   divindades de, 128-30
   obstáculos à, 65-6
curadores, 59-66, 128-9, 134
curas milagrosas, 63-66, 234n.19

D

Dalai Lama, 42, 45, 54, 62, 97, 133, 160,
dar, 113-4, 148-50. *Ver também* receber e dar
depressão, 32, 36, 42-3, 93-4, 174-80
dez ações não virtuosas, 63, 106, 233n.10
dez ações negativas, 83, 106
dez ações virtuosas, 108
Dharma, prática do, 99, 148-50, 178, 190

disciplina, manter, 25-6
Divindade do Raio Imaculado, mantra da, 158, 172
divindade, meditação da, 128-30
doença. *Ver também* problemas
    ações/pensamentos negativos e, 18, 30-1, 36, 38-9, 122-3
    categorias, 188
    causas de, 18, 30-1, 36, 38-9, 67, 122-3
    cinco degenerações e, 130-1
    curando as causas de, 18-21, 111-2
    ignorância na, 67
    meditação de receber e dar, 115-7
    natureza da, 100-1
    o papel da mente, 17-20, 71-3, 74
    o rótulo de, 74-8
    origem, 192
    tratamento de coma, 133-4
doença, benefícios da
    ajudar os outros, 34-5
    desenvolvimento da bondade, 27, 101
    desenvolvimento da compaixão, 27, 101-2
    desenvolvimento da iluminação, 98
    eliminação do orgulho, 96-8
    história de Alan, 26-7
    Karma negativo purificado, 98-100
    meditação sobre a vacuidade, 74-5, 100-1
    prática da virtude, 100
    treinamento em meditação, 95-6
doenças, prevenção, de 147-8

E
educação, papel na compaixão, 43
ego, 175-6, 179-80. *Ver também* egocentrismo
egocentrismo. *Ver também* zelar pelos outros
    como causa de depressão, 179-80
    como fonte de problemas, 36, 38, 104-5, 107-8, 110
    desenvolvimento da compaixão e, 107
    falhas do, 104-8
    felicidade e, 47-8
    fracasso e, 107
    louvor e, 97-8
    meditação de receber e dar e, 111-2
    o eu e, 73, 105-8
    uma não virtude, 80

espíritos
    interferência na cura, 62, 66
    na esquizofrenia, 91-3
    papel da água abençoada na possessão por, 30-1
    papel na doença, 188-9
    proteção contra, 236n.35
    pujas e, 190
estupa. *Ver também* objetos sagrados
    benefícios da circum-ambulação, 150-3
    como objeto de meditação, 122, 234n.17
    nas preparações de altar, 159
    poder da, 153, 156
    significado da forma, 122
    simbolismo da, 124
eu/o eu. *Ver também* ego
    como fonte de problemas, 101-2
    egocentrismo e, 73, 105-8
    existência do, 70-3, 105, 112-3
    natureza do, 100-1
existência cíclica. *Ver* samsara
existência verdadeira, conceito de, 17, 72-3, 212

F

fala rude (ação negativa), 85-6
fé, poder da, 59-60, 63-4, 128-9, 154
felicidade
    de não matar, 82-3
    definitiva, 78, 101, 108-9
    depressão transformada em, 36-7, 174-5, 177-8
    dos outros como propósito da vida, 36-41
    inigualável da iluminação, 17, 38-9, 96, 109-10, 113, 115-8
    meditação de receber e dar e, 116
    o papel da mente, 18-20, 37-9
    quatro tipos de, 83, 108
    responsabilidades da, 40, 45-8
    sofrimento e, 46-9
felicidade, fontes de
    a mente, 17
    acumulação de mérito, 22, 49, 103-4
    beneficiar os outros, 36-9
    bodhichitta, 103-4
    compaixão, 40-1, 42-4, 84, 101-2, 103-4
    inimigos, 97-8

Karma, 87
    os outros, 36, 43, 103-4, 108-10
    pensamentos/ações positivos, 122-3
    zelar pelos outros, 58, 108-10
    virtude, 80
flor, realidade da, 67-9
fofoca (ação negativa), 86
fome, alívio da, 194
fracasso, 97, 107
Francisco de Assis, 55, 61
Fundação de Todas as Boas Qualidades, 165

G
Gandhi, Mahatma, 45, 59-60
Garuda, 189, 205
generosidade, 148-9, 161. *Ver também* receber e dar
guardiões kármicos, 233n.8
gueshes Kadampas, 97, 99-100
Guia do Estilo de Vida do Bodissatva, 76, 93, 95-6, 103

H
Hayagriva, 189
HIV. *Ver* Aids

I
iluminação
    circum-ambulação de stupa e, 150-1, 153
    dar e, 113-4
    mantra do Buddha da Medicina, 136
    prática da liberação de animais, 149, 153
    propósito da, 39
    trocar o eu pelos outros, 115-6
impermanência/permanência, conceito de, 32-4
inimigos, benefícios dos, 90-1, 97-8

J
jejum, prática de, 28
Jesus Cristo, visualização de, na cura, 121-2

K
Karma
    a roda afiada do, 179
    abandonando, 113-4
    ações negativas e, 79-87

atitude positiva e, 38-9
benefícios da recitação de mantras e, 181-2
definido, 79-81
depressão e, 177-8
determinação de não cometer, negativo, 181-2
esgotando, bom ou mau, 82, 100, 177-8
liberação de animais e, 148-9
matar e, 82-3
motivação e, 79-81
natureza expansível do, 81-2, 153
poder de sempre desfrutar e, 181-2
purificação do, 98-100, 155-8, 160-1
quatro leis do, 81-2
roubar e, 83-4
sofrimento e, 52-3
Kirti Tsenshab Rinpoche, 133, 158, 192,
KönTchog (Gueshe Lama), 134
Krishnacharya, 56
Kuan Yin, Buddha da Compaixão, 54
Kunrig, mantra de, 158, 172
kyuru, erva medicinal, 192-3

L
LamRim, 159, 183, 205
Lee, sr., história do, 30-1
leitura sugerida, 214-5
liberação de animais. *Ver* animais, liberação de
liberação definitiva, 53
liberdade última, 22
Ling Tse Dordje Tchang, 61
livre-arbítrio, 87
louvor, problemas/benefícios do, 97-8
Lucy, história de, 28
Luke, história de, 28-9
luz branca, meditação curativa da, 122-5
luz branca, visualização da, 121-2

M
má conduta sexual (ação negativa), 84-5, 179
má vontade (ação negativa), 21, 86-7
Mahayana, Caminho, 109-10, 152-3
mandala, oferendas do, 165, 182
Manjushri, 135, 208

mantras
    como medicamento, 147-8
    degeneração do poder dos, 131
    desenvolvimento do poder de cura, 128-9
    explicação do mantra do Buddha da Medicina, 135-6
    fé e, 154
mantras, formas dos
    consoantes sânscritas, 146
    da Divindade do Raio Imaculado, 172
    da Roda que Concede Desejos, 172
    de Kunrig, 172
    de Milarepa, 172
    de Mitukpa, 172
    de Namguialma, 171-2
    de Tchenrezig, 154-5, 170-1, 186-7, 233n.6
    do Buddha da Cura, 144-6
    do Buddha da Medicina, 134-5, 142-3, 172
    do Coração do Surgimento Dependente, 146
    vogais sânscritas, 146
mantras, os benefícios dos
    da Divindade do Raio Imaculado, 158
    da Roda que Concede Desejos, 156-7
    de Kunrig, 158
    de Milarepa, 158
    de Mitukpa, 157
    de Namgyalma, 155-6
    de Tchenrezig, 154-5
    liberação de animais, 154-8
Mao Zedong, 45
matar, 56, 80, 82-3, 148
Maudgalyayana, 151-2, 208
medicamento interno. *Ver* meditação
medicamentos, abençoar, 134
medicina tibetana, 134, 185, 191-3
meditação
    da divindade, 128-30
    definida, 20-1
    em favor de outro, 128-30
    histórias de cura, 24-31
    objetos, 121-2, 234n.17
    papel de cura da, 20-3, 30-1, 53
    para lidar com depressão, 174-7
    pensamentos perturbadores e, 52-3
    realização da vacuidade, 112-3

        sobre a vacuidade, 74-5
        Tara, 30-1
        treinamento por meio da doença, 95-6
meditação de receber e dar (tong-len). *Ver também* o eu trocado pelos outros
        causas de doença purificadas, 111-3
        como treinamento em bondade, 28-9
        como treinamento em compaixão, 28-9, 111-2, 114-5
        egocentrismo destruído por, 28, 112-3
        felicidade como resultado da, 116
        história de Luke, 28-9, 126-7
        iluminação e, 117-8
        integrada à morte, 117-8
        integrada à vida, 114-7
        para lidar com depressão, 175-8
        prática, 126-7, 234n.19
        processo de dar, 113-4
        processo de receber, 111-3
        sobre, 111
        sofrimento destruído por, 28-9, 111
meditação, prática de
        Buddha da Cura, 144-6
        compaixão, 125-6
        cura da luz branca, 122-5
        Tchenrezig, 186-7
        receber e dar, 126-7, 176-8, 234n.19
mental, doença, 91-3
mentir (ação negativa), 85
mérito, acumulação de, 22, 49, 102, 112-7
Milarepa, mantra de, 158, 172
Mitukpa, mantra de, 157, 172
moralidade, 63, 80-1, 92, 100, 109-10, 148-9
morte
        aceitar a realidade da, 32-5, 174-5
        como prática espiritual, 78, 89
        existência da, 75-6
        integração de receber e dar, 117-8
        medo da, 75-8
        o rótulo da, 75-8
        prática do Buddha da Medicina para, 132-4, 135-6
        preparação para, 77-8, 158
        transformação da, 89
morte extemporânea
        benefícios do mantra de Namgyalma, 155-6
        prática da liberação de animais, 147-8

N

Nagarjuna, 81, 150, 189
nagas, 188-90. *Ver também* espíritos
Namguialma, mantra de, 155-6, 171-2
Naropa, 74-6
natureza de Buddha, 17, 48-9
Nehru (primeiro-ministro), 59
nyung-nä, prática de purificação, 28, 209

O

o corpo, 17, 26, 79-80, 82-3, 123
o eu, 47-8, 70-3, 175-6, 179-80. *Ver também* ego.
o eu trocado pelos outros. *Ver também* meditação de receber e dar
    caminho da iluminação do, 116
    como fonte de cura, 36
    desenvolvimento de, 104-6
    processo, 111-3
    valor do, 110
O Extremamente Estável, história de, 155-6
objetos sagrados, poder dos, na purificação, 181. *Ver também* stupa
oito ações que se abandona, 233n.5
oito Buddhas da Medicina, 135
oito oferendas, 235n.29
Oito Preceitos Mahayana, 25, 147, 195, 204
OM, pronúncia do, 136
onisciente, mente, 22-3. *Ver também* a mente
orgulho, eliminação do, 96-8

P

paciência, prática da, 97-8, 149
Padmasambhava, 131, 144, 146, 209
pensamentos. *Ver também* a mente
    como causa de sofrimento, 17
    como fonte de problemas, 36-8
    sofrimento que tudo permeia e, 52-3
permanência/impermanência, conceito de, 32-5, 67-8
perseverança entusiástica, prática de, 148-9
pílulas mani, 160, 207
planta chinesa, 193
poder perfeito, 23
possessão por espíritos, 30-1
powa, 117, 132-3

prece
    de cura de Tangtong Guialpo, 194-6
    de pedido, 139-40
    de prostração, 235n.26
    dos Sete Ramos, 139, 165
    para Liberar Sakyas de Doenças, 195-6
problemas. *Ver também* doença; sofrimento
    meditação de receber e dar, 116-7
    transformação dos, 88-94, 95-6
problemas (conceito)
    aceitação dos, 93-4, 234n.13
    como bênçãos, 99
    egocentrismo e, 36
    experienciando pelos outros, 88-9
    gostar/desgostar, interpretação, 89-94
    mente como solução de, 18, 38
    no desenvolvimento da bondade, 101
    no desenvolvimento da compaixão, 101-2
    o caminho para a iluminação, 95
    rótulo, 90, 93-4
    transformação da felicidade, 88-94
problemas, fontes de
    delusões, 98-100
    egocentrismo, 36, 104-10
    o eu, 100-2
    pensamentos/ações negativos, 36-9, 99-101, 122-4
prostração, prece de, 235n.26
pujas, 133-4, 148, 188-90
purificação
    dos obscurecimentos, 121
    exemplo, 65-6
    lidar com depressão, 177
    meditação de cura da luz branca, 122-3
    meditação de receber e dar, 112-3, 116-7
    para enfermidade mental, 92-3
    visualizações, 121-2
    zelar pelos outros, 58
purificação, prática de
    nyung-nä, 28
    para câncer ou Aids, 182-4
    remédio dos quatros poderes, 181-2

Q

quatro ações tântricas, 63
Quatro Guardiões, 156
quatro pensamentos incomensuráveis, 138, 154-5
quatro poderes, remédio dos, 181
quatro tipos de felicidade, 83, 108
quatro tipos de sofrimento, 82-3
quatro tradições do budismo tibetano, 233n.9

R

Raios de Lápis-lazúli, 131
Rato Rinpoche, 28-9
recessão econômica, alívio da, 194-5
reencarnação
    a verdade da, 18
    água abençoada e, 153-4
    benefícios da circum-ambulação, 161
    benefícios da recitação de mantras, 154-8
    bondade dos outros e, 108-10
    Buddha da Medicina e, 131-2
    continuidade da doença na, 34
    dez ações negativas e, 79-87
    Karma e, 82
    liberação de animais e, 154
    poder das pílulas de powa, 132-3
    prece de Rin-Tchen Tsug-tor Tchen, 154
    seis consciências e, 123
refúgio, 138, 164, 181-2, 194
remédio dos quatro poderes, 167, 181
Rin-Tchen Tsug-tor Tchen, 154
Roda que Concede Desejos, mantra da, 156-7, 172
rótulo
    Aids, 74-5, 100-1
    doença, 74-5
    eu é um, 70-3
    exemplo da flor, 67-9
    o conceito da base no, 67-9
    problemas, 89-90
    Z e, 69-70
roubar (ação negativa), 83-4

S

Sabedoria Incomum (Capra), 19
sabedoria, 22-3, 27, 39, 41, 106-7, 148-51
sacrifício, 55-8, 116
Sakya, liberação, 194-6
samsara
    aqueles que circulam no, 96
    doença no, 123
    liberação para animais, 149-50, 152-3, 160-1
    na história de Shrijata, 152-3
    natureza do, 34, 52
    sofrimento difuso, 50-2, 209
santos e cura, 61
Saraha (yogue), 76
seis consciências, 123
seis perfeições, 148, 211
seres sencientes, degeneração dos, 130-1
sete Buddhas da Medicina, 130, 132, 135-7, 140, 167-9, 235n.22
Sete Ramos, Prece dos, 139, 165
Shantideva, 76, 93, 96-7, 103
Shariputra, 150-1
Shrijata, história de, 150-3
sofrimento. *Ver também* problemas
    a mente no, 17
    a partir de ações negativas, 79-87
    causas do, 17, 67, 72, 79-80
    compaixão e, 49-53
    cura do, 67
    da mudança, 51-2
    do sofrimento, 51
    e o propósito da vida, 36-41
    em favor dos outros, 34-5, 175-8
    ignorância e, 67, 72
    meditação de receber e dar, 28, 111-7, 126-7
    meditação e, 53
    não virtude e, 80
    o papel da mente, 17-9, 38-9
    os quatro tipos, 82-6
    os três tipos, 50-3
    que tudo permeia, 52-3
sucesso
    causas do, 22, 41, 42, 49, 103-4, 114, 124
    egocentrismo e, 107
    felicidade e, 37-8
    puja do Buddha da Medicina para o, 133-4

T

Tangtong Guialpo, prece de cura de, 194-6
Tara, meditação de, 30-1
Tchekawa, Gueshe, 117
Tchenrezig
    benefícios do mantra, 154-5, 186-7
    formas do mantra, 154-5, 170-1, 186-7, 233n.6
    história de Lucy, 28
    meditação de cura, 186-7
tempos, degeneração dos, 131-2
Tonglen (receber e dar), meditação. *Ver* meditação de receber e dar
transformação da atitude, 33-5, 36-8. *Ver também* transformação do pensamento
transformação do pensamento. *Ver também* mente, cura da; transformação da atitude
    como solução de problemas, 38, 92-4, 114-7
    doença mental e, 91-2
    fracasso em felicidade, 97
    gueshes Kadampas, 97
    história de Alan, 26-7
    lidar com depressão, 177-8
    pobreza em felicidade, 99-100
três delusões, 67
três tipos de sofrimento, 50-3
35 Buddhas, 81, 160, 167-9, 177, 212
trocar o eu pelos outros. *Ver* o eu trocado pelos outros.
Tsembulwa, 56-8
Tsongkhapa, Lama, 63
tudo vem da mente. *Ver também* a mente
    a natureza do eu, 70-3
    conceito, 67
    Karma e, 79-82
    realidade de uma flor, 67-9
    Z é um rótulo, 69-70

V

vacuidade, meditação sobre, 71, 74-5, 100-1, 112-3, 176
vacuidade, realização da, 63, 67-9, 72-3, 177
Vajrapani, 24-5, 114, 135, 189, 213
Vajrapani-Hayagriva-Garuda, 189
Vajravarahi, 57
Vajrayogini, 56-7
Vasubandhu, 150

vida longa. *Ver* morte extemporânea
vida, degeneração da duração da, 130
vida, propósito da, 36-41, 88, 104, 123-5, 137, 144
virtude/não virtude, 80
visão, degeneração da, 131
visões errôneas (ação negativa), 87, 131
visualização na cura, 121-2
vogais sânscritas, forma do mantra das, 146

W
Wong, Tony, 64-5

Y
Yeshe, Lama, 17, 61, 191

Z
Z é um rótulo, 69-70
zelar pelos outros, 58, 63-4, 73, 103-6, 108-10, 178, 182, 186. *Ver também* felicidade; egocentrismo
Zopa Rinpoche
    descrição da mãe, 54-5
    história do tio, 65

Notas

1. Os três ensinamentos principais que formam a base de *Cura Definitiva* foram o curso de cura no Tara Institute em agosto de 1991 (Lama Yeshe Wisdom Archive nº 874) e preleções dadas em Auckland e no Mahamudra Centre, Nova Zelândia, em fevereiro de 1993 (# 885 e # 886 respectivamente). Também foi usado material das seguintes transcrições do LYWA: # 144, 151, 293, 303, 351, 444, 536, 652, 729, 754, 786, 808, 836, 847, 865, 873, 875, 894, 938, 962, 977, 1047, 1051, 1055, 1061, 1062, 1070 e 1072. Somado a isso, foi usado material dos conselhos pessoais de Lama Zopa aos estudantes em 1998 e 1999.

2. FPMT Education Services, 125B La Posta Road, Taos, New Mexico 87571, USA. Tel.: 1 (505) 758-7766.

3. Ver Carl Simonton e Margaret Lock, *The Search for Balance*, capítulo 5.

4. Todos os nomes das pessoas com enfermidades neste e em outros capítulos foram trocados para proteger sua privacidade.

5. As oito ações que se abandona são: matar; roubar; mentir; contato sexual; usar substâncias tóxicas; sentar-se em assentos altos ou dispendiosos; comer na hora errada; e cantar, dançar e usar perfumes e adornos.

6. O mantra médio de Tchenrezig, também conhecido como mantra da essência, é: OM / DHARA DHARA / DHIRI DHIRI / DHURU DHURU / ITTI VATTE / CHALE CHALE / PRACHALE PRACHALE / KUSUME / KUSUME VARE / ILI MILI / CHITI JVALAM / AOANAYE SVAHA.

7. Por exemplo, ao gerar compaixão por meio da instrução de sete pontos de causa e efeito, executa-se primeiro as meditações preliminares sobre equanimidade incomensurável, vendo-se todos os seres sencientes como a própria mãe, ou recordando sua bondade, desejando retribuir essa bondade e amor.

8. Guardiões kármicos, manifestações do Karma negativo de um ser, são guardas aterrorizantes que tomam parte nas várias torturas levadas a cabo nos reinos infernais.

9. As quatro tradições do budismo tibetano são Nyingma, Sakya, Kagyu e Gelug.

10. As dez ações não virtuosas são: matar, roubar, má conduta sexual, mentir, caluniar, fala rude, fofoca, cobiça, má vontade e visões errôneas. Ver Capítulo 10 para maiores detalhes.

11. Seres ingovernáveis são (tão ilimitados) como o espaço:

    Possivelmente não podem ser todos subjugados,
    Mas, se eu subjugar apenas os pensamentos de raiva,
    Isso será o equivalente a sobrepujar todos os inimigos.

    Onde seria possível eu encontrar couro suficiente
    Para cobrir toda a superfície da Terra?
    Mas (usar) couro apenas na sola dos meus pés
    É equivalente a cobrir a Terra com ele.

    Shantideva, *A guide to the Bodhisattva's Way*, capítulo 5, versos 12-13. No Brasil, este livro foi publicado pela Tharpa Brasil com o título: *Guia do estilo de vida do Bodissatva*.

12   No caso da ação negativa de matar, a base é um ser que é morto (outro que não o autor); o pensamento é a intenção, surgida de uma das delusões, de matar aquele ser; a ação é o ato concreto de matar; e a meta é a consumação do ato, com a morte do ser.

13   Por que ficar infeliz a respeito de alguma coisa
Se ela pode ser remediada?
E de que adianta ficar infeliz a respeito de alguma coisa
Se ela não pode ser remediada?

Shantideva, *A guide to the Bodhisattva's Way*, capítulo 6, v. 10.

14   Além do mais, o sofrimento tem boas qualidades:
Ao se ficar desalentado por causa dele, a arrogância é dissipada,
A compaixão surge para aqueles na existência cíclica,
O mal é evitado, e a alegria é encontrada na virtude.

Shantideva, *A guide to the Bodhisattva's Way*, capítulo 6, v. 21.

15   Se até mesmo o pensamento de aliviar
Criaturas vivas de uma simples dor de cabeça
É uma intenção benéfica,
Dotada de bondade infinita,

Qual a necessidade então de mencionar
O desejo de dissipar sua desgraça inconcebível,
Desejando que cada uma delas
Realize ilimitadas boas qualidades?

Shantideva, *A guide to the Bodhisattva's Way*, capítulo 1, versos. 21-22.

16   Essa foi a primeira meditação que Lama Zopa conduziu durante o curso de cura no Tara Institute em agosto de 1991.

17   Como objeto de meditação, você pode usar uma stupa ou uma estátua do Buddha (ou qualquer outro objeto de fé), um cristal, ou a energia universal de cura. Se você não tem uma stupa ou estátua, pode usar uma fotografia ou pintura, ou simplesmente visualizá-las.

18   Lama Zopa conduziu essa meditação durante uma das preleções em Auckland, Nova Zelândia, em fevereiro de 1993.

19   Essa meditação foi composta por Rato Rinpoche para um aluno de Cingapura que foi diagnosticado com HIV positivo. O aluno ficou completamente curado após praticar essa meditação com grande sinceridade por apenas quatro dias.
As preces preliminares incluem tomar refúgio e gerar bodhichitta, os quatro pensamentos ilimitados, a Prece de Sete Ramos, e a oferenda de mandala (**ver página 164-165**).

20   Esse verso sobre receber e dar é da prece do caminho gradativo para a iluminação do *Lama Chöpa*, ou *Guru Puja*, uma prática de guru yoga executada diariamente por muitos adeptos da ordem Gelug do budismo tibetano.

21   Essa prática do Buddha da Medicina, de um conjunto de ensinamentos chamado *Tesouro de Joias*, de Guru Padmasambhava, foi ensinada para permitir o diagnóstico e o tratamento corretos de enfermidades, especialmente nos tempos em que as cinco degenerações florescessem. Foi traduzido para o inglês por Lama Zopa Rinpoche e editado pelo Venerável Thubten Gyatso em janeiro de 1981. Foi publicado pela primeira vez pela Wisdom Publications em 1982. Posteriormente, foi editado em julho de 1999 pelo Venerável Constance Miller da FMTP Education Services. Foi editado novamente para ser incluído neste livro, com a adição do material da consagração de uma thangka do Buddha da Medicina no Vajrapani Institute em setembro de 1997.

22 Os nomes dos sete Buddhas da Medicina em tibetano são:
Tsen-leg-pa Yong-drag Päl-gyi Gyäl-po (Célebre e Glorioso Rei dos Sinais Excelentes),
Rin-po-che-dang Da-wa-dang Pä-mä Rab-tu Gyän-pa Ke-pa Zi-ji Dra-yang-gyi Gyäl-po (Rei do Som Melodioso, Radiância Brilhante de Sabedoria, Adornado com Joias, Lua e Lótus),
Ser-zang Dri-me Rin-chen Nang-tül Zhug-pa (Excelente Ouro Puro, Grande Joia que Realiza Todos os Votos),
Nya-ngän Me-chog-päl (Glória Suprema Livre de Pesar),
Chö-drag Gya-tsö Yang (Oceano Melodioso do Dharma Proclamado),
Chö-gya-tso Chog-gi-lö Nam-par Röl-pä Ngön-par Kyän-pe Gyäl-po (Rei Encantador do Conhecimento Claro, Suprema Sabedoria de um Oceano de Dharma),
Men-gyi-lha Bäi-dur-yä Ö-gyi Gyäl-po (Guru da Medicina, Rei da Luz de Lápis-Lazúli).

23 *Tayatha* significa apenas "como se segue" e introduz o mantra em si. Pode ser recitado umas poucas vezes no início da recitação do mantra.

24 Essa prática de meditação de cura de Padmasambhava foi traduzida por Lama Zopa Rinpoche no Tara Institute em 1º de setembro de 1991, na conclusão do primeiro curso de cura. A motivação e dedicação foram acrescentadas ao texto original. A primeira publicação foi pela Wisdom Publications em 1994, como *The Healing Buddha: A Practice for the Prevention and Healing of Disease*.

25 Isso significa aspecto semelhante ao do Buddha Shakyamuni.

26 A prece de prostração é: "Chom-dän-dä de-zhin shek-pa dra-chom-pa yang-dak-par dzog-päi san-gye rin-chen tsug-tor chän-la chag-tsäl-lo".

27 Os benefícios do mantra de Tchenrezig são de um ensinamento proferido por Lama Zopa Rinpoche em Cingapura, em 25 de janeiro de 1993 (LYWA ≠899).

28 Os benefícios do mantra da Divindade do Raio Imaculado são de *Giving Breath to the Wretched*, de Kusali Dharma Vajra, traduzido para o inglês por Lama Zopa Rinpoche.

29 As oito oferendas de altar tradicionais nas práticas tântricas são: água para a boca, água para lavar os pés, flores, incenso, luz, água perfumada, comida e música.

30 *Purificando o local*
Possa o solo ser puro por toda parte,
Livre da aspereza dos seixos e tudo mais.
Possa ser da natureza do lápis-lazúli
E tão macio quanto a palma de uma mão.

Abençoando as oferendas
Possam as oferendas de substâncias humanas e divinas,
Aquelas concretas e as que são emanadas,
Nuvens de oferendas do insuperável Samantabhadra,
Preencher o espaço inteiro.

Multiplicando as oferendas

OM NAMO BHAGAVATE VAJRA SARA PRAMANDANA TATHAGATAYA / ARHATE SAMYAK-SAM BUDDHAYA / TAYATHA / OM VAJRE VAJRE / MAHA VAJRE / MAHA TEDZA VAJRE / MAHA VIDYA VAJRE / MAHA BODHICITTA VAJRE / MAHA BODHI MENDO PASAM KRAMANA VAJRE / SARVA KARMA AVARANA / BISHO DHANA VAJRE SOHA (3x)

O poder da verdade
Pelo poder da verdade das três joias,
Pelo poder das bênçãos de todos os Buddhas e bodhisattvas,
Pelo poder do grande vigor dos dois conjuntos completados,

E pelo poder da esfera da realidade intrinsecamente pura e inconcebível,
Possa assim ser.

Invocação
Protetor de todos os seres sem exceção,
Subjugador perpétuo da tribo e das forças de Mara,
Divindade, conhecedor perfeito de todas as coisas:
Bhagavan e atendentes, por favor venham aqui.

31 Essa prece LamRim foi composta por Lama Tsongkhapa e traduzida para o inglês pelo Venerável George Churinoff.

32 Essa prática foi compilada por Lama Zopa Rinpoche em 31 de agosto de 1991, para os participantes do curso de cura no Tara Institute. A prática original continha os mantras de Sitatapatra (Divindade da Sombrinha Branca) e Singhanada (Avalokiteshvara do Rugido do Leão). Contudo, ao fazer essa prática, você pode usar o mantra de qualquer divindade recomendada a você por um Lama qualificado.

33 Essa prática foi composta por Lama Zopa Rinpoche e ligeiramente editada por Murray Wright. Foi adicionalmente editada para a inclusão neste livro.

34 Essa prece, traduzida para o inglês pelo Venerável George Churinoff, foi originalmente publicada em um livreto intitulado *Healing Prayers for a Calamitous Time,* junto com Um Pedido para Aliviar os Medos dos Famintos. Subsequentemente foi publicada em *The Healing Buddha: A Practice for the Prevention and Healing of Disease* (Wisdom Publications, 1994). Lama Zopa Rinpoche recomendou que A Prece para Liberar Sakyas de Doenças fosse recitada durante cursos de cura.

35 Amuletos protetores, contendo com frequência mandala e mantras de uma divindade envoltos em algodão colorido, são geralmente usados em volta do pescoço para proteger da interferência de espíritos.

36 Palavra sânscrita que significa "possa tudo ser auspicioso".

37 Essas são as preces de dedicação usadas por Lama Zopa Rinpoche ao fim das palestras durante o curso de cura no Tara Institute.

Obras na área de Budismo publicadas pela Editora Gaia:

A bem-aventurança da chama interior
Lama Yeshe

A essência do sutra do coração
Sua Santidade o Dalai Lama

Autocura tântrica I – Proposta de um mestre tibetano
Lama Gangchen Rinpoche

Autocura tântrica II – Autocura tântrica do corpo e da mente, um método para transformarmos este mundo em Shambala
Lama Gangchen Rinpoche

Autocura tântrica III – Guia para o supermercado dos bons pensamentos
Lama Gangchen Rinpoche

Coragem para seguir em frente
Lama Michel Rinpoche

Dzogchen – A essência do coração da Grande Perfeição
Sua Santidade o Dalai Lama

Iluminação cotidiana – Como ser um guerreiro espiritual no dia a dia
Venerável Yeshe Chödron

Introdução ao Tantra – A transformação do desejo
Lama Yeshe

Mania de sofrer – Reflexões inspiradas na Psicologia do Budismo Tibetano
Bel Cesar

Mente em conforto e sossego – A visão da Iluminação na Grande Perfeição
Sua Santidade o Dalai Lama

Morte, estado intermediário e renascimento no Budismo Tibetano
Lati Rinpoche e Jeffrey Hopkins

O caminho para a iluminação
Sua Santidade o Dalai Lama

O lapidador de diamantes – Estratégias de Buddha para gerenciar seus negócios e sua vida
Gueshe Michael Roach

O livro das emoções – Reflexões inspiradas na Psicologia do Budismo Tibetano
Bel Cesar

Oráculo I – Lung Ten – 108 predições de Lama Gangchen Rinpoche e outros mestres do Budismo Tibetano
Bel Cesar

Viagem interior ao Tibete – Acompanhando os mestres do Budismo Tibetano Lama Gangchen Rinpoche e Lama Michel Rinpoche
Bel Cesar